• 소설 속 사건과 인물은 모두 허구를 바탕으로 한 것이며 실제와 아무런 관련이 없음을 밝힙니다.

장편소설
30대
대기업 기술직(하)
단결
투쟁
박성욱 지음

발 행 | 2024년 07월 01일
저 자 | 박성욱

펴낸이 | 한건희

펴낸곳 | 주식회사 부크크

출판사등록 | 2014.07.15(제2014-16호)

주 소 | 서울 금천구 가산디지털1로 119, A동 305호

전 화 | 1670 - 8316

이메일 | info@bookk.co.kr

ISBN | 979-11-410-9167-5

30대 대기업 기술직 (하)

CONTENT

용득 반장의 등장

전입한 후, 이 반에서 일한지도 이제 1년이 넘어간다. 공장에서 일하면서 느낀 것이 있다. 반의 분위기는 목소리 큰 사람에 의해서도 달라지지만 보통 직급을 단 사람들에 의해 좌지우지되는 경우가 많은 듯하다. 내가 처음 이 반에 왔을 때, 반장이 광식 선배였다. 그때는 아침조회 시간에 반원들이 농담도 하고 웃고 떠드는 분위기였다. 하지만 지금은 분위기가 많이 달라졌다. 용득 조장이 반장으로 진급한 다음부터는 아침조회시간이 조용하다. 다들 핸드폰을 쳐다보고 있으며 고개를 숙이고 있는 것이다.

광식 선배, 정만 선배 등이 퇴직하여 반원들이 줄어든 것도 있지만 반장, 조장 등의 직급을 단 사람들의 행동이 큰 영향을 끼쳤다. 광식 선배도 물량을 빨리 생산하려 했는데, 용득 반장에 비하면 세발의 피였다. 아침 조회 때마다 용득 반장이 사무실 직원들과의 공정회의를 언급하며 '우리 반의 작업 효율이 떨어지네, 사무실에서 여러 말이 나온다.'는 등의 이야기를 하니 작업자들의 기분이 좋을 리 없다. 한두 번 하면 그러려니 하겠지만 거의 매일을 야단치듯 이야기하니 반원들의 기분이 상한 것이다.

특히나 우리 반은 여러 지그에, 여러 공정이 있어 톱니바퀴처럼 작업이 딱딱 맞추기가 불가능했다. 그런 특성이 있는데도 불구하고 아침조회 때마다 언급을 하였고, 반의 분위기는 어두워졌다.

어느 단체든 열심히 하자며 앞장서서 행동하고 독촉하는

“악역”이 있어야, 그 단체가 순조롭게 돌아간다. 그런 것을 알기에 다들 개인의 불만은 잠시 숨기고 생산에 매진했다.

우리 반은 제비 뽑기를 통하여, 친목회 회장 순서를 정하였다. 올해는 용득 선배가 친목회 회장이며 반장이었다.

3~4월에 한 번씩 하는 회식자리가 돌아왔다. 회식장소는 회사 근방이었다. 걸어가도 30분 안에 도착할 수 있는 거리였다. 회식 당일 아침조회시간에 친목회 총무가 ‘오늘이 회식날’이라는 것을 언급했다. 그때 올해 퇴직인 길수 선배가 물었다.

- 총무야, 차량은 어떻게 되냐? 누구 차 타고 가면 되냐?

보통 차를 가져오지 않고 출근하는 사람들을 배려해서, 친목회에서는 차를 가지고 출근하는 사람들에게 양해를 구하여 차 없는 사람을 태워줄 것을 부탁했다. 하지만 이번 회식은 회식장소가 가까워, 친목회 총무가 아무 말도 하지 않은 것이다.

그때 회장인 용득 반장이 한마디 했다.

- 형님, 배터리카 타고 가세요.

대기업 T의 부지가 넓다 보니, 회사에서는 각 공장에 1대씩 배터리카를 공급해 주었다. 배터리카는 말 그대로 전기를 충전해서 쓰는 차인데, 공구실에서 담당하고 있었다. 꼭 필요한 사람은 공구실에 가서 사번 적고 키를 받아 사용하면 되는 것이다. 흔히 골프카라고도 하는데 TV속, 골퍼들이 넓은 필드를 이동할 때 여러 명이서 타고 가는 것을 볼 수 있다.

용득 반장의 농담이 재미있었는지, 주위에서 키득키득 웃음소리가 새어 나왔다. 그리고 여기저기서 장난스러운 말들이 덧붙여졌다.
- 공구실 가서 하루 대여한다고 해라.
- 차량 없는 사람 모아서 태워가면 되겠네.
- 골프카 키 단디 챙겨라. 잊어버리면 몇 백만 원 물려줘야 한다.
- 배터리 카 타고 집에 갈 때는 필히 대리 불러라. 술 마시고 집에 가다 단속에 걸리면 좆된다.
- 배터리카 주차하면 주차비 할인 받지 않나? 전기차잖아.
새어 나오는 웃음소리가 댐이 터져 나오는 봇물처럼 큰 웃음소리가 되었다. 다들 웃고 있는데, 길수 선배만 웃지 않고 표정이 굳어졌다. 길수 선배, 본인은 일하다 다친 적이 있었다. 그래서 몸이 불편했다. 그래서 진지하게 말한 것인데, 주변에서 농담으로 대꾸를 하니 기분이 상한 것이다.
친목회 총무가 일어나서 정리했다.
- 걸어가도 되는 거리니, 걸어가실 분은 조금 일찍 출발하시고, 차량 없으신 분들은 옆 동료 분께 차를 얻어 타고 오시기 바랍니다. 이상입니다.
아침조회를 끝내고 모두 일어나 각자의 작업장으로 향했다.

하지만 길수 선배는 반장을 뒤따라갔다. 현장에 있던 용득 반장에게 길수 선배가 굳은 표정으로 말을 걸었다.
- 어이, 반장. 너 말이 너무 심한 거 아니가? 반장이고 친목회 회장이라면 책임을 다해야 하잖아. 반원들이 모두 다 안전하게 참여할 수 있도록 방안을 마련하고 설명해 주어야 되는 거 아니가?
- 형님, 거 농담한 걸 가지고 민감하게 반응합니까? 그냥 넘어가시죠.
용득 반장은 커피를 타고 있었다. 커피를 한잔 마시고 일할 계획이었던 것이다.
길수 선배의 언성이 높아졌다.
- 야. 그게 지금 할 말이가?
길수 선배의 얼굴이 무섭게 변했다. 그리고 용득 반장의 표정도 굳어버렸다.
공정이 본인의 마음대로 흘러가지 않아 기분이 나쁜 것인지, 집에 안 좋은 일이 발생한 것인지는 알 수 없으나 급흥분하기 시작했다. "야이, 씨발아."라며 마시던 커피 잔을 바닥에 내동이 쳐버렸다. 그리고 길수 선배의 멱살을 잡았다. 그러자 길수 선배도 똑같이 용득 반장의 멱살을 잡았다. 서로 쌍욕을 하던 중에, 용득 반장이 손바닥으로 길수 선배의 얼굴을 세게 밀어버렸다.
길수 선배는 안경을 쓰고 있었는데, 안경이 벗겨지고 넘어졌다. 옆에 있던 반원들이 모여들어 둘을 떨어뜨려 놓았다.

길수 선배가 떨어진 안경을 잡으며 용득 반장에게 삿대질을
하며 욕을 했다. 용득 반장은 한 대 더 때리려는 듯이 욕을
하며 길수 선배에게 다가가려 했다. 근처에 있던 반원들이
둘을 멀찌감치 떨어뜨려 놓고서야 싸움이 일단락되었다.

길수 선배는 원통해하며 본인의 연령과 비슷한 동료를 찾아
가 하소연했다.

- 아이고. 나이도 어린놈에게 이런 대우나 받고. 씨발. 진짜
일할 맛 안 난다. 내가 뭘 잘못했다고 저 새끼는 나한테 대
드노?

동료는 길수 선배의 말을 들어줄 뿐 딱히 해결방안을 제시
하지 못했다.

- 위, 아래 없는 싸가지 없는 새끼네. 길수야. 네가 똥 밟았
다고 생각해라. 이제 몇 달만 참으면 퇴직 아이가? 마음 넓
은 네가 참아라.

길수 선배는 연거푸 한숨을 내쉬었다. 얼마나 원통하고 분
했는지 눈물도 찔끔 흘렸다.

그날 회식이 새해 첫 회식이었다. 길수 선배는 오전 10시에
조퇴를 해버렸고 회식에 참석하지 않았다.

사람의 목숨을 구하는 것에 골든타임이 있듯이, 용서를 구
하는 것에도 골든타임이 존재했다. 그리고 용서를 받을 수
있는 범위도 개인마다 정해져 있었다. 용득 반장은 그 골든
타임을 놓쳤고 길수선배가 정해놓은 범위도 넘어버렸다.

회식을 하는데, 길수선배가 보이질 않자, 나이 많은 선배들

의 불만이 새어 나왔고 후배들도 마음이 무거웠다. 즐거워야 할 회식자리에 흥이 나질 않았다. 역시나 나이 많은 선배들은 용득 반장이 들으라는 듯이, 길수 선배 이야기를 언급했다.

- 길수는 왜 안 보이니?

- 길수, 오전 10시에 조퇴해서 집에 갔다. 반장한테 말도 안 하고, 사무실 직원과 같이 일하는 동료에게만 말하고 갔다.

- 뭣 때문에?

- 말 안 하고 가서 몰라. 근데 아침에 그 사건 때문에 그러는 거 아니겠나?

- 씨발. 분위기가 이게 뭐고? 초상집처럼. 나도 빨리 먹고 집에 가야지.

그날 회식은 조용하게 끝이 났다.

그 후에도 나이 많은 선배들이 용득 반장에게 직접적으로 말하지 않았지만, 회식 날 대화처럼 눈치를 주었다. 반장이란 직급은 같이 일하는 반원들을 관리, 감독도 하지만 보듬어 주고 살피는 역할도 하는 것이다. 우리 회사는 노동조합이 있기에 반장의 역할은 후자에 더 무게가 실렸다.

용득 반장은 본인보다 나이가 많은 형님에게 쌍욕을 하고 얼굴을 민 것에 미안한 감정이 들었나 보다. 회식을 하고 이틀이 지난 후, 용득 반장은 길수 선배를 만나기 위해 작업장으로 찾아갔다.

- 형님, 저번에 일은 죄송합니다. 제가 잘못했습니다. 앞으로

이런 일 없도록 하겠습니다. 형님, 이제는 화 푸시고 회식도 참여하시고.......

용득 반장이 말하고 있는데, 길수 선배는 용득 반장을 한번 쳐다보고는 핸드폰을 꺼내 어디론가 전화를 걸었다. "여보세요."하더니 핸드폰의 마이크를 손으로 잠시 막았다. 그리고는 다시 용득 반장을 쳐다보았고 입을 열었다.

- 어. 그래. 알겠다. 그만 가봐라.

길수 선배는 다시 정면을 쳐다보며 전화통화를 이어갔다. 용득 반장은 길수 선배와 좀 더 깊게 대화를 나누고 싶었다. 예전의 동료사이로 돌아가고 싶었다. 하지만 길수 선배의 마음은 이미 떠난 뒤였다.

용득 반장은 길수 선배 옆에서 전화통화가 끝나기를 기다렸다. 통화가 길어지자, 엉덩이를 떼고 길수 선배의 작업장을 빠져나왔다. 용득 반장은 용서를 빌었고 길수 선배가 "알겠다."라고 했으니, 용서를 한 것이라고 착각했다.

그 뒤로도 길수 선배는 반 회식에 참석하지 않았다. 회식할 때마다 흥수 선배를 비롯한 여러 선배들은 용득 반장이 들으라는 듯이 확인시켰다.

- 총무야, 오늘 회식은 누가 빠졌노?

- 길수 선배님 빠졌습니다. 오늘 회식이라고 말씀 드렸는데도 통근버스 타더라구요.

- 무엇 때문에 회식 안 온다고?

총무는 머리를 끄적거리며 대답하지 않았다.

매달 친목회 회비로 한 사람당 2만 원이 거출된다. 길수 선배는 회식도 가지 않는데 매달 내는 회비가 아까울 것이다. 그렇다고 2만 원 안 내기 위해 친목회를 탈퇴한다면 시끄러울 것이고 여러 사람들의 입에 오르내릴 것이다. 그런 잡음들이 싫고 몇 달만 참으면 퇴직하기에, 길수 선배는 싫은 내색 없이 회비를 내었다.

바쁘게 일하다 보니 여름이 찾아왔고 가을을 지나 겨울이 다가왔다. 올해 우리 반에는 2분이 정년퇴직을 하신다. 그중에 길수 선배도 포함되어 있다.

12월 초, 회식이 다가왔다. 12월에 하는 회식은 정년퇴직하시는 선배들이 주인공이다. 지금까지의 관례로는 후배들이 정년퇴직하는 선배에게 꽃을 주고 반원들과 단체사진을 촬영했다. 그리고 정년퇴직하는 선배들이 후배들에게 소감을 말하고 덕담을 주고받으며 끝맺음을 하는 식이었다.

우리 반 사람들, 모두가 '12월 회식 때도 길수 선배는 참석하지 않을 것'이라고 예상했다. 그 예상은 용득 반장도 예측하고 있을 것이다. 용득 반장은 12월 회식을 앞둔 며칠 전, 다시 길수 선배의 작업장을 찾아갔다.

쉬는 시간이었다. 길수 선배는 라디오를 듣고 있었다. 라디오에서는 신바람 나는 트로트가 흘러나왔다.

- 저 형님. 잠시 이야기 좀 나눌 수 있을까요?

용득 반장을 발견한 길수 선배는 여전히 시큰둥하게 대답했다.
- 뭔데?
- 며칠 후에 회식하는데, 형님이 꼭 참석하셨으면 좋겠습니다. 그동안 저한테 쌓였던 노여움은 푸시고 이제는 마지막이니 꼭 참석해 주세요. 후배들 볼 날도 며칠 안 남았습니다.
- 그래. 알았다.
길수 선배는 더 이상 듣기 싫다는 듯 라디오의 볼륨을 높이기 시작했다. 용득 반장은 좀 더 이야기하고 싶었지만 길수 선배의 행동에 자리를 뜰 수밖에 없었다.
회식 당일 날. 일을 끝내고 회식을 하러 가기 위해, 반원들이 모여 있었다. 멀리서 길수 선배의 뒷모습이 보였다. 역시나 길수 선배는 우리 쪽을 쳐다보지도 않고 통근버스 주차장으로 가버렸다. 결국 마지막 회식도 참석하지 않았다.

근무하는 마지막 날. 퇴직자들이 작업은 하지 않고 본인이 근무했던 공장을 돌아다녔다. 현장의 후배들, 사무실의 직원들과 마지막 작별 인사를 나누었다. 그리고 그날은 퇴직자들이 점심 먹고 바로 퇴근했다. 회사에서는 선배들에 대한 예우로 하루 일한 것으로 쳐주었다. 그렇기에 대부분의 퇴직자들은 참석을 하는데, 길수 선배는 마지막 날에 월차를 사용했다.

퇴직자들이 공장을 돌아다닐 때, 용득 반장의 표정이 불편해 보였다. 이제 우리 반 사람들은 용득 반장보다 길수 선배를 더 욕했다.

용득 반장과 반원들과의 불화는 여기서 그치지 않았다. 흥수 선배와도 사이가 좋지 않았다. 흥수 선배는 길수 선배 일로 용득 반장을 못마땅했다. 게다가 아침조회 때마다 생산효율을 강조하며 나무라듯이 이야기하는 것에 넌더리가 나 있었다.

어느 날, 쉬는 시간. 휴게실에서 친한 동료와 커피 한잔 마시며 농담과 진담을 섞어가며 말했다.

- 우리 반에 어떤 돌아이가 생산효율을 거듭 말하면서, 반 분위기 망치는데 아주 죽겠다. 그 미친 새끼가 얼마나 설쳐대는지 모르겠다.

같이 커피를 마시던 흥수 선배의 동료는 웃었다. 말을 뱉을 당시, 흥수 선배는 흥분한 탓인지 휴게실에 다른 반 사람들도 있다는 것을 인지하지 못했다. 말을 다 내뱉고 나서야 알아차린 것이다.

흥수 선배는 순간 뜨끔했다. 혹시 방금 말한 것이 용득 반장에게 흘러들어 가는 것이 아닌지, 그리 된다면 입장이 난처해질 것이다. 하지만 누구인지, 주어를 말하지 않았고 이 이야기가 용득 반장에게 들어가지 않을 것이라 확신하며 스스로를 다독였다.

다음날 흥수 선배는 본인의 작업장에서 일하고 있는데, 용득 반장이 성난 얼굴로 찾아왔다. 그리고는 다짜고짜 따져 물었다.

- 형님, 휴게실에서 "어떤 돌아이가 생산효율에 미쳐가지고 설치고 반 분위기 흐린다고." 형님이 말했다면서요. 그 미친 새끼가 나요?

- 아니. 그게 아니고.

흥수 선배는 당황해하며 말을 더듬었다. 용득 반장의 얼굴이 더 일그러졌다.

- 야이 개새끼야. 한 번만 더 내 욕하고 다니면 니 대가리 쪼개버린다.

흥수 선배는 고개를 숙이고 아무 말도 하지 않았다. 흥수 선배는 오랜 시간 현장에서 그라인더 작업, 베이비 그라인더 작업을 해왔고 그로 인해 어깨와 무릎이 성치 않았다. 젊어서 몸이라도 괜찮다면 멱살이라도 잡고 싸워볼 텐데, 몸이 불편하니 엄두가 나질 않는 것이다. 더럽고 수치스럽지만 고개를 숙이고 가만히 있을 수밖에 없었다.

용득 반장은 씩씩거리며 흥수 선배 작업장을 빠져나갔다. 이번 일로 용득 반장과 흥수 선배의 사이는 더 나빠졌다.

흥수 선배는 용득 반장 욕을 더 하고 다녔다. 물론 주변에 친한 동료와 입이 무거운 사람들만 있을 때만 욕을 했다.

이 소문은 금세 공장 안을 돌아다녔다. 대체적으로 공장 내, 작업자들은 뒷담화한 홍수 선배보다는 용득 반장을 더 비난했다. 반을 책임지는 반장이라면 반원들이 왜 본인을 욕하는지 먼저 살펴보아야 할 것이다. 본인이 무엇을 잘못했기에 반원들에게서 불만, 불평이 생기는지 되짚어보고 반성해야 했다. 그 다음은 수습이었다. 찾아가서 따지고 욕하며 협박할 것이 아니라 왜 욕하고 다녔는지 물어보고, 해명을 해야 했다. “나도 앞으로 고칠 테니 당신도 내 욕하지 말라.”며 좋게 이야기했으면 좋았을 것이다. 그리하면 둘의 사이는 더 나빠지지 않을 것이다. 하지만 용득 반장은 그런 융통성이 없어, 반의 화합을 이끌지 못하고 갈등만 조장시킨 꼴이 되고 말았다.

그래도 공장 내, 생산 공정은 잘 돌아갔고 생산물량은 잘 생산되었다. 다들 불만은 있지만 “돈”을 벌기 위해서, 가족을 생각하며 일하기에 가능한 것이다.

엄선배의 추천

길수 선배가 퇴직하기 3개월 전, 추석이 막 끝났을 때쯤이었다. 현장에서 열심히 용접하며 일하고 있는데, 노동조합을 맡고 있는 현 집행부가 내려온다는 소문이 들렸다.

임기를 다 채우지 못하고 내려오는 이유는 현재 맞닿고 있는 현안을 해결하기 힘들어, '다음 집행부에 위임하기 위해서'라고 했다. 골치 아픈 현안이 크게 2가지인데, 하나는 신임금체계 도입이고 둘째가 58년생 퇴직자 정년연장문제였다.

노동조합 차장활동 이후 노동조합에 관심 갖지 않았다. 나는 여전히 현장작업에 매진하고 있다. 노동조합이 나의 생활과 관련이 있으나 피부로 느낄 정도로 직접적이지 않게 느껴졌다.

소문에 의하면 올해는 단일후보가 지회장 후보로 나온다고 했다. 지회장으로 나오면 당연히 당선이다. 올해 나오는 단일후보는 엄선배가 속한 "사랑파"라고 했다. 사랑파에서 4명이 팀을 이루어 나왔는데, 엄선배는 보이질 않았다.

사랑파에서 지회장 후보는 "재섭" 선배였다. 재섭 선배는 예전에 엄 선배를 따라 식당에 갔을 때 본 적이 있다. 그때 본 후 처음이었다. 러닝메이트 4명은 현장을 돌아다니며 "잘 부탁합니다."라며 현장의 조합원들에게 인사를 건넸다.

- 이번에 단일후보로 나왔는데, 조합원 동지들의 많은 관심과 격려 부탁드립니다.

나에게도 와서 인사를 건넸다. 재섭 선배가 아는 척을 했다.

- 이야. 진짜 오랜만이구나. 잘 지내지?
- 아. 네.
- 우리 좀 많이 도와줘.
- 네. 당연하죠.

짧은 인사말을 나누고 헤어졌다.

현장에 일하면서 고민이 하나 생겼다. 직종을 바꾸고 싶은 것이다. 용접을 오래 하다 보니 귀 주변으로 피부가 뒤집어졌다. 피부가 빨갛고 각질이 자주 벗겨졌다. 피부과에 가서 진찰을 받았다. 의사는 염증이 생긴 것이라고 했고, 나에게 무슨 일을 하냐고 물어보았다. 그래서 "용접사"라고 이야기하니, "그럴 줄 알았다."라며 고개를 끄덕였다. 용접 불빛을 자주 받아 생긴 "화상의 일종"이라고 했다.

- 그럼 어떡하면 피부에 염증이 안 생기게 하죠?
- 용접을 하지 않거나 용접 불빛을 최대한 안 받는 방법을 고안해야죠.

용접사에게 용접하지 말라는 것은 돈 벌지 말라는 것과 마찬가지다. 용접 불빛을 안 받기 위해 몸을 가리는 것도 힘들다. 겨울이야 추우니 옷으로 몸을 많이 가리지만 날씨가 더워지면 그리할 수도 없다. 마스크, 가죽 재킷, 모자 등을 착용하고 용접하면 고온의 열이 순식간에 올라와 무지 덥다. 특히나 여름은 용접사들에게 최악의 환경조건이다. 더운 여름이라도 용접 가스가 제대로 공급되지 않을까 봐, 용접 시 선풍기를 틀지도 못한다.

최고로 좋은 방법은 용접을 하지 않는 직종으로 옮기는 것이다. 조립 쪽이나 지게차 기사로 가면 딱 좋을 것이다. 하지만 이도 쉽지 않다. 힘겹게 옮긴 반에서 또다시 다른 곳으로 가려고 하니 주변시선 때문에 부담감이 생겼다. 매년 발생하는 정년 퇴직자에 비해, 신입사원 채용은 턱없이 적었다. 그렇기 때문에 각 반의 반장은 인원을 다른 곳으로 보내려 하지 않는다. 특히나 젊은 사람들은 더욱더 보내주지 않으려 했다. 그래도 “옮겨야겠다.”라고 결심했다면 용득 반장과 한바탕 싸워야 할 것이다. “내 인생 내 마음대로 하겠다는데, 당신이 뭔데 관여하냐? 당신이 내 인생 책임질 것이냐?"라고 대들어 "정"을 떼어 내버리고 난리를 쳐야 가능성이 있다. 근데 이도 잘못하여 실패하면 다른 곳으로 가지도 못하고 평판만 나빠질 수 있다. 그리되면 "낙동강 오리 알 신세"가 되는 것이다.

용접이 아닌 다른 직종으로 가고 싶은데, 현실적으로 힘들다는 것을 깨달으니 심적으로 참 괴롭다. 속 시원히 말할 상대도 없다. 괜히 말 잘못했다가 용득 반장 귀에라도 들어간다면 밉보일 것이기 때문이다.

재섭 선배가 지회장이 되었다. 92%의 압도적인 찬성률이었다. 단일 후보인 탓도 있지만 지금까지 “노력파”가 계속 집행부를 맡았던 탓도 있다. 현장의 조합원들은 한쪽파가 계속 집권하는 것을 원하지 않았다. 한쪽 파가 계속 집권하면 조합원들보다 자기 편의 실리추구에 더 신경 쓰고 행동할 것이라는 인식 때문이었다.

어찌 되었든 난 계속 현장에서 용접사로 일하고 있었다. 이런 대기업에 들어오고 싶어도 못 들어오는 사람들을 생각하며 나를 위로했다. 남들보다 좋은 조건에서 일하는 것을 축복이라 생각했다. 그런 생각을 하고, 선크림을 발라가며 용접했다. 하지만 용접 불빛으로 인한 화상피해를 막아내는데 있어, 선크림도 크게 효과 있는 방법은 아니었다. 용접작업 중에 흘러내린 땀으로 인해 선크림이 씻겨 내려간다. 그라인더도 작업으로 인해 얼굴 표면에 쇳가루가 달라붙었다. 일을 끝내고 수건으로 땀을 닦아내면 피부가 아프고 손상되었다. 미세한 쇳가루로 인해 피부에 스크래치가 발생하는 것이다.

'이게 내 팔자인가 보다.'라고 생각하며 고개 숙이고 용접을 하고 있었다. 그때 누군가의 말소리가 들렸다.

- 시간 좀 낼 수 있을까? 잠시면 되는데.

용접사는 될 수 있으면 용접 중에 용접을 끊지 않는다. 중간에 끊어버리면 그 부위에서 다시 시작해야 하고 비드모양이 좋지 않다. 또한 결함이 발생할 수도 있기 때문이다. 내가 하고 있었던 용접은 담프 용접이라고 하여, 구간이 짧은 용접부위였다. 담프 용접 후 고개를 들었다. 재섭 선배였다.

- 아이고. 깜짝이야. 형님. 지회장 되신 거 축하드립니다. 근데 하실 말씀이라도?

- 여기는 시끄러우니깐 잠시 공장 밖에 나가서 이야기하자. 마스크 하고 용접재킷 벗고 나와.

재섭 선배가 내 작업장이 있는 4 bay 끝 쪽, 현관문으로 나가는 것이 보였다. 보호 장비를 벗고 재섭 선배의 뒤를 따라갔다. 혹시....... 나는 현관문을 나서자마자 재섭 선배에게 물었다.

- 저 보러 오신 거예요?

- 그래. 너 보러 왔다. 내가 이번에 지회장이 되었잖아. 그래서 같이 일할 부장들을 모으고 있어. 네가 교육, 선전부장이 되었으면 좋겠는데. 원래는 엄선배에게 부탁했어. 근데 엄선배가 널 추천하더라. 같이하자.

- 네. 열심히 하겠습니다.

재섭 선배의 말이 끝나기 무섭게 대답했다. 재섭 선배가 나를 찾아온 것을 보고 대충 예상은 했다. 재섭 선배가 나를 찾아오기 전, 용접 불빛으로 인한 화상을 피하고 회사 내에서 용접을 하지 않고 돈 벌 수 있는 방법이 있지 않을까를 생각하고 있었다. 앞에서 언급한 것처럼 여러 방안을 생각했고 그에 따른 어려움도 상상했다. 하지만 지회 상근업무는 반장 등 직급을 단 사람들도 뭐라 할 수 없었기에, 노동조합 일도 생각하고 있었던 것이다. 그런데 지금 지회장이 찾아와서 제안을 하니, 죽이 되던 밥이 되던 도전해 볼 수밖에 없는 것이다.

나의 빠른 대답에 재섭 선배는 놀란 모습을 보였다.

- 이야~ 젊은 사람이 하고자 하는 의욕이 대단하다. 보통 생각해 보겠다라든가, 주춤하는데 말이야. 그런 결단력 보기 좋

아. 앞으로 잘해보자. 내가 지금 반장님 만나서 이야기해놓을게. 반장님, 어디 계시지? 참고로 나 용득 반장하고 친해.

때마침 중앙통로로 통해 걸어오는 용득 반장의 모습이 보였다.

- 저는 그럼 언제부터 노동조합에서 근무하나요?
- 내가 나중에 연락할게. 아무튼 고마워. 우리 잘해보자.

재섭 선배는 "반장님~"이라 외치며 용득 반장에게 손을 흔들어 보였다. 그리고는 그쪽으로 성큼성큼 걸어갔다.

나는 다시 나의 작업장으로 가, 보호 장비를 착용하고 일을 했다. "내가 너무 성급한 것이 아닌가?"하는 후회가 밀려왔다. 노동조합에 상근 하려면 근무조건이나 월급 등을 꼼꼼히 알아봤어야 했는데, 아무것도 모르는 상태에서 수락한 것이다. 월급이 확 줄어들기라도 한다면 낭패일 텐데 말이다. 또한 현장에 있다 보면, 노동조합에 상근하다 주변사람과 싸우거나 뜻이 맞질 않아 현장으로 복귀하는 사람들을 종종 보았다. 이왕 쏟아진 물이니, 노동조합을 한번 경험해 보고 성에 차지 않으면 현장으로 복귀하면 될 것이다. 물론 노동조합에 상근하다 현장에 복귀한다면 현장의 조합원들에게 엄청나게 욕먹을 것이다. 각오를 해야 한다.

쉬는 시간이 되었고, 나는 용접 건을 내려놓고, 내가 쉬는 곳으로 왔다. 내가 쉬는 자리는 작업장 옆에 위치해 있고, 관물함과 의자뿐이다. 앉아서 관물함 안, 핸드폰을 살펴보니 부재중 전화가 와 있었다. 확인해 보니 엄 선배였다.

몇 년 동안 서로 연락이 없었다. 공장 밖, 회사에서 마주쳐도 고개 푹 숙이고 지나갔었다. 다시 말을 섞으려니 어색함이 밀려왔다. 그래도 용기 내서 전화를 걸었다. 엄선배가 나에게 전화를 한 목적은 대충 알 것 같다.
- 선배님, 그동안 잘 지내셨습니까?
- 그래, 많이 바빴는가 보네. 전화도 안 받고.
- 네. 작업할 때 폰은 관물함에 두고 일합니다. 그래서 못 받았습니다. 일하는데 재섭 형님이 찾아왔더라고요.
- 그래. 내가 널 추천했다. 너라면 충분히 할 수 있으리라 생각했어. 재섭이가 처음엔 나에게 부탁을 했어. "형님, 이번에 교육, 선전부장 자리를 맡아주십시오." "아이고, 2년 후면 나가는데, 내가 무슨 선전부장이고. 이제는 젊은 사람 키워야지. 내가 아는, 젊은 사람 키워라. 나는 조금 편안 거 할게. 기획부장을 내가 맡을게." 내가 아는, 젊은 사람은 당연히 너고.
과거의 인연이 끊어진 줄 알았는데, 희한하게 다시 연결되는 느낌이다. 엄 선배와 전화통화를 마치고 생각에 잠겨있었다. 잠시 후 용득 반장이 나를 찾아와, 말을 걸었다.
- 방금 재섭이 만났다. 재섭이가 나한테 부탁을 하더라. 널 데리고 가서 일 좀 시켜야 되겠다고 말이야. 지금 현장에 일할 사람이 없어서, 한 사람이라도 귀한데 말이야. 내 입장에서는 안 보내고 싶지. 근데 사람을 알고 친하다는 게, 사람 참 힘들게 만들어.

재섭이랑 나랑은 예전에 병원 동기야. 내가 일하다 다쳐서 산재로 병원에 입원한 적이 있었어. 그때 재섭이도 다쳐서 왔더라고. 나랑 같은 병원, 같은 호실이었어. 그때 같은 회사라는 공감대가 있어서 금방 친해졌어. 형, 동생하며 같이 술 마시고 다녔어. 그때 좋은 추억이 많아. 친한 동생이 이렇게 부탁을 하니 내가 거절하기가 힘드네.

용득 반장이 생색을 내었다. 자기가 허락해 줄 테니 열심히 해보라고 했다.

- 젊은 사람이 한번 해보겠다는 것을 내가 어떻게 말리겠노!

단체협약에 자유로운 노동조합활동 보장이 떡하니 명시되어 있는 것을 알고 있는데도, 용득 반장은 자기가 "허락해 준다."라고 했다. 어이가 없었지만 별말하지 않았다.

어느새 공장 안에 소문이 쫙 퍼졌다. 근데 공장 내 작업자들의 반응이 제각각이다.

- 이야. 축하해. 부장으로 진급했네. 용접 안 해도 되고 좋겠네.

- 그거 뭐 하러 하노? 용접수당 못 받는데. 연봉도 낮아질 것인데. 그리고 노동조합 활동은 잘해봐야 본전이야. 시기하고 견제하는 놈들 많으니깐 조심하고. 어찌 되었든 열심히 해봐.

축하해주는 사람, 측은하게 여기는 사람. 극과 극으로 나눠졌다.
다음날 회사에 출근하여 핸드폰을 보니, 나는 어느 단체대화방에 초대되어 있었다. 단체대화방에 재섭 선배와 엄선배가 있기에, 노동조합과 관련된 대화방이라는 것을 알았다. 찬찬히 대화방 구성인원을 살펴보니, 지회장을 포함한 임원 4명과 각 부서의 부장과 노동안전보건위원 등 총 13명이었다.
지회장이 대화방에서 말했다.
- 오늘 오전 10시에 노동조합 사무실에서 짧은 모임을 가지겠습니다.
시간에 맞춰 노동조합으로 갔다. 지회장인 재섭 선배가 나와 있었다.
- 반가워. 안으로 들어가. 왼쪽으로 바로 꺾으면 소회의실이 나와. 거기 들어가 있어.
지회장의 말대로 소회의실로 들어갔다. 큰 테이블이 가운데 놓여 있고, 그 테이블을 둘러싸고 여러 의자에 사람들이 앉아있었다.
- 반갑습니다.
나는 인사를 하고 아무 자리에 앉았다. 자리에 앉아, 사람들의 얼굴을 쳐다보았다. 내가 이 중에 나이가 가장 어린것 같다. 몇 명은 노동조합활동 경험이 많은지, 굉장히 여유를 부리는 사람도 몇 명 있었다. 잠시 후 지회장이 들어왔다.
- 여러분, 반갑습니다. 이번에 당선된 지회장입니다.

그 자리에 앉아 있던 사람들이 박수를 쳤다.

- 지금 여기 계신 분들은 저와 함께 노동조합을 이끌어갈 사람들입니다. 앞으로 자주 보게 될 테니 빨리 친해지세요.

지회장은 자신의 오른쪽 편에 있는 사람을 기점으로 해서 차례로 소개해주었다. 다른 사람은 간략하게 설명했는데, 나를 소개할 때는 소개말이 길었다.

- 교육선전부장을 맡은 친구입니다. 지금 여기 계신 분들 중에 나이가 가장 어립니다. 그렇다고 함부로 대하시면 안 됩니다. 이 친구가 30대 중반인데, 다른 회사 노동조합 가면 30대가 지회장을 하고 있어요. 우리 회사의 평균 연령대가 워낙 높아서 그렇지, 이 친구도 그렇게 어린 나이는 아닙니다.

그리고 덧붙여 말하자면 이 친구는 열정이 대단합니다. 제가 현장에 찾아가서 부장 자리를 제안했을 때, "본인이 한번 해보겠습니다. 키워주십시오."라고 저에게 말했습니다. 정말 대단하지 않습니까? 본인이 자발적으로 나서니 얼마나 대견합니까?

순간 여러 사람 입에서 "오~"라는 감탄사가 새어 나왔다. 나는 당황스러웠다. 재섭 선배가 나를 찾아와 제안했을 때 "예. 알겠습니다."라는 말만 했다. 근데 하지도 않은 말들을 부풀려서 이야기하니 황당한 것이다. 이런 것이 "상상 기억"인가 보다. 존재하지 않았던 과거현실을 상상하여 만든 기억 말이다.

지회장은 마지막으로 '사무장'을 소개해 주었다. 사무장을 맡은 사람은 회사 내 샤워장에서 자주 보았던 사람이었다. "석현" 선배였다. 사무장은 반갑다는 말과 함께 당부의 말을 했다.

- 다음 주부터 본격적인 노동조합 상근입니다. 상근 하시게 되면 2주 인수인계 기간동안 일을 배우게 됩니다. 기존에 근무하셨던 분들이야 상관없지만 처음 직책을 맡은 분들이라면 이 2주간이 상당히 중요할 것입니다. 우리가 이끌어갈 노동조합이 잘 굴러갈 수 있도록, 전 집행부 담당자에게 인수인계를 잘 받으십시오. 전 집행부 담당자는 마지막이라 대충 인수인계하려는 사람도 있을 거예요. 그 사람은 이제 끝이지만 우리는 시작입니다. 더럽고 수치스럽더라도 고개 숙여, 인수인계를 제대로 받으세요. 아시겠죠?

모두들 "네"라고 대답했다. 사무장의 말에 강한 '압박'이 느껴졌다. 사무장이란 자리는 부장들을 총 관리하기에, 더욱더 예민할 수밖에 없을 것이다.

짧은 만남을 끝내고 다시 현장으로 복귀했다. 현장으로 돌아와 일하려는데, 전화가 걸려왔다. 옆 반에 근무하는 "상기" 선배였다. 상기 선배는 '노력파'의 핵심 구성인원이었다. 예전에 지회장을 역임한 경력도 있고 대의원도 많이 했었다.

- 나야. 너 노동조합에 상근 한다면서? 왜 나한테 말을 안 했어? 말이라도 해줬으면 커피라도 마시면서 좋은 이야기도 많이 해 주었을 텐데 말이야.

- 아. 네. 저도 갑작스럽게 하게 되어서, 정신이 없었습니다.
- 시간 날 때, 내 일하는 곳에 한번 와. 커피 한잔 마시게.
- 네.
- 노동조합 활동은 뚝심이 있어야 돼. 임원들 말에 휩쓸려가면 안 돼. 본인이 하는 생각을 믿고 말하며 행동해야 돼. 너라면 잘할 수 있을 거야. 열심히 해라.
- 네.

의문이 들었다. 내가 노동조합에 일하는데 왜 시시콜콜 당신에게 말해야 하지? 뭐 노동조합 선배로써, 조언을 해줄 생각이었나 보다. 근데 '주관을 가지라고?' 도대체 무슨 의미인지 모르겠다.

노동조합 집행위원으로 일한다는 소문이 돌면서, 내게 관심이 모아지는 것 같다. 자주 연락하지 않았던 향우회 선배, 같이 입사한 동생에게도 전화가 왔다.

일하고 있는데 용득 반장이 또 찾아왔다.

- 내가 너를 노동조합으로 보내지만, 넌 그래도 우리 반 소속이야. 출근하면 반에 와서 형님들 얼굴도 보고 해. 그리고 노동조합 활동하다보면 여러 사람들한테 치여서 힘들고 괴로울 수도 있어. 그럴 때는 눈치 보지 말고 현장으로 복귀해. 나한테 와서 이야기하면 내가 다 막아 줄 테니깐. 알았지?

참나, 아직 시작도 안 했는데, 벌써부터 내려올 것을 예상하고 말해주니 기분이 살짝 상했다. 그래도 나를 위한 조언이라 생각하기로 했다.
- 그리고 너 이제 노동조합에 올라가면 일 안 할 테니, 일 좀 많이 해라.
이틀 치의 작업량을 하루 만에 끝내라고 했다. 갈수록 가관이다. 나는 대답하지 않고 딴짓을 했고 용득 반장은 한 번 더 강조해서 말하고는 가버렸다.
나는 억울하고 황당하여, 같이 일하는 흥수 선배에게 용득 반장의 부당한 작업지시를 말했다.
- 저 새끼, 또 지랄이네. 반장이 말한 대로 하려면 너 쉬는 시간, 점심시간 없이 일해야 가능할 거다. 그냥 헛소리라고 여기고 하던 대로 해. 시간되면 노동조합으로 가.
- 아. 네.
나는 흥수 선배 말대로 늘 하던 대로 일을 했다. 그렇게 해도 용득 반장은 별말하지 않았다.

노동조합 교육선전부장 활동

노동조합 출근 첫날, 새로운 곳에 입사한 기분이다. 출, 퇴근할 때는 자전거를 타고 이동한다. 자전거를 노동조합 사무실 앞 자전거 거치대에 세워놓았다. 현관문을 열고 들어가니, 임원 4명과 몇 명의 부장들이 커피를 마시고 있었다.

노동조합 사무실 현관문을 열면, 문 앞에 커피 자판기와 정수기가 놓여 있다. 널찍한 사무실 가운데를 기점으로 나눠, 왼쪽에는 여러 부장들의 책상과 의자가 놓여 있다. 안쪽으로 더 들어가면 정책실, 끝 쪽에는 지회장실이 있다. 거실의 오른쪽에는 조합원들이 쉴 수 있는 공간이 마련되어 있고 책을 대여할 수 있는 조그마한 책방도 있다. 왼쪽으로 들어가면 감사실, 창고로 쓰는 사무실, 소회의실, 대회의실이 있다.

사무장이 나를 창고로 쓰는 사무실로 안내했다.

- 교육, 선전 부서의 주 업무는 글을 쓰는 거야. 여기 방은 임시창고로 쓰였는데, 이제 네가 사용해. 혼자서 쓰면 남에게 방해 받지 않으니, 글이 잘 나오겠지. 전 교육선전부장은 9시 넘어서 올 거야. 그때 인수인계 정확히, 제대로 받아.

- 네.

나는 사무실을 돌아다니며 인사를 하고는 창고방을 청소했다. 버릴 건 버리고 컴퓨터를 가져와 설치했다. 그러던 중에 사무장이 '교육선전실'이란 팻말을, 내가 있는 창고방 문 앞에 걸고 가버렸다. 잠시 후 전 교선부장이었던 청호가 나타났다.

- 형님, 지금 인수인계하죠.

청호는 서둘러 업무에 대해 설명해주었다. 교육선전 업무는 노동조합 소식지 만들기, 노동조합 홈페이지 관리, 사진 및 동영상 촬영하여 기록 남기기, 교육부원 관리, 조합원 교육, 신입사원 교육 등등이었다. 교육 관련해서는 상부단체 강사를 부르면 되니, 크게 신경 쓸 것이 없다고 했다. 업무를 인수인계 받으며 느낀 것은 글 쓰는 것도 중요하지만, 컴퓨터를 잘 다루어야 했다. 특히 지회 홈페이지 관리를 위해서는 포토샵으로 사진을 자르고 수정해야 했다. 포토샵을 할 줄 모르고 사진촬영도 서툴렀다.

청호는 정확히 3일만 인수인계하고는 가버렸다. 모르는 카메라 기능과 포토샵 기술은 '인터넷을 통해 알아보라.'는 말을 하고 갔다. 인수인계 3일도 양반이었다. 다른 부서는 하루만 인수인계하고 가버리는 전 담당자도 있었다. 인터넷을 통해 궁금증을 해소하는 것에도 한계가 있었다. 사무장의 말대로 업무를 내 것으로 만들기 위해, 창피를 무릅쓰고 청호에게 여러 번 전화를 걸어 물었다. 처음에는 잘 가르쳐 주더니, 슬슬 짜증 섞인 말투가 나왔다. 나중에는 전화를 받질 않았다.

힘들어하고 있을 때, 엄선배가 내가 있는 교선실로 들어왔다.

- 처음이라 힘들지. 하다가 막히는 부분이 있으면 나한테 물어봐. 나도 예전에 선전부장으로 일했어.

엄 선배뿐만 아니라 노동조합 사무실에는 활동을 많이 한

베테랑들이 많았다. 그들의 도움을 받으면 될 것 같았다.

노동조합에서 교육선전부의 주요업무는 소식지 발행과 지회 홈페이지 관리였다. 사무장이 교선실로 와서는 빨리 소식지를 만들 것을 재촉했다.

- 어이, 교선부장 빨리 소식지 내야지! 앞면은 지회장님 인사말이 들어가야 되고, 뒷장은 각 집행위원들의 각오 말이 나와야 돼. 알겠지? 빨리해라.

노동조합에 있으니 회의가 많았다. 화요일 오전, 수요일 오전, 금요일 오후. 이렇게 일주일에 세 번, 지회장 주체로 회의를 했다. 사측과 합의한 내용은 잘 지켜지고 있는지, 현장에 발생하고 있는 이슈, 사측과 관련된 현안문제, 업무 공유 등 주로 사측과 관련된 현안 문제에 대해 토론하고 정보도 공유했다.

회의 마지막 순서인 기타 토의 시간에는 하고 싶은 말을 할 수도 있었다. 노동조합 소식지를 생각하며 회의시간에 발언했다.

- 이번에 소식지를 내야 하니, 오늘까지 각오 말씀 적어서 저에게 전달해 주세요. 오늘까지 제출하지 않은 부서는, 제가 알아서 각오 말씀을 쓰도록 하겠습니다.

회의를 끝내고 나가려는데, 사무장이 나를 붙잡고 말했다.

- 소식지 인쇄하기 전에, 지회장님을 비롯한 임원 4명한테 1

부씩 돌려. 그리고 수정할 부분, 삽입해야 할 부분 등을 알려줄 테니깐 고치고, 마지막은 부지회장한테 승인 받고 인쇄해.

머리가 아팠다. 글 다 쓰고 검사도 받고 수정해서 또 검사를 받아야 하니 할 일이 엄청 많은 것이다.

각오 말을 적어서 건네주는 부장도 있었지만 대답 없는 부장도 있었다. 결국엔 완성했다. 근데 그 과정이 순탄치 않았다. "한글"프로그램으로 인쇄해서 임원들에게 가져다주면, 부지회장이 빨간 펜으로 쫙 그었다. 학창시절 선생님이 시험지에 점수를 매기는 기분이다. 수정할 부분, 빼야 할 부분 등을 빨간 펜으로 적어주었다. 나는 빨간 펜이 알려준 대로 수정해서 다시 부지회장에게 가져다주고 승인받았다. 노동조합과 관련된 인쇄소가 있다. 그곳에 파일을 전송하면 '인디자인'을 할 줄 아는 인쇄소 직원이 다듬어서 인쇄를 했다. 그리고 그 인쇄한 소식지를 우리 노동조합에 가져다주었고 도착한 소식지를 조합원들에게 배부한다. 그럼 노동조합에서 월단위로 계산, 돈을 인쇄소 계좌로 임금 해주었다. 이런 일련의 과정을 거친다. 4명의 임원들에게 보여 주어야하는 번거로움은 있지만 그로 인해 오타발생을 줄였다.

소식지를 다 만드니, 이제 지회 홈페이지를 바꿔야 했다. 포토샵을 할 줄 몰라 어찌할 줄을 몰랐다. 그러다 기회부장인 엄 선배를 찾아갔다.

- 곽훈한테 가봐. 거기 컴퓨터 잘해. 포토샵도 어느 정도는

할 줄 알아.

"곽훈"은 부지회장의 이름이다. 부지회장을 찾아가니, 부지회장은 인터넷 서핑을 하고 있었다. 나는 포토샵으로 인한 어려움을 호소하자 사진 자르기나 글자 넣기 등 기본적인 것을 알려주었다. 부지회장의 도움으로 지회 홈페이지에 있던, 기존의 지회장 사진이나 조직도 등의 여러 사진을 바꿀 수가 있었다.

이제 급한 불을 끈 것 같다. 한숨을 돌리고 노동조합의 분위기와 돌아가는 상황, 궁금했던 부분을 파악해야 할 것 같다. 총무부장을 찾아가 급여 부분과 쉬는 부분에 대해 물었다.

- 노동조합에 일하면 네가 예전에 받던 돈보다는 적을 거야. 특히 넌 용접사잖아. 여기서 일하면 용접수당을 못 받아. 상근하는 집행위원의 월급은 자기가 일했던 공장 내, 현장 조합원들의 평균 월급을 받아. 네가 일한 공장에서 특근을 많이 해서 평균 월급이 높아지면 너도 많이 받는 거지. 반대로 조합원들 특근이 적으면 너도 월급이 줄어드는 거지. 조합원이 특근하면 노동조합도 문 열어야 돼. 그래서 돌아가면서 2명씩, 특근하는 날에 출근해야 돼. 출근하면 밀린 업무를 해도 돼. 매주 토요일 특근이 있으면 한 달에 한번, 두 번 정도 토요일에 출근해야 될 거야.

총무부장말로는 급여와 관련해, 수당 받는 사람보다 매우 불리하다고 했다. 그래도 현장에 있으면 특근한다고 매주 일요일만 쉬었는데, 더 쉴 수 있게 된 것은 좋았다. 월급이 줄어들어서 속상했지만 더 좋은 것을 배우고 경험할 수 있을 것이라 기대하고 일해 보기로 했다.

일하던 중에 수영이 누나가 교선실로 찾아왔다. 오랜만이었다.

- 누님, 잘 지내요?

- 그래. 너 부장 되었구나. 잘해봐.

나는 수영이 누나에게 커피를 한잔 대접하며 이런저런 이야기를 나누었다. 근데 수영이 누나가 뜻밖의 이야기를 했다. '총무부장인 조운'을 조심하라고 했다. '뒤에서 칼 꽂는 놈'이라고 표현했다. 지금까지 노동조합 일을 6년 넘게 했는데, 조운은 알게 모르게 본인의 이익만 챙기고, 같은 동료를 배반하는 더러운 놈이라고 했다.

수영이 누나는 조심하라는 말을 남기고 떠났다. 진실인지 거짓인지는 생활해 가며 알 수 있을 것이다.

집행위원회의를 했다. 회의를 할 때마다 느끼는 것이지만, 조직부장의 말이 너무 많다. 회의가 끝나고 임원 4명이 빠져나가면 조직부장 주체로 또 남아서 회의를 했다. 조직부장은 임원과 각 부장들의 중간사이의 위치라고 했다. 노동조합은 다 "평등"관계라더니 꼭 그렇지도 않았다. 여기도 조직생활이기에 상, 하관계가 존재하는 듯하다. 어찌 되었든 회의는 짧고 굵게 하는 것이 원칙인데, 조직부장은 했던 이야기 또 하고, 말에 쓸데없는 비유나 본인만의 말 습관을 사용했다. 말을 길게 하니 집중이 되지 않고 짜증이 밀려왔다.

이런 가운데 총무부장이 회의 도중 발끈했다.

- 조직부장님, 할 말만 하고 말은 짧게 하세요.

- 다 필요해서 말하는 거 아니요? 잘해보자고 말하는데 왜 방해야?

조직부장을 맡은 "택수"라는 선배는 나이가 많았다. 2년 후면 정년퇴직이라고 했다. 총무부장이 다혈질인 듯하다.

- 씨발, 회의가 기니깐 할 일도 못하잖아.

- 뭐? 씨발?

"회의가 기니깐 할 일을 못한다."는 말, 나도 하고 싶었던 말이다. 총무부장이 대신해주니 속이 시원해지는 것 같다. 주변의 부장들이 달려들어, 둘을 멀리 떼어 놓았다. 그렇게 회의가 끝났다. 그 후에도 회의 때마다 둘은 자주 마찰을 일으켰다.

택수 선배는 부지회장의 요청으로 조직부장 자리를 맡았다. 근데 하는 행실로 인해, 여러 사람들의 입에 오르내렸다. 노동조합일이라는 것이 찾아서 하면 많은 것이고 하지 않으면 없는 것이다. 택수 선배는 입으로만 일하려 했다. 임시총회 때 조합원을 선동하고 지회장을 소개하는 멘트를 준비해야 하는데, 볼펜으로 종이에다 적었다. 그럼 부지회장이나 나를 찾아와 타자를 쳐, 인쇄해 달라고 부탁했다. 한 두 번이면 괜찮지만 계속되면 부탁 받은 사람은 짜증이 날 수밖에 없다. 본인의 업무도 있는데, 본인의 시간을 빼앗기기 때문이다. 타자를 배우라고 해도 막무가내였다.
- 타자 못 쳐, 손이 굳어서 안 돼. 그리고 2년 후면 나갈 사람인데 뭘 배워.
본인이 해야 할 업무를 입을 이용해 부탁하거나 하게 만들었다.
우리 노동조합은 회사 밖, 연대투쟁도 같이 했다. 상부단체의 요청으로 어려운 사업장과 연대해서 길거리로 나가 거리투쟁을 하기도 했다. 길거리 투쟁 때마다 조직부장의 모습이 잘 보이질 않았다. 연대 투쟁하러 갈 때는 보였는데, 도중에 보이질 않거나 아예 모습을 드러내지 않는 경우도 있었다.
내가 있는 교선실에서 소식지를 만들고 있는데, 총무부장 "조운"선배가 들어왔다.
- 나 커피 한잔 줘.
나에게 할 말이 있는가 보다 싶었다. 그래서 커피를 대접하고 마주 앉았다.
- 노동조합 활동 해보니깐 어때? 할 만해?
- 아직 잘 모르겠습니다.
- 지금 노동조합 흘러가는 거 보니깐 어때? 분위기가 어색하지?
- 예? 무슨 일 있어요?
- 너 참 눈치 없다. 하긴 넌 여기 따로 떨어진 곳에 있어서 잘 모를 수도 있겠다. 지금 임원 4명이 고민이 많아. 바로 조직부장 때문이지. 조직부장이 일도 제대로 안 하고 회사

밖, 집회 장소에도 잘 보이질 않으니 말이야. 또 회의 때마다 나하고 싸우고 말이야.
- 조직부장님한테 무슨 일 있어요? 집에 무슨 안 좋은 일 있나요?
- 있기 개뿔! 조직부장인 택수 형은 예전부터 노름을 좋아했어. 소문에 노름으로 전 재산을 탕진하여 마누라가 도망갔다는 이야기도 있어. 그리고 지금 실제로 아들하고만 단 둘이 살고 있잖아. 아들은 중소기업에서 일하고 있어. 내가 알기론 회사 근처에 노름하는 곳이 있어. 그걸 하우스라고 하지. 주택단지 내, 어디라고 알고 있어. 회사 밖 집회 때마다 거길 가는 것 같아. 회사 밖, 집회 때마다 전화하면 '좀 있다 간다.'라는 말만 하고는 안 와. 내 추측이 확실할거야. 저거 빨리 잘라야 하는데, 너만 알고 있어.
"너만 알고 있어."가 아닌 것 같다. 왜 나에게 이야기하는 것일까? 소문을 퍼뜨려 달라는 건가? 하지만 난 누구에게도 말하지 않았다. 황금 빗자루와 최뿔따구로 인해 "말이 무섭다."라는 것을 알고 있기 때문이다. 확실하지도 않은 남의 추측을 잘못 이야기했다가는 부메랑이 되어서 날아올 것이다. 이런 상황도 모르고 노동조합 내, 택수 선배는 복지부장을 놀리고 있었다. 복지부장인데 "보지부장'이라며 유치한 장난을 치고 있었다.
나는 내 일만 하며 활동했다. 화장실을 이용하려면 노동조합 사무실을 빠져나와 다른 건물로 가야 했다. 가는 도중에 화가 난 택수 선배와 난처한 표정을 짓고 있는 부지회장이 보였다.
- 야. 너 때문에 여기 있는데, 이제 현장에 복귀하라니? 지금 집행부에 올라온 지도 얼마 안 되었는데, 내려가면 현장의 조합원들이 뭐라고 하겠어? 씨발. 창피해 죽어. 그리고 어떤 새끼가, 내가 노름하고 다닌다고 지껄이는 거야?
- 형, 나도 그건 몰라. 아무튼 지금 나도 입장이 난처해. 형을 조직부장 자리에 앉힌 사람이 나니깐.
- 그래, 너 말 잘했다. 너 때문에 여기 왔는데, 이제 다시 가라고. 씨발, 똥개 훈련 시키냐?
- 그게 아니고.
계속 지켜볼 수 없어, 스쳐 지나갔다. 소변을 보고 나와도 둘의 표정은 방금 전과 똑같았다.
일주일이 지났고 집행위원회의가 진행되었다. 회의 때 조직부장인 택수 선배가 보이질 않았다. 사무장이 이유를 설명해 주었다.
- 조직부장님은 가사로, 아쉽게 사퇴했습니다. 최대한 빨리 다른 사람을 인선해, 활동에 지장 없도록 하겠습니다.
회의가 끝나고 나는 나의 자리인 교선실로 돌아왔다. 내가 부장 중에 막내라, 집행위원회의 자료를 정리하고 보관해야 했다. 그 일을 하고 있는데, 총무부장이 싱긋 웃으며 말을 던지고 가버렸다.
- 너, 조직부장 잘린 거 봤지? 너 일 제대로 못하고 내 말

안 들으면, 사무장한테 말해서 저렇게 자른다.

총무부장의 건방진 말에 분노가 치밀어 올랐다. 나를 내리깔고 본인의 우월감을 과시하는 듯하다. 분노를 삭이고 이성적으로 생각하기로 했다. 지금 노동조합 내, 돌아가는 상황을 보면 사무장이 총무부장에게 여러 가지로 기대는 모습을 보였다. 총무부장이 노동조합에 오래 있었기에, 모르면 물어보고 총무부장의 충고에 귀 기울였다. 게다가 총무부장의 의견을 잘 따랐다.

총무부장의 자신감에는 근거가 있는 것이다. 아무튼 내 업무만 열심히 하며 상황을 더 지켜보기로 했다.

조직부장의 자리가 빨리 메워졌다. 전 집행부에서 조직부장을 했던 사람이었다. '차수' 선배인데, 예전에 일을 해온 경험으로 조직부장 역할을 잘 해내었다. 더 이상 잡음이 들리지 않았다.

다음 소식지에 실을 소식들을 생각해 보았다. 교육선전부는 노동조합 활동을 홍보하고, 현장의 조합원들이 알고 싶어 하며 궁금해하는 상황들을 기자처럼 취재하여 알려야 할 의무가 있다. 예전 현장에 용접하고 있었다면 잘 몰랐던 이슈를, 이제는 내가 알아내어서 조합원들에게 알려줄 의무가 생긴 것이다.

전 집행부가 해결하지 못하고, 내려갔던 이유. 그중 첫 번째인 58년생 정년퇴직자들의 정년요구문제를 알아보기 위해 수소문했다. 이 사람, 저 사람에게 물어보고 당사자나 사측 사람들에게 물어보기도 했다.

58년생 퇴직 예정자들도 단체 대화방이 존재했다. 어느 사람이 만들어서 퇴직 예정자들을 초대한 것이다. 만든 사람이 대화방 사람들을 선동하기 시작했다.

- 58년생 여러분, 우리가 지금 퇴직하면 국민연금 받기까지 1년 이상의 공백이 생깁니다. 그 1년 동안 무엇을 하시겠습니까? 몸도 불편하고 나이도 꽉 찬 상태라, 어디 들어가 일하기도 힘듭니다. 우리는 검은색 머리의 청년으로 입사했습니다. 이제 머리가 하얀 백발로 나가는 겁니다. 우리의 청춘을 다 바친 대기업 T는 "정년"이란 제도를 들먹이며 우리를 내쫓으려 합니다. 이렇게 가만히 당하고만 있을 수는 없습니다. 우리는 한 데 뭉쳐, 우리의 목소리를 내야 합니다. 특히나 우리 노동자의 대변인이라 할 수 있는 노동조합에 강력하게 요구해야 합니다. 그리해야만 노동조합은 회사와의 교섭을 통해 우리가 바라는 정년연장을 쟁취할 수 있을 것입니다.

선동자는 정년연장이 될 때까지 다음과 같은 조항을 내세워 지회에 요구하기로 했다. 공장이나 회사 안에 정년 퇴임식 하지 않기, 회사나 노동조합은 정년퇴임식과 관련하여 축하 현수막 걸지 않기, 정년퇴임과 관련된 모든 행사 금지, 써클이나 반친목회에서 "정년퇴직"이란 말 사용 자제 등이었다.

58년생 당사자 소수의 사람들은 반발했다. '바위에 계란 치기'라며 무모한 행동이라고 비난했다. 그리하면 회사에게만 좋은 일 시키는 격이고 대접도 못 받고 퇴직할 수 있다며 반발했다. 하지만 선동한 사람은 예전에 노동조합 활동을 한, 경험이 있는 사람이었다. 다수의 사람들은 그 경험자의 말을 믿고 동의했다. 그 밑바닥에는 외주업체나 협력업체가 아닌 대기업 T 직영 대우 받으며 1년 더 근무하고 싶은 마음이 존재하는 것이다.

12월이 다 되어 가는데, 분위기가 어수선하다. 연말에 당연히 붙어야 할 "선배님 수고하셨습니다. 그동안 감사했습니다. -00 후배일동-" 문구가 적힌 현수막이 보이질 않았기 때문이다.

58년생 퇴직자들은 그렇게 단체 활동을 했고, 노동조합을 압박했다. 58년생 선동자가 지회장에게 여러 번 간담회 신청을 했고, 지회장과 많은 이야기를 나누었다. 그리해도 달라지는 것은 없었다. 칼자루를 쥐고 있는 것은 회사였다. 회사는 정년연장과 관련해서는 요지부동이었다.

노동조합은 당연히 58년생 퇴직자들의 요구를 들어주기 위해 노력했다. 나는 그 일환으로 58년생 퇴직자들이 청춘 바쳐 일한 노고와 국민연금을 받기까지의 1년이란 공백을 자세하게 설명하는 자료를 노동조합 소식지에 실었다. 사측에게 '빨리 1년 연장해라.'는 의미로 한 행동이었다.

소식지를 내고, 현장의 분위기를 살폈다. 분위기가 좋지 않았다. 같은 조합원 입장인데도 1년 연장을 요구하는 사람을 욕하는 조합원들도 있었다.

- 지금까지 이곳에서 많이 벌어먹었으면, 이제 떠날 줄도 알아야지. 이게 뭐 하는 짓이야? 후배 보기 부끄럽지도 않나? 밖에서는 젊은이들이 취업을 못해서 생난리인데, 벌은 만큼 번 사람들이 나가야 젊은 신입사원들도 더 기회를 얻을 거 아니야. 그리고 1년 동안 소일거리로 다른 일 하면 되지. 지금까지 돈도 안 모으고 뭐 했노? 빨리 나가라고 해라. 노동조합이나 주변사람 피곤하게 하지 말고.

정년 연장문제와 함께 신임금체계도입도 큰 문제였다. 이번에 신임급체계를 도입하면 기존의 조합원들은 급여가 조금 더 높아진다고 했다. 하지만 이제 들어올 신입사원들은 단체협약에 적용되었던 연월차 제도가 사라진다. 국가에서 정한 연월차 제도를 시행해야 한다는 것이다.

2007년 근로기준법 개정으로 월차제도가 사라지고 대신 연차가 15개이고, 2년간 1개의 월차가 발생한다. 그리고 월차도 25개로 제한된다. 이 2007년 근로기준법 개정을 적용한다는 것인데, 그리되면 기성세대들과 이제 막 들어오는 신입사원들의 급여차이가 꽤나 난다는 것이다. 또한 통상임금 적용범위도 달라 그에 따른 임금변화도 있다. 그래서 젊은 층들은 신임급체계도입을 절대적으로 반대하고 있는 것이다.

노동조합에서도 이는 노•노 갈등을 야기할 수 있다며, 조심스러워하고 있는 상황이다. 노와 사는 줄 당기기 하듯 입장이 팽팽하게 맞섰다.

결국엔 해를 넘기고 말았다. 단체교섭이 제때에 해결되지 않고 해를 넘어가면 서로에게 좋지 못하다. 현장의 조합원들은 생산에 집중하지 못하고 제때 일시금을 받지 못해 불만을 제기한다. 사측은 미디어나 언론에 노출되는 것을 싫어했고 생산에 지장을 주지 않을까 염려했다.

해를 넘기기 전, 12월에 회사를 비하하고 압박하는 글을 적어 소식지에 실었다. '미친 앵무새처럼 했던 말, 반복하는 사측.'이란 타이틀로 글을 적은 것이다. 이렇게 글을 적으니, 주변에서 칭찬을 해주었다. '속이 시원하다.'라는 식의 반응이었다.

대출을 하기 위해 '재직 증명서'를 떼어야 했다. 회사 본관 내, 재직증명서를 떼는 곳이 하필 노사협력팀 사무실이었다. 내가 사측을 심하게 비난한 글을 적은 것도 잊어버리고 그곳에 갔다. 그리고 그곳에서 노사협력팀 부장이 나에게 아는 척을 했다.

- 아이고, 교육선전부장님. 여긴 무슨 일이세요?

- 재직증명서가 필요해서요.

- 잠시 이야기 좀 할 수 있을까요?

우리는 원형 테이블에서 커피를 마시며 대화를 나누었다.

- 교선부장님, 저번에 소식지를 봤습니다. 부장님이 만드는 소식지를 우리도 보고 저보다 직급 높은 분들도 다 봅니다. 근데 미친 앵무새라는 표현은 너무 한 거 아닙니까?

순간 당황했다.
- 듣고 보니 심했네요. 풀리지도 않는 교섭상황에서 조합원들의 속이나마 시원하게 대변하고 풀어주고 싶어 그리 표현했습니다.
사과는 하지 않았다. 내 일을 했을 뿐이고, 노동조합 부장이라는 자존심 때문이었다. 노사협력팀 부장은 말을 이어갔다.
- 네. 뭐 그건 지나간 과거니깐 없는 셈 치죠. 근데 저는 부장님이 이건 알아줬으면 좋겠어요. 박수를 치려면 한 손으로는 절대 못 쳐요. 그렇죠? 두 손을 세게 맞대어야만 경쾌한 박수소리가 나는 것이죠. 우리는 회사의 두 손이에요. 처음 업무 보시는지 잘 모르시는 것 같은데, 지금 상황은 대치상황이잖아요? 나중에 찬반투표 들어가면 우리 둘 다 무슨 수를 쓰든 타결해야만 돼요. 우리는 같은 회사에서 일하는, 한 울타리에 있는, 같은 배를 탄 한 팀이라는 것을 잊지 마세요.
노사협력팀 부장의 말을 거슬러 듣기로 했다. 그렇게 커피 한잔 마시고 나왔다.
해가 넘어가는 과정 중, 12월 중순에 58년생 퇴직자들은 연장 없이 퇴직을 하고 말았다. 분위기가 우울했다. 58년생들의 단체요구로 인해 아무 축하행사 없이 퇴직하는 것이다.
노동조합에서는 퇴직자들을 위해 매년 선물을 준비했다. 도자기 세트인데, 58년생 퇴직자들은 1월에 지회를 방문, 선물을 가지고 갔다. 그들 다수의 사람들이 선동자를 욕했다.
- 이게 뭐고? 예전 같았으면 기분 좋게 박수 받고 나갔을 건데.
몇 명의 소수는 아직도 희망을 품고 정년연장을 기대했다.
2월 구정이 지났을 무렵, 지회장은 사측의 요구안을 받아들였다. 그 내용을 살펴보면 신임금체계는 우선 받아들이고 시행 후 보완하는 것, 정년연장은 실현 불가였다. 단지 일시상여금이 조금 더 높게 나왔을 뿐이었다. 현장에서는 불만의 소리가 터져 나왔다. 특히 신입사원들의 비판이 거셌다. '그걸 왜 받아가지고 오냐'는 것이었다. 이제 전체 조합원 찬반투표를 할 텐데, 투표에 들어가 부결된다고 하더라고 받은 요구안에서 크게 변하는 것은 없다. 잘해봤자 상품권 몇 장이 더 추가될 뿐이다.
노동조합은 대의원 회의, 현장조직위원회의를 통해 정보를 공유했다. 이후 전체조합원들을 불러놓고 사측에게 받은 요구안을 자세하게 설명해주며, "조합원의 현명한 판단을 기다리겠다."라고 했다. 곧바로 찬반투표가 진행되었다. 부결이었다. 나는 지회장의 지시로 조합원을 달래고 다시 싸우겠다는 내용의 대자보를 내었다. 이순신의 명언을 인용하며 죽기 살기로 싸우겠다고 강하게 적었다.
일주일이 지나, 상품권 2장이 더 추가되고 2차 찬반투표에 들어갔다. 조합원들의 불만이 내 귀에 들렸다.
- 죽기 살기로 싸우겠다면서, 그 결과가 고작 상품권 2장 더

받은 거야? 이게 다야?
난 부끄러움을 느꼈고 고개를 들지 못했다.
2차 찬반투표도 부결이었다. 또 대자보를 내었다. 이번에는 힘을 빼고 '최선을 다하겠다.'라고만 했다.
나는 3차 찬반투표에 들어가기 전, 한 번 더 힘을 내어 회사를 강하게 욕하는 내용으로 글을 적기로 마음먹었다. 글을 적어서 부지회장에게 보여주었다. 부지회장이 내 글을 보고는 웃었다.

부지회장의 웃음에 화가 났다. 부지회장은 웃음을 멈추고 웃은 이유를 설명해주었다.
- 대중을 선동하는 글은 상황판단을 하고 앞, 뒤를 재어가며 적어야 돼. 너 지금 현장의 분위기가 어떤 줄 아니?
지회장을 비롯한 임원 4명은 현장을 돌아다니며 일일이 조합원을 만나 대화를 나누었고 분위기를 파악하기 위해 노력했다. 그리고 부장과 차장들도 현장 활동을 통해 듣는 이야기를 임원들에게 전해주었다. 임원들은 모여, 얻은 정보를 공유하고 회의를 진행했다. 그러니 부지회장은 현장의 분위기를 잘 파악하고 있을 것이다.
- 지금 현장의 분위기가 수긍하고 있는 분위기야. 아무리 노력하고 발버둥 쳐도, 신임급체계를 받아들일 수밖에 없고 "정년연장도 현재로서는 이르다."라고 체념하고 있단 말이야. 이럴 때는 현장의 분위기대로 온화하게, 부탁하는 어조로 글

을 적어야 돼. 존대를 써가면서 말이야. 또한 현장에 젊은 사람들하고 나이 든 선배하고 대립하고 있잖아. 나이 든 선배는 신임금체계에는 관심 없고 오직 정년 연장에만 집중하고, 젊은 사람들은 신임금체계 반대에만 집중하고 있어. 이럴 때는 쪽수 많은 쪽을 선택할 수밖에 없어. 노동조합이 단체교섭 찬반투표에 들어가서, 찬반투표가 2번 넘게 부결되면 이제는 신임 문제야. 그때부터는 조합원들이 "집행부를 신뢰하냐? 못하냐?"의 문제라고. 지금까지 관례로, 찬반투표 3번째에서 부결된 집행부는 다 내려왔어. 우리도 이번에 부결되면 내려가야 할 거야. 그리되면 우리 집행부는 엄청난 불명예를 껴안게 되는 거야. 물론 그렇게 하고 싶지 않지. 누가 손가락질 받으면서 현장으로 복귀하고 싶겠어. 그러니깐 나이 많은 선배들 위주로, 부탁하는 듯 한 어조로 글을 써야 돼.

나는 다시 글을 적었고, 부지회장이 내 글에 다른 이야기를 덧붙였다. 그리하여 소식지를 완성하게 되었다.

드디어 3번째 찬반투표를 앞둔 어느 날. 현장을 돌아다니니, 부지회장의 말이 맞았다. 젊은 신입사원들을 제외하고는 "더 이상 해도 안 된다."는 분위기였다.

- 신임금체계는 받을 수밖에 없어. 특히 연, 월차 제도는 국가에서 정한 상법인데, 따를 수밖에 없지.

- 지금 공기업은 정년연장을 하지만 우리까지 오려면 아직 멀었어. 3, 4년 지나야 가능할거야. 찬성 찍을 수밖에 없어.

지금 집행부 내려가면 또다시 지회장 선거해야 되고 그리되면 3개월이 후딱 지나가잖아. 그렇게 또 시작하자고? 그리해도 안 되는 건 안 되는 거야.

2차 부결 이후 상품권이 2장 더 추가되었고 신임금체계 도입 후 "타 대기업에서 신임금체계 관련해서 상회하는 부분이 있다면 적용하겠다."라는 문구가 신설되었다. 그렇게 3차 찬반투표가 실시되었고 이번에는 가결되었다.

3차 찬반투표에서 가결되자 지회장의 얼굴이 피기 시작했다. 그동안 우울해 보이던 표정이 오랜만에 맑아진 것이다. 그날 우리 집행부는 회식을 했다.

찬반투표 후 후폭풍이 컸다. 어느 공장에서 신입사원 전체가 점심시간에 조퇴를 한 것이다. 단체 활동으로, 찬반투표 결과에 불만족을 표시하는 것이었다. 현장의 선배들은 그들을 대놓고 뭐라 하진 않았지만, 뒤에서는 비난했다.

- 결과가 어찌 되었든, 전체 조합원 찬반투표 결과에 승복해야지. 그럼 따로 노동조합을 만들던지. 어린것들이 벌써부터 규칙을 무시하고 말이야.

그중에 소수는 칭찬하며 부추겼다.

- 선동한 사람이 대단하네. 젊은 사람 다 이끌고 조퇴하고 말이야. 다음 지회장 되면 잘하겠어. 결단력이 대단해.

찬반투표가 가결된 이튿날, 지회장은 현장을 순회했다.

- 부족하지만 최선을 다했습니다. 앞으로 부족한 부분은 찬찬히 채워가도록 하겠습니다. 앞으로 더 열심히, 기대에 부응

할 테니 많은 관심과 격려 바랍니다.

지회장은 현장을 돌아다니며 조합원의 손을 잡고 대화를 나누었다. 단체교섭 가결에 불만을 품고 점심시간 조퇴를 강행한 공장에도 갔다. 그곳에서 선동한 젊은 조합원도 만났는데, 지회장과의 악수를 거부하고 다른 곳으로 가버렸다.

이제는 58년 정년 퇴직자 문제가 아직 남았다. 정년을 연장하지 못했지만 유종의 미를 거두어야 했다. 노동조합과 사측은 손잡고 58년 퇴직자들을 불러 식사를 대접하기로 했다. 일일이 전화를 걸어, 식사 초대의 뜻을 전했다. 어느 호텔의 식당을 빌리고 출장뷔페를 불렀다. 참석한 인원을 보니, 전체 퇴직자의 절반만 참석했다.

지회장은 퇴직한 선배들의 손을 잡고 "미안하다."라고 말했다.

- 형님들, 죄송합니다. 저도 한번 해보려고 했는데, 끝내 한계를 극복하지 못했습니다. 결과는 이렇게 나왔지만 그 과정도 조금은 생각해 주시기 바랍니다.

마지막인데 욕할 수 없는 노릇이다. 퇴직자들 선배들은 다들 괜찮다며 이해한다고 했다. 그렇게 식사를 마치고 단체사진을 촬영했다. 58년생들의 정년연장은 그렇게 마무리되었다.

단체교섭이 마무리되어도 지회 홈페이지 게시판에는 난리였다. 젊은 신입사원들의 비난하는 글이 폭주했다. 이는 집행부 전체의 스트레스가 되었다. 지회 홈페이지를 관리하는 내가 지우려고 했지만, 지회장이 만류했다. 계속 비꼬는 말이 올라왔다. 화가 나지만 지켜볼 수밖에 없었다.

한 달 정도 지났을 때, 사측과 단체교섭 조인식이 진행되었다. 나는 단체교섭을 진행한 노측 교섭위원들과 함께 회사 내, 본관으로 들어갔다. 회사의 이사, 공장장, 각 공장의 부장들과 더불어 "잘 마무리된 것을 축하하고 앞으로 잘해보자."라고 했다. 사측에서도 소식지를 만드는 직원이 있었다. 나와 그 사람은 서로 경쟁하듯이 조인식 하는 모습을 촬영했다. 그리하여 조인식의 모습은 노동조합 소식지에도 실리고, 회사 소식지에도 실렸다. 지회장과 이사가 서로 마주 보며 악수를 나누는 모습이었다.

기획부장인 엄선배가 나를 찾아와, 다음 단체교섭 때까지는 조금 여유로울 것이라고 했다. 그러면서 어떤 사람을 소개해 주었다.

- 여기는 지부 소속 교육선전부장이야. 우리의 상부단체 소속이지. 이름은 "영훈"이야. 너보다 한 살 어리네. 친하게 지내.

초면인데, "말 편하게 하시라."며 싹싹하게 나를 대해주었다. 그래서 금방 친하게 지내게 되었다.

한 달에 한번 또는 두 번, 지부에 회의를 하러 갔다. 지부에 가면 다른 회사 노동조합의 교육선전부장들의 모습이 보였다. 지부 교육선전부장인 영훈의 사회로 회의를 진행했다. 그들과 같이 각각의 회사 현안과 분위기 등을 듣고 정보도 공유했다. 그리고 연대하여 노동과 관련된 문제해결 및 사업 등을 논의했다. 회의 때마다 회비를 거출했고 회비가 쌓이면 가끔 회식을 하기도 했다.

최근에 중형 조선업이 어려움을 맞이하고 있었다. 경기가 안 좋고 중국의 조선업 발달로 힘든 것이다. 그래서 우리 노동조합도 중형 조선소의 어려움을 돕고자, 연대 투쟁하는 것에 동참했다.

오후 3시, 시청 앞에서 집회를 했다. '중형 조선소 매각반대'라는 현수막이 널찍하게 걸려있는 것이 보였고 많은 노동자들이 모여 있었다. 지부 회의 때 만났던, 다른 노동조합 교육선전부장들도 사진촬영을 하고 있었다. 그들과 인사를 나누었다. 큰 배 모형이 무대 옆에 설치된 것이 보였고, 어려움을 겪고 있는 기업의 명칭이 걸려있었다. 무대 앞으로, 다른 회사의 노동조합 깃발이 보이고 국회의원 등의 정치인도 보였다.

무대에서 마이크를 잡은 사회자는 정부와 경영자를 강하게 비난했다.

- 대통령이 후보로 있던 시절, 중형 조선소를 찾아와서는 "우리나라에 중형 조선소가 필요하니 꼭 살리겠다."라는 말을 했습니다. 하지만 대통령이 된 지금은 아무 말도, 행동도 하고 있지 않습니다. 본인이 내뱉은 말은 본인이 책임져야 하

지 않습니까? 우리들이 모두 똘똘 뭉쳐 큰소리로 말해야 합니다. 그리해야 본인이 했던 말이 생각날 것입니다.

곧이어 국회의원도 무대에 올라갔다. 제조업이 살아야 일자리가 늘고 지역경제가 살아난다며 반드시 살리겠다고 말했다. 그러면서 많은 관심과 지지를 부탁했다.

인터넷으로 중형 조선소들이 힘들다는 것은 알고 있었지만 막상 집회 장소에 참여하니 좀 더 가깝게, 피부로 느껴지는 것 같다. 무대에 어느 여고생이 올라갔다. 우리는 의아했다. 아니 노동자들의 집회 장소에 웬 여고생이지?

- 안녕하십니까? 저는 여고를 다니고 있는 학생이며 저의 아버지는 중형 조선소 현장에서 근무하는 노동자입니다. 요즘 우리 집 분위기가 과거와는 달리 무겁기만 합니다. 바로 아버지의 근심 어린 얼굴표정과 한숨 때문입니다. 아버지는 제가 태어나기 전부터 중형 조선소에서 배를 만드는 일을 하셨습니다. 남들이 쉬는 날에도 출근하셨고 몸이 아픈 날에도 습관처럼 출근하셨습니다. 배를 만드는 일에 일조하는 것에 대단한 자긍심을 가지셨고, 퇴근하셔서 집에 들어오실 때면 피곤하실 텐데도 항상 행복한 표정을 지으셨습니다. 아버지는 그렇게 중형 조선소에서 일하시며 우리 가정을 보살피고 본인의 청춘을 다 바쳐 근무하셨습니다. 저희 아버지는 일상이 된, 조선소 일을 하고 계셨는데, 어느 날 갑자기 회사는 무급휴가를 가라고 하고, 희망퇴직을 권유하기도 했습니다. 우리 아버지가 무슨 잘못을 했습니까? 경영자가 제일 큰 잘

못을 한 것인데, 왜 우리 아버지가 희생해야 합니까? 왜 우리 아버지가 힘들어해야 합니까? 아버지는 50이 훌쩍 넘은 나이로, 다른 곳에 취업하기도 힘듭니다. 현재 일일직업소개소를 다니며 일용직으로 일하고 계십니다. 우리 가정을 먹여 살리기 위해, 지푸라기 잡는 심정으로 아픈 몸을 이끌고 다니시는 것입니다. 무급휴가를 받은 아버지가 빨리 조선소로 복귀하기를 간절히 바랍니다. 여기 계신 분들은 다 힘 있는 분들로 알고 있습니다. 우리 아버지의 회사인 중형 조선소에 많은 관심 가져주시고, 회사가 정상화 될 수 있도록 많은 힘을 보태주시면 감사하겠습니다. 지금까지 제 이야기 들어주셔서 감사합니다.

여고생의 연설이 끝났다. 우레와 같은 박수갈채가 쏟아졌다. 여고생의 이야기를 들으니 힘든 가장의 무게가 느껴졌다.

곧이어 공연이 이어졌다. 통기타 패, 풍물패, 노동가에 맞춰 율동을 추는 몸짓패도 무대에 섰다. 사회자의 "수고하셨습니다."라는 말과 함께 집회가 끝났다.

노동조합 대회의실 내, 집행위원회의를 하는데 사무장이 "감사"를 언급했다.

- 단체교섭이 끝나면 의례적으로 감사를 시작합니다. 감사위원들이 요구하는 대로 그동안의 활동내역, 지출내역 등을 제출하시면 됩니다. 더불어 감사가 만든 질문서도 작성하세요.

“감사”라는 것이 원래대로라면 분기별로 받아야 하지만, 단체교섭이 겹치는 시기에는 미루고 끝난 다음에 한꺼번에 실시한다. 감사는 조합원이 내는 조합비를 유용하게 사용했는지, 각 집행위원들이 활동을 똑바로 했는지 등을 살피는 것이다.

감사위원들은 감사한 자료를 정리하여 대의원들에게 제공한다. 그러면 임시대의원회의 때 각 집행위원들이 차례로 회의장소에 들어가 대의원들의 질문에 답한다. 그 모습이 뉴스에 나오는, 청문회 모습과 흡사하다. 들어가서 빨리 나오는 집행위원들이 있는가 하면, 들어가서 한참 뒤에서 나오는 경우도 있다. 복지부장 같은 경우는 나올 때 화가 나서 얼굴이 울그락불그락해져서 나왔다. 얼마나 화가 났으면 가지고 갔던 자료를 바닥에 집어던지며 쌍욕까지 했다. 어려운 질문과 질책을 많이 받았나 보다.

드디어 내 차례가 되었다. 대회의실 안, 책상이 원을 크게 그리는 것처럼 위치해 있고 책상 앞에 대의원들이 앉아 있었다. 내 편은 앞쪽 가운데에 앉아 있는 임원 4명뿐인 것 같다. 꼬투리를 잡으려는 듯 여러 질문들이 거칠게 쏟아졌다.

- 차장은 왜 선임 안 합니까? 너무 신경 안 쓰는 것 아닙니까?

원래 집행위원 부장은 친한 조합원을 찾아가 차장을 부탁한다. 나는 인간관계의 폭이 넓지도 않았고 남에게 부탁하는 것도 싫어했다. 예전에 반을 옮기는 것을 도와달라고 주변사람들에게 많은 부탁을 했고, 부탁으로 인한 트라우마가 생겼기 때문이다. 그리고 나 말고도 차장을 선임하지 않은 부장들이 2명 더 있기에 별로 개의치 않았다. 나는 성심성의껏 대답을 하려고 했다. 방금 것과 마찬가지로 제대로 답하지 못하면, 지회장을 비롯한 임원들이 대신 답을 해주었다.

- 교선차장 선임은 지금 진행하고 있는 중입니다. 조만간에 선임할 것입니다.

아까 복지부장이 왜 화난 줄 알 것 같다. 특히 대의원들 중에서도 재섭 선배의 반대파인 노력파 대의원들이 거셌다. 이때가 기회라는 듯이 난처한 질문을 하고 답을 제대로 하지 못하면 질책을 했다.

대의원들 중에는 청호도 있었다. 청호는 노동조합 집행부에서 내려와서는 대의원이 된 것이다. 당연히 노력파 일원이다. 청호의 질문이 날카로웠다.

- 지회 홈페이지에 앞으로의 일정이나 계획은 왜 기재 안 하나요?

순간 당황했다. 알지 못하는 부분이었다. 청호는 그런 것을 가지고 나를 난처하게 만들었다.

- 지금까지 뭐 했어요?

인수인계할 때 나에게 알려주지도 않았으면서 "왜 안 했냐고? 여태 뭐 했냐고?" 라며 나무라는 것이다. 화가 치밀어 올랐다. 노력파 쪽 대의원들은 사랑파 집행부를 흠집 내기 위해 안달이 난 것처럼 보였다. "앞으로 주의해서 잘하겠다."

라고 말하고 나서야 진정이 되었다.

나의 감사는 그렇게 끝이 났고 화는 머리꼭대기까지 올라갔다. 잠시 후 노동조합 사무실을 나오니, 밖에서 담배 피우고 있는 청호의 모습이 보였다. 달려가 쌍욕을 섞어가며 따졌다.

- 네가 가르쳐주지도 않은 것을 가지고 나보고 안 했나?라고 하면 어쩌라는 거야? 그리고 그런 주의사항은 여러 사람이 모인 장소가 아닌, 단둘이 있을 때 말해도 충분하지 않냐? 씨발아.

청호, 이 녀석도 같이 화를 냈다. 말싸움을 크게 하고 청호는 본인의 공장으로 가버렸다. 그 뒤로 나와 청호는 서로 인사도 하지 않고, 아는 척도 하지 않았다.

다음날 지회장에게 혼났다.

- 대의원들이 감사한 내용을 가지고 따지거나 화를 내어서는 안 돼. 앞으로 그러지 마라. 그 놈들 또 꼬투리 잡어.

나는 그렇지 않겠노라 대답했다. 화가 난, 내 곁에 엄선배가 다가왔다.

- 화나지? 화 나서 책상을 주먹으로 쳤다면서? 간부 활동이 원래 그런 거야. 욕 먹으면서 활동하는 거. 사람들은 다 본인 보고 싶어 하는 것만 보지. 그래서 우리가 열심히 활동하여 99번 잘하고 1번 잘못해도, 조합원들이나 감사하는 입장에서는 1번 실수한 것만 기억에 남아. 그러니깐 그런 것에 그리 기분 나빠하지 마.

엄 선배의 말이 잘 이해가 되질 않았다.

지부소속의 교선부장인 영훈에게서 연락이 왔다. 다음 회의는 "통영에서 하자."는 것이었다. 중형 조선소의 교선부장이 제안을 했다고 한다.

- 지금까지 우리 노동조합과 조합원을 위해 동참하여 힘을 보태주신 것에 감사합니다. 그 답례에 조금이나마 보답하고자 다음 회의 때, 우리 노동조합에 초대하고 싶습니다. 우리 회사와 노동조합을 구경시켜 드리고 저녁에는 맛집으로 안내하여 대접하고 싶습니다.

그리하여 지부회의 때 영훈 부장의 차를 타고 통영으로 갔다. 영훈 부장의 차가 우리 회사 앞으로 오기로 했다. 영훈 부장의 차는 여러 사람이 탈 수 있는 중고 벤이었는데, 벌써 다른 노동조합 교선부장들이 여러 명 탑승해 있었다.

통영 끝자락에 중형 조선소가 있었는데, 조선소 근처에 빌라나 소형아파트가 많이 보였다. 근데 이상하게 차와 사람의 모습이 잘 보이질 않았다.

- 집은 많은데, 사람이 안 보이네. 여기 집값 많이 내려갔을 것 같은데?

- 맞아요. 조선업이 잘 될 때는 일하는 사람이 많아, 부동산으로 재미 많이 봤겠죠. 이제는 여기 집값 엄청 내려갔어요. 전체적으로 여기 지역경제가 엉망이에요.

유령 도시를 연상케 하는 모습이다. 드디어 중형 조선소에 도착했다. 드넓은 바다가 보여 멋진 장관을 이루었는데 공장 같지가 않았다. 중량물을 옮기는 크레인과 장비들이 다 주차되어 있었으며 용접소리, 망치소리, 기계음이 들리지 않았다. 고요함과 적막함이 온 야드를 메우고 있을 뿐이다. 주차장에 주차된, 몇 대의 차량을 보고 '아직 사람이 생활하고 있구나.'라고 느낄 뿐이다. 부장들의 대화소리와 갈매기 울음소리가 크게 들렸다.

중형 조선소 노동조합 안으로 들어가니, 조선소 지회장 및 그곳의 집행위원들이 반겨주었다. 조선소 지회장은 우리들을 대회의실로 안내하였고, 그곳에서 조선소가 처해있는 상황을 간략하게 설명해 주었다.

- 동지 여러분, 이렇게 먼 길 오느라 고생 많으셨습니다. 집회 때마다 도와주셔서 항상 감사하게 생각하고 있습니다. 혹시 우리 조선소의 상황을 모르시는 분이 계실 수도 있으니, 잠시 설명드리겠습니다. 지금 우리 조선소는 법정관리에 들어갔고 매각을 기다리고 있는 상황입니다. 이런 상황에서 노동조합이 할 수 있는 일이 많지가 않습니다. 단지 현장의 조합원들에게 현 상황을 자세히 설명하고 기다리고 있습니다. 지금 이대로 인수되는 것이 가장 좋은 경우고 분할 매각되어 우리 조합원들이 일자리를 잃는 것이 가장 최악의 경우입니다. 지금 상황을 지켜보고 있으니 동지들의 관심과 응원을 당부드립니다.

조선소 지회장은 인사를 하고 나갔고 영훈 부장이 주체가 되어 지부 회의가 진행되었다. 각 노동조합의 현황보고를 발표하고 소식들을 공유했다. 새롭게 역임한 교선부장의 교육에 관한 논의도 했다. 영훈 부장은 웹하드나 홈페이지의 자료실을 활용할 방안을 이야기해 주었다. 그리고 어느 회사든 진급되지 못한 관리직 사원이 노동조합을 이용, 조합원 자격을 획득하는 사례가 종종 있다고 한다. 이런 관리직 사원들은 노동조합을 이용한 고용보장에만 관심을 가질 뿐, 노동조합활동에는 대단히 소극적이라고 한다. 이런 사람들을 철저히 교육시켜 노동자 주체성을 강화시킬 필요성에 대해 언급했고 모두들 동의했다.

회의가 끝나고 맛집으로 이동했다. 이동 중에 중형 조선소 교선부장이 제조업의 중요성에 대해 이야기해 주었다.

- 지금 차 타고 이동 중에 보시겠지만, 길거리에 사람이 별로 없죠? 예전에는 사람들이 진짜 많았어요. 지역을 대표하는 제조업이 흔들리면 주변 상권이 무너지고 이런 사단이 날 수 있다는 것을 보여주는 것이죠. 우리 조선소가 힘들 때 시청 등의 지방정부에게 제조업의 중요성을 언급하며 도움을 요청한 적이 있어요. 그때 지방정부에서는 '우리 지역은 관광사업으로도 충분하다.'며 콧방귀를 뀌었죠. 하지만 우리 조선소에 일하는 인원, 조선소와 관련된 외주업체, 협력업체 인원 등을 합치면, 그 인원이 1만여 명이 넘어요. 어마어마한 인원이죠. 거기에 가족들까지 합하면 두 배, 세배로 늘어나는

것이죠. 조선소가 힘들어지고 일하던 인원이 빠져나가, 지역 경제는 나빠질 대로 나빠졌죠. 이런 상황이 되니깐, 이제야 지방정부가 중앙정부에 도움을 요청하고 있어요. 소 잃고 외양간 고치는 격이죠. 지금 우리 회사는 순환휴가제를 시행하고 있어요. 순환휴가를 다녀와 복직한 조합원들은 일을 정말 열심히 해요. 다들 '우리만한 회사가 없다.'며 제대로 정상화되어 일하는 날만을 손꼽아 기다리고 있어요. 우리 노동조합은 모든 조합원들이 복직될 수 있도록 시청 앞, 천막 농성과 길거리 투쟁을 계속 할 계획이에요.

안타까움에, 차 안에 앉아 있던 사람들은 잠시 말을 잊지 못했다. 맛집에 도착해서 중형 조선소의 안타까움은 잠시 잊고 즐겁게 이야기하며 먹었다. 잠시 후 조선소 지회장도 왔다. 지회장은 본인도 "선전부 출신"이라고 했다.

- 내가 우리 집에서 막내였거든. 형이 군대 갔을 때 누나들이 위문편지 쓰라고 하는 거야. 그래서 썼는데, 누나들이 글 잘 쓴다고 칭찬하는 거야. 그것이 계기가 되어 글 쓰는 것에 자신감이 붙었어. 그 후 이 회사에 들어와 선전부장을 하고 지금 지회장까지 하고 있는 거야. 나의 글 솜씨는 총각시절, 연애편지 쓸 때 절정에 달했어. 그래서 지금의 마누라를 만나 이렇게 자식 낳고 잘 살고 있지. 여기 있는 교선부장들은 다들 잘될 사람들이야.

조선소 지회장이 그렇게 덕담을 해주었다. 즐겁게 놀다가 어느 부장이 정부와 정치가, 경영인이 연계하여 말아먹은 경우도 있다며, 뜬금없이 "적폐청산"을 외쳤다. 분위기에 휩쓸려 우리 모두 적폐청산을 외치며 통영에서의 즐거운 회식을 마쳤다.

교선실에 사무장이 찾아왔다.

- 교선부장님, 우리 교육 준비해야 돼. 좀 있음 신입사원 입사하잖아. 그 사람들 교육시켜야 돼. 준비해 놔.

나는 곧바로 엄 선배를 찾아갔다. 엄 선배는 경험이 많은지, 다 알고 있었다.

- 신입사원 들어오면 노동조합에서 4시간 교육받아야 돼. 노동조합 소개 및 노동조합 역사 동영상, 지회장 간담회, 외부강사 초청해서 받는 노동교육. 이렇게 하면 될 거야. 외부강사는 내가 신청해 놓을게. 지부에 요청하면 무료로 교육해줘.

나는 신입사원 교육(안)을 작성해서 사무장과 지회장에게 건네주었다. 승인을 받아 교육(안)대로 진행했다. 50여 명의 신입사원들이 들어왔다. 회사에서 일주일정도 교육받는데, 교육 마지막 날 4시간이 노동조합에 의한 교육이다.

노동조합 대회의실에서 순조롭게 진행되었다. 교육이 끝나고, 노동조합 집행위원들과 신입사원들이 노동조합 앞에서 단체사진을 촬영했다. 나는 소식지에 사진과 함께 신입사원들이 교육받은 내용과 신입사원들의 자세나 각오 등을 적었다.

신입사원 교육이 끝이 아니었다. 사무장이 또 찾아왔다.

- 교선부장님. 이번에는 조합원 전체교육이야. 2시간짜리야. 노동안전보건부에서 하는 근골격계 예방교육이야. 노안부가 주체지만, 교육 쪽이니 교선부장도 같이 거들어.

각 부서 간에 협업도 이루어졌다. 노안부실은 내가 있는 교선실 옆에 있었다. 거리가 가까워, 친하게 지냈다. 특히 노안부장인 "광희" 선배는 나에게 잘해주었다. 타자가 느려, 내가 타자를 대신 쳐주고 밥을 얻어먹기도 했다. 나는 전체 조합원 교육(안)을 만들고 사측에 보낼 공문도 검토해 주었다. 회사 내 복지관 대강당에서 조합원들 모아놓고 외부강사를 초청했다. 노안부장이 섭외한 사람인데, 한의사라고 했다. 한의사는 근골격계 질환 예방에 대해 설명하면서 틈틈이 본인이 운영하는 한의원을 광고했다. 교육 잘 받고 있는데 뜬금없이 광고가 나오니, 싫증이 났다. 그래서 나는 노안부장에게 물었다.

- 부장님, 왜 교육 중에 자꾸 광고가 나와요? 안 나오게 할 수 없어요?

- 어쩔 수 없어. 저 한의사 돈 안 받고 교육하는 거야. 여기 와서 광고라도 해야지. 공짜가 어디 있어?

이로써 내가 맡은 교육은 잘 마무리되었다.

5월 1일은 노동절이다. 영세사업장을 제외하고는 대부분의 노동자들이 쉬는 날이다. 말 그대로 노동자를 위한 날이기 때문이다. 근데 난 일해야 했다. 노동절을 일주일 앞두고 사무장이 집행위원회의에서 "진짜 중요한 일 아니고서는 참석하라."라고 했기 때문이다.

모이는 장소는 노동조합이 아닌 중심가에 위치한 공원이었다. 점심시간이 지났을 무렵 도착했는데, 다른 회사 노동조합 간부들도 모여 있었다. 다양한 노동조합깃발이 보였다. 집회 때마다 많은 인파 속에서도 깃발을 중심으로 모이고 이동했다. 나는 내가 속한 노동조합에 가서 인사하고 합류했다.

그때 부지회장이 나를 쫓아내려는 듯이 손을 바깥쪽으로 저었다.

- 교선부장, 넌 여기 우리랑 같이 있으면 안 되지. 사진 촬영하고 무슨 내용이 있는지 귀담아 들어야 해. 그래야 소식지 만들어서 조합원들에게 보여주지.

나는 속으로 '잘 되었구나!' 싶었다. 무리들과 같이 이동하거나 앉아 있는 것이 갑갑하게 느껴졌기 때문이다.

공원에서 시청까지 가두행진을 할 계획이라고 했다. 트레일러 차량 뒤에 무대설치를 하고, 진행을 맡은 사회자가 마이크를 잡았다. 곧이어 트레일러 차량이 출발하고 뒤로 노동자들이 줄지어 행진했다. 경찰들이 차 사고가 나지 않도록 주변의 차량들을 정리해 주었다.

가두행진을 시작하니, 마이크를 잡은 사회자가 길거리를 걸어 다니는 사람들을 대상으로 설명을 하기 시작했다. 우선, 노동절에 왜 우리가 거리로 뛰쳐나왔는지에 대해 설명했다. 노동자, 서민이 나라의 뿌리이며 주체라는 말로 운을 떼었다. 노동자, 서민을 위해 힘써야 할 정부는 경영자 편에 서서, 노동자와 서민을 방관하고 있다고 했다. 우리는 누군가의 아버지, 어머니, 자식들이라고 외쳤다. 정치가들이 우리에게 관심 가질 수 있도록 우리 모두 힘을 합쳐 그들에게 큰 소리를 내야 한다고 했다. 전태일 열사를 언급하며, 지금 우리가 노동절에 편히 쉴 수 있는 것은 선대 노동자의 희생 덕분이라며 큰 목소리로 말했다.

시청에 도착해서 집회를 했다. 하지만 이게 끝이 아니었다. 사무장이 "노동자상 제막식"에 참석할 예정이라고 말했다.

중심가 광장에 어떤 것이 하얀 천으로 가려져 있었다. 저것이 노동자상인가 보다. 사회자가 하얀 천을 잡아당겼다. 동상은 3인을 형상화 한 것이었다. 위안부에 끌려간 소녀상, 전쟁에서 부모와 형제를 잃은 소년상, 마지막이 노동자상이었다. 노동자상은 반바지만 입고 수건을 목에 두른 상태로, 곡괭이를 지팡이 삼아 몸을 의지한 채 고개를 떨구고 있는 모습이다. 사회자는 작가를 소개하며 전쟁으로 인한 수탈의 역사를 설명했다. 이 동상은 우리나라의 아픈 과거사를 담고 있다고 했다. 말미에 일본에 끌려가 강제노역을 당한 노동자의 후손이 나와 발언을 했다. 후손은 일제 강점기 시절 때 행해졌던 강제노역 배상문제가 아직도 해결되지 않고 있는 사실에 화를 내었고, 그 시절 힘든 시기를 보낸 아버지를 떠올리며 눈물을 흘렸다.

사회자는 노동자 상처럼 현재도 노동자들의 삶이 녹록지 않다고 했다. 비정규직과 정규직의 차별을 이야기했다. 아직도 해결되지 못한 "비정규직 철폐"를 외치며 행사를 마무리지었다.

우리 노동조합 집행위원들은 근처 식당에 갔다. 근데 총무부장 "조훈" 선배가 보이질 않았다. 궁금해진 내가 물었다.

- 총무부장, 안 보이네요?

- 그러네. 일반적인 집회 때는 노동조합 지킨다고 못 온다지만, 오늘은 노동조합 지키는 것도 아니잖아. 근데 왜 안 나왔지?

모두들 의아해했다. 택수 선배가 집회에 안 나올 때는 "노름 이야기"하며 사람을 궁지에 몰아넣더니, 정작 본인도 다를 바 없었다. 총무부장은 좀 이상한 것 같다. 조심해야 될 것이다.

단체교섭 타결 후, 여유로울 것이라 예상했는데 정반대로 많은 일들이 일어났다. 그리고 그 많은 일들 덕분에 시간이 쏜살 같이 지나간 느낌이다. 노동조합 정책실에서 올해 단체교섭 노동조합 요구(안)를 만들었다. 요구안을 설명하는 자리인 공청회도 조합원을 대상으로 실시했다.

공청회 진행 할 즈음에, 회사에서는 경영설명회를 진행했다. 경영설명회는 관리직원과 노동조합 전체 간부를 대상으로 설명했다. 나도 경영설명회에 참석했는데, 설명하는 관리직원은 죽는 소리만 해댔다. 올해 수주도 간신히 받았는데, 내년에는 기약이 없다고 했다. 이럴 때일수록 현장에서는 더욱더 분발해서 생산에 매진해 줄 것을 당부했다. 회사의 사정이 나빠진 것이 현장이고 현장이 희생해야 된다는 말투에 노동조합 간부들은 화가 났고, 날카로운 질문들을 쏟아내었다.

- 회사가 수주도 못 받고 매년 적자라고 했는데, 그럼 지금까지 안 망하고 어떻게 버텼습니까?

- 회사가 어려움에 처했다고 말씀하시면서, 현장에서 계속 분발하라고 하네요. 계속 현장에서 희생하라는 듯이 들리네요. 현장은 지금 아무 이상 없이 잘 돌아가고 있습니다. 현장에서 일하고 있으면 잦은 설계변경 때문에 일이 원활히 진행되지 않고 있습니다. 설계는 사무실 사람들 책임 아닙니까? 그리고 자재도 제때에 들어오지 않고 있습니다. 관리를 어떻게 합니까? 상황이 이런데, 계속 현장만 분발해야 합니까?

- 지금 현장에 일할 사람이 부족합니다. 정년으로 나가는 사람에 비해 신입사원은 턱없이 부족합니다. 지금 현장에 종사하고 있는 조합원 평균이 50이 넘는데, 신입사원은 왜 안 뽑습니까? 바깥에 취업 못한 젊은이들 많잖아요. 그 사람들 뽑

으면 사회, 경제 쪽에도 도움 되잖아요.

노동조합 간부들의 날카로운 질문에 관리직원들이 몇 번 답하다가, “시간이 다 되었다.”라는 핑계를 대었다. 그리고는 “못 다한 질문에 대한 답은 노동조합을 통해 전달하겠다.”라는 말을 하고 경영설명회를 마무리 지었다.

날이 더워지는 6월. 전체간부수련회를 다녀왔다. 이제 다시 단체교섭을 시작할 시기인 것이다. 하지만 단체교섭만큼 중요하고 민감한 일이 기다리고 있었다. 바로 국회의원 선거였다. 우리 노동조합의 상부단체는 정치세력화를 위해 많은 힘을 쏟고 있었기에, 이번 국회의원 선거가 중요했다. 그래서 각 노동조합에게 선거운동에 참여할 것을 요청했다.

하나로 단일화하여 싸워도 이길까 말까한 상황에, 노동자와 서민을 대변하여 싸울 것이라는 당이 2개였다. 하나는 노란색, 다른 하나는 주황색이었다. 상부단체인 지부에 일하는 간부들도 지지하는 당이 두 개로 나눠져 있었다. 우리 노동조합은 노란색 당을 돕기로 했다. 몇 명의 집행위원이 선거운동에 지원을 가기도 했다. 막바지 날에는 나도 지회장과 함께 지원을 갔다. 사진을 촬영해서 소식지에 싣고 조합원들의 투표를 독려할 생각이었다. 내 옆에 있던 지회장의 표정이 좋지 않다. 지켜보니 주황색당 관계자가 지회장을 말로써 괴롭히고 있었다.

- 지회장님, 우리 당도 노동자를 위한 당인데, 왜 이러세요? 우리 쪽에도 참여해 주셔야죠. 이건 공평하지 않잖아요?

어떤 아줌마가 지회장을 계속 따라다녔다. 결국 지회장은 나를 남겨두고 택시 타고 노동조합으로 가버렸다.

선거는 참패였다. 선거운동을 도운 보람도 없었다. 우리 지역은 제조업이 많아, 노동자가 많았다. 당연히 노랑당과 주황색 당이 유리한데도 서로 밥그릇 차지하겠다며 싸우다 남 좋은 일만 시킨 꼴이 되고 말았다. 어부지리인 셈이다.

현장에서도 당연히 선거의 결과를 안다. 현장을 돌아다니니, 조합원들은 두 개의 당을 모두 비난했다.

노동조합에 종사하고 있으니, 매년 조금씩 바뀌는 노동법에 관련된 이야기도 많이 듣는다. 최근 최저시급이 상승되었다. 노동자들의 입장에서는 만족할 만한 정도는 아니지만 그래도 한 단계 진전되었다며 긍정적이었다. 반면 경영자 입장은 중소상인들을 들먹이며, ‘올라간 최저시급으로 인해 장사나 사업을 하면 얼마나 이익을 남길 수 있겠냐? 누가 가게 차리려고 하겠냐?’며 볼멘 목소리를 내었다.

올라간 시급에 대응이라도 하듯 몇 명의 국회의원들이 "최저임금 산입범위 확대"를 만들어 의결시켰다. 이는 노동자들에게 불리하고 경영자 입장에서는 좋은 것이다. 예를 들어 그동안 교통비나 식사비 등이 노동자의 월급과 상관없는 복지였는데, 이제는 이런 부대비용을 제하고 노동자의 월급을 주는 것이다. 이리되면 최저시급 상승이 무용지물이 되는 것이다. 물론 임금 산입범위 확대를 시행하는 것은 경영자의 판단이다.

회사나 공장에는 임금 산입범위 확대를 통해 인건비를 줄일 수 있었지만 편의점과 같은 시간제 일자리는 큰 타격을 받았다. TV 같은 대중매체는 최저시급 상승으로 아르바이트 일자리가 줄어들고 자영업자들이 직원들 두지 않는다고 방송했다. 그리고 지방에는 외국인 노동자들만 이득을 본다고 했다. 한 방송사는 최저시급 상승으로 피해를 보는 편의점 사장의 이야기를 관찰하는 듯 보여주었다. 중심가에 편의점을 운영하는 30대의 사장, 그는 올라간 시급으로 울상을 짓고 있다.

- 시급이 올라가서 아르바이트생들 월급 주면, 남는 게 없어요.

제작진이 편의점 사장의 한 달 매출과 가계부를 보여주었다. 근데 초점은 아르바이트생 월급에 두었다. 시간제였는데, 월 100만 원 정도 되었다. 방송은 최저임금 인상을 암묵적으로 비난하는 듯했다. 하지만 TV를 지켜보던 나의 눈에 들어온 것은 최저시급이 아닌 임대료였다. 월 임대료가 300만 원이다. 편의점 사장이 남는 게 없다고 했는데, 전체 매출액에서 가장 많이 빠져나가는 것은 임대료였다. 그렇다면 프로그램을 만든 제작진은 최저시급 인상을 비난할 것이 아니라 최고임대료 제한법 등을 주장해야 않을까?

인터넷 서핑을 하는데, 누가 편의점 아르바이트생 등의 쉬운 일에도 최저시급을 적용하는 것에 대해 비난하는 댓글을 봤다. “일도 엄청 쉽고 손님도 오지 않으면 앉아서 쉬는 것인데, 하는 일에 비해 시급이 세다는 것이다.” 이런 댓글을 보니 옛날 생각이 떠올랐다. 전문대 복학 전에 카페에서 서빙하는 아르바이트를 한 적이 있다. 일하는 첫날, 사장이 최저시급이 많다고 난리였다. “장사하는 사람이 뭐 먹고사냐?”라며 일하러 온 나에게 하소연했다. 같이 일하는 아줌마도 어이가 없어하는 눈치였다. 사장이 없을 때 아줌마가 나에게 살짝 말을 걸었다.

- 사장이 본인만 생각하지? 여기 일하러 온 사람들 한 달도 못 버티고 나가. 밤 늦게까지 일하는데, 최저시급보다 적게 주거든.

전단지를 보고 왔는데, 거기에는 시급에 대한 것이 언급되어 있지 않았다. 그래서 당연히 “최저시급이겠지.”라고만 생각했다. 그 말을 들은 나는 하루만 일하고 나오지 않았다. 장사하는 사람들에게 인건비가 아깝겠지만 일하는 사람 입장에서는 생계를 유지하는 비용이다. 현재 한 시간의 시급이 한 끼의 식사 값보다 못하다. 일 시키며 돈 주기 싫으면 무인화 시스템을 적용시키는 것이 나을 것이다. 그리고 일하는 사람 입장에서는 하는 일이 쉽든지 노동강도가 강하든지, 본인의 인생을 소비하는 셈이다.

대기업 현장에 일할 당시, 내가 일하는 작업장에는 용접 및 그라인더 작업으로 완성품을 만들면, 중량물을 옮기는 “도비”

라는 작업자가 온다. 그 사람들이 천장 크레인을 이용, 완성품을 옮긴다. 옮기고 다시 물건을 갖다 놓는 그 시간에 우리 작업자들은 쉴 수 있다. 아침 조회 때 용득 반장이 이와 관련된 말실수를 해, 흥수 선배에게 혼난 적이 있다.

- 도비들이 물건 옮길 때 흥수 형님 쪽은 놀 텐데, 놀면서 지그 주변 청소 좀 하세요.

흥수 선배가 발끈했다.

- 어이. 반장, 놀다니? 내가 홀딱 벗고 노나? 작업복 입고 안전모 쓰며 "대기"하는 거잖아. 대기! 물건이 지그에 들어오면 바로 일할거야. 그럼 당연히 대기라고 해야지. "놀다"가 뭐야? 내가 회사에 놀러 왔나? 일 하러 왔지! 앞으로 말 조심해서 해라.

흥수 선배의 말에 앉아 있던 모든 반원들이 "맞다."며 맞장구치며 고개를 끄덕였다. 용득 반장은 머리를 끄적거렸다. 그렇다. 편해 보이고 손쉬워 보이는 일도 노동자의 인생을 소비하는 행위이고, 작업장에서 일하지 않는 시간은 대기시간이다.

사무장이 내가 있는 교선실에 또 찾아왔다.

- 교선부장, 오늘 점심시간에 상부단체 동지들하고 항의 투쟁하는 거 촬영해라.

- 네.

점심시간이 다가오자, 상부단체 동지들이 우리 노동조합을 방문했다. 물론 영훈 부장도 있었다. 내가 물었다.
- 갑자기 왜 왔어?
- 아. 형님은 노동조합 일이 처음이라서 잘 모르는구나! "중앙교섭"이라고 노사가 동일한 업종끼리 근로조건을 정한 뒤, 전체 업종에 적용시키는 집중적인 교섭방법이에요. 매년마다 대기업 T에서 불참하기에, 항의차원에서 집회하러 온 거예요. 본관 앞에서 할 거예요.

점심시간, 30분 넘게 본관 앞에서 집회를 했다. '중앙교섭에 참여하라'는 현수막을 두 사람이 양 끝에서 잡고 있다. 지나가는 사람들이 잘 볼 수 있게 말이다. 상부단체 간부들이 마이크를 잡고 발언도 하고 노동가에 따라 노래도 불렀다.

여름휴가가 다가왔다. 노동조합에서는 전체 조합원들에게 여름휴가를 다녀온 뒤 가열차게 투쟁할 것이라고 했다.

여름휴가를 다녀온 후, 정당방위대 발대식을 하고 쟁의행위 찬반투표도 실시했다. 쟁의행위 찬반투표에서 가결이 나와야 집단행동을 할 수 있는 것이다. 93%로 가결되었고 나는 이 사실을 소식지에 실어 현장에 홍보했다.

노동조합은 사측에, 전체간부수련회를 떠날 때 건넨 요구(안) 수준의 제시안을 내놓을 것을 요구했다. 하지만 사측은

“무리”라며 어떤 것도 제시하지 않았다.

올해 단체교섭에서의 큰 쟁점은 통상임금 지급, 신입사원 채용, 정년연장이었다. 정년연장과 신입사원은 매년 언급되는 것이었고 통상임금지급이 크게 와닿았다. 통상임금은 소정근로시간 또는 총 근로시간에 대하여 지급하기로 정해진 도급금액을 말한다. 우리 노동조합은 노동 쪽에 일하는 변호사를 고용, 법적으로 회사와 싸우고 있는 상황이다.

여름휴가 전 전체간부수련회 날, 변호사와 회계사를 불러 통상임금과 관련된 이야기를 들었다. 가장 큰 핵심은 2013년 12월 18일 대법원의 전원합의체 판결에 정기상여금이 통상임금에 포함되는 것이다. 이는 통상임금 범위가 확대되는 계기가 되는 것인데, 지금 노측과 사측은 통상임금과 관련하여 지급해야 할 통상임금 범위를 가지고 법적싸움을 하고 있는 것이다. 결론적으로 변호사의 말은 통상임금의 요건이 정기적, 일률적, 고정적으로 지급되는 것인가를 기준으로 판단되는데, 2013년 대법원 판례로 노동자에게 유리해졌다는 것이다. 변호사는 조급해하지 말 것을 당부했다.

아무튼 노측과 사측은 3가지 쟁점을 가지고 교섭을 진행했다. 쟁의행위 획득 후, 노동조합은 사측을 압박하고 조합원들의 단결을 위해 여러 이벤트를 진행했다.

첫 번째는 결의문 작성이었다. 말 그대로 각 반에 1개의 결의문을 현장조직위원이 중심이 되어 작성한다. 결의문에는 “끝까지 투쟁하여 쟁취할 것을 결의한다.”라는 식으로 문장을 작성하고 하단에는 반원들의 이름과 사인을 적었다. 그렇게 만들어진 결의문은 공장 현관문이나 반샵 앞, 식당 앞 등의 회사 곳곳에 붙였다. 결의문 중 맞춤법이 틀린 것이 보였다. 내가 맞춤법이 틀린 것을 지적하자, 흥수 선배가 이유를 알려주었다.

- 일부러 그런 거야. 맞춤법 틀리면 무식해 보이잖아. 상대방이 무식하면 좋게 말로 해서는 안될 것 같은 느낌이 들잖아. 그리고 성급해 보이고 말이야. 그런 심리적 효과를 바라는 것이지. 그러니깐 좋게 말할 때 빨리 제시안을 내놔라는 것이지.

두 번째 이벤트는 현수막 제작이었다. 각 반에 현수막과 수성펜, 매직 등이 보급되었다. 저번과 마찬가지로 현장조직위원이 중심이 되어 반원들과 만들었다. "알맹이 없으면 돌멩이 날아간다. 투쟁 없이 쟁취 없다. 투쟁으로 쟁취하자. 어느 놈이 끈질긴지 끝까지 가보자. 죽기살기로 싸우겠다." 등의 다소 공격적인 문장들이 현수막에 적혔다. 그 현수막을 본관 입구 옆 화단에 있는 나무 사이나 사람들이 많이 지나가는 식당 앞, 출입문 등에 걸어놓았다.

며칠 뒤, 반에 손바닥 크기의 천조각과 수성 펜이 보급되었다. 각 개인의 소망이나 투쟁발언 등을 적었고 대의원들이 다 걷어갔다. 노동조합 집행위원들은 본관 앞 화단이나, 나무, 수풀이 있는 곳에 사람 키 높이로 하여, 줄을 길게 늘어뜨렸다. 그리고 줄에다 조합원들이 적은 천조각을 매달았다.

천조각의 색깔이 빨강, 노랑, 파랑, 보라색 등 다양했는데, 그 모습이 을씨년스러웠다. 마치 무속인의 앞마당 같기도 한 것이 미관상 보기 싫었다. 그리고 세차게 비가 왔다. 비가 온 뒤 현수막과 천조각의 글씨가 화선지에 먹을 가득 품은 붓을 당기라도 한 것처럼 퍼져 보였다. 비로 인해 현수막과 줄이 쓰러지고 삐뚤어졌다. 그 모습으로 인해 회사가 폐가처럼 보였다. 그리고 아침에 전체간부 조출투쟁이라고 해서 출근시간에 본관 앞에서 집회를 했다.

한편 58년생 선배 퇴직 이후, 올해는 59년생 선배들이 퇴직하는 해이다. 작년의 58년생 선배들처럼 단체행동 같은 활동은 없었다. 59년생 선배들은 58년생 선배들이 대우도 제대로 못 받고 퇴직한 것을 봤기 때문이다. 59년생 퇴직예정자들은 노동조합을 압박하지도 않고 그저 순리대로 가려는 듯 보였다.

9월 말, 시원함이 느껴졌다. 단체교섭은 막바지를 향해 달려가는 듯하다. 전 단체교섭 조인식에서 노측과 사측은 '이번에는 해를 넘기지 말자'라며 약속을 했다. 그 약속들을 지키려는 듯이, 현장의 조합원이 퇴근하고 늦은 밤이 되어서도 교섭은 계속되었다. 교섭위원들로 팀을 만들어 협상하던 교섭이, 이제는 지회장을 비롯한 3명으로 바뀌었다. 그렇게 3일 동안, 밤늦게까지 노동조합 사무실에 머물러 있었다.

3일째 되던 날, 본관을 다녀온 지회장이 사측의 제시안을 받아들였다. 정년연장은 안되고, 통상임금은 다음으로 미루기로 했다. 기타 사항으로 협력업체 처우개선도 포함되어 있었다. 그리고 내년 신입사원 채용은 60명 계획인데, 정년으로 나가는 일백여 명의 숫자에 비해 턱없이 적었다. 나는 소식지에, 지회장이 받아온 제시안을 적었고 내일 아침에 현장의 조합원들에게 배부할 수 있도록 준비했다.

아침에 전체 조합원을 회사 내, 주차장에 불러놓고 소식지를 배부했다. 그리고 사무장이 제시안을 설명하고, 바로 찬반투표를 시작했다. 역시 부결이었다. 특히 젊은 층들의 반대가 심했다. 노동조합 홈페이지에는 '신임금체계 철회'를 주장하는 글도 심심찮게 올라오고, 작년에 신임금체계를 받아들인 노동조합을 욕하는 글도 많았다.

하지만 전에 언급했듯이 지회장이 사측의 제시안을 받아들이면 크게 변하는 것은 없었다. 나는 "다시 싸우겠다."라는 내용의 대자보를 내고 기다렸다.

일주일이 지나, 사측이 상품권 5만 원과 휴가 1일 발생을 추가했다. 다시 단체교섭 2차 찬반투표가 진행되었다. 기성세대들은 한계를 인정하고 긍정적으로 받아들였다. 하지만 젊은 층의 반발은 심했고 부결로 이어졌다. 임원들의 표정이 어두웠다. 이번에 할 3차에서도 "부결"이 나온다면 다들 현장으로 복귀해야 할 것이다.

사측에서 5만 원을 더 추가해, 상품권 10만 원과 휴가 1일 발생을 추가 제시안으로 내놓았다. 하지만 임원들은 받은 제시안을 숨기고 찬반투표를 진행하지 않았다. 그리고 며칠 뒤, 뜬금없이 목요일에 찬반투표를 진행했다. 3차 찬반투표에서는 60%가 넘는 찬성표로 가결되었다.

투표를 진행한 목요일 다음날은 한글날로, 휴무일이다. 젊은 조합원들은 월차나 연차를 목요일에 많이 사용했다. 징검다리 연휴이기에, 목요일 연월차 쓰고 한글날 쉬고 토요일 특근하지 않으면 4일을 내리 쉴 수 있는 것이다. 임원 4명은 젊은 층들이 징검다리 연휴 때 이런 식으로 연, 월차 등의 휴가를 쓴다는 사실을 이용, 찬반투표를 가결로 이끈 것이다.

단체교섭 타결 후, 점심시간 식당에 밥을 먹으러 갔다. 대기업 T는 식판을 가지고 밥을 퍼고, 반찬을 배식 받았다. 근데 배식을 해주던 식당 아주머니가 내게 말을 걸었다.

- 아이고, 고맙습니다. 덕분에 격려금도 받았어요.

나에게 고기반찬을 더 얹어주었다. 단체교섭 때 '협력업체 처우개선이란 항목으로, 단체교섭 타결 시 회사 내 협력업체 직원들에게도 30만 원의 격려금을 지급한다.'라고 명시했었다. 그리하여 대기업 T 내에 있던 모든 협력업체 직원들이 30만 원을 받은 것이다. 대기업 T는 식당을 외주로 운영하고 있었기에, 식당 아주머니도 협력업체 소속인 것이다. 식당 아주머니의 말을 들으니 처음에는 창피했다. 하지만 시간이 지나니 뿌듯함이 느껴졌다.

그렇게 단체교섭이 마무리되었다. 타결이 난 후의 월요일, 노동조합 홈페이지가 또 시끄러웠다. '졸속한 찬반투표 진행이며, 야비하다.'는 식의 댓글이 올라왔다. 아마 젊은 층들이 올린 글일 것이다.

"노동조합 활동을 많이 한 조합원"이란 아이디로 댓글이 올라왔다.

- 지금 젊은 신입사원들이 화를 내고 분노하는 것을 충분히 이해합니다. 하지만 우리 기성세대들도 처음 입사할 때 모든 것이 만족스럽지 않아, 불만이 많았지요. 노동조합이 생기고 노동조합 간부가 되어, 서로 "으쌰으쌰"하며 싸운 결과로 지금은 만족할 수 있는 환경을 만들었습니다. 지금의 신입사원들도 마찬가지입니다. 첫술에 배부를 수가 당연히 없겠지요. 젊은 층들이 노동조합에 관심을 가지고 간부 활동을 하며 점차적으로 바꿔가야 합니다. 작년처럼 단체 활동으로 집단적 조퇴를 하거나 노동조합 집행부와 신임금체계에 관심 없어하는 선배들을 욕한다면, 그것은 노•노 갈등만 부추기는 꼴이 됩니다. 솔직히 저는 상관없습니다. 저는 몇 년 만 더 근무하면 정년으로 이 회사를 나가야 합니다. 하지만 지금 돌아가는 모습을 보니 안타까워 이렇게 글을 올립니다. 다시 한 번 더 말씀 드립니다. 젊은 신입사원들은 자중해주시고 앞으로 배워가면서 환경을 바꿔 가시길 바랍니다.

노동조합활동을 많이 한, 경력자의 충고 글이었는데, 그 밑으로 비난하는 글이 달렸다.

- 딱 보니, 집행부 아니면 사측이네. 한마디로 주디 닫고 지금은 참으라는 거네?

이처럼 옳은 말을 했는데 비난하는 글이 달렸다. 그리고 또 다시 댓글이 달렸다.

- 지금 우리 신입사원들은 큰 불만은 없습니다. 선배님들이 말씀하신 대로 차츰 바꿔나가면 될 것이라 생각합니다. 선배님들의 글을 비하하는 사람은 사측이거나 진짜 소수의 몇 안 되는 사람들일 것입니다. 선배님의 의견을 비하하는 글을, 신입사원 전체의 생각이라고 오해하지 말아 주시길 바랍니다.

노동조합 홈페이지는 누구나가 열람가능하고 글을 쓸 수 있었다. 그래서 없는 말도 진짜인 것처럼 꾸미고 지어내어 시끄러웠던 적이 한두 번이 아니었다.

노동조합의 홈페이지의 뜨거운 설전도 시간이 지나니 사그라졌다.

단체교섭 조인식이 끝나고 다시 일상 업무로 돌아왔다. 노동조합 소식지에 실을 소식을 취재하기 위해 여러 공장을 돌아다녔다. 그때 누군가 나를 불러 세웠다. 본인이 "공정지원반"의 반장이라고 했다. 공정지원반은 중량물을 옮겨주는 도비 작업자들의 반이다.

- 어이, 부장님, 지금 우리 공장에 어떤 녀석이 지금의 집행부를 증오하는지, 집행부 불신임을 가지고 사인을 받으러 돌아다닌다고 하네. 다시 말해 지금 집행부 내려오라는 거지.

- 네?

나는 깜짝 놀랐다. 젊은 층들이 지금 집행부를 싫어하는 것은 알고 있었지만 이 정도일 줄은 몰랐던 것이다. 하지만 다시 안심이 되었다. 전에 언급했듯이 집행부가 내려가려면 지회장이 "내려놓는다."라고 선언하거나 찬반투표가 3번 이상 부결되어 불신임이 되어야 가능한 것이다.

도비 반장에게 사인을 받으러 다니는 친구가 누구인지를 물어보았다. 그 친구는 작년 신임금체계 도입에 반대해, 신입사원들을 모두 데리고 조퇴한 "정욱"라는 조합원이었다. 현장을 지나가다 본 적이 있는데, 눈꼬리가 올라간 것이 한 성격 할 것처럼 보였다.

나는 별 신경 쓰지 않았다. 솔직히 지금 우리 집행부가 임기를 못 채우고 현장으로 복귀한다고 해도, 나 같은 부장급은 크게 욕먹지 않는다. 반면 실질적 노동조합 브레인이라 할 수 있는 임원 4명의 이름이 조합원들 기억에 안 좋은 인상으로 각인 될 것이다.

별문제는 아니지만 사무장에게 알릴 필요는 있었다. 부장들의 역할 중, 현장에서 일어나는 크고 작은 소식들을 임원에게 전달할 의무가 있기 때문이다. 그래서 노동조합에 돌아가, 사무장에게 이 사실을 보고했다. 사무장은 다시 기획부장인 엄 선배를 찾아갔다. 현장으로 가서 내가 들은 소문의 진위 여부를 확실히 알아보라는 것이었다. 엄 선배는 그동안 대의원이나 집행위원으로 많이 활동했기에 아는 사람이 많고, 활동범위가 넓었다.

나는 내가 사무장에게 보고한 일들은 잊어버린 채, 내 업무에 매진했다.

교선실에서 소식지를 만들고 있는데, 누가 황급히 들어와, 문을 닫는 것이 보였다. "정욱"였다. 다짜고짜 큰소리를 쳤다.

- 형님, 나랑 이야기 좀 합시다.

교선실 구석에 있던 의자를 가지고 와, 내 앞에 앉았다.

- 왜? 무슨 일인데?

- 씨발, 형님이 없는 말 만들어 낸다면서요? 내가 공장 돌아다니며 집행부 내려오라고 사인 받으러 다닌다면서요?

정욱은 키가 나만한데 덩치가 컸다. 몸무게가 80대 후반에서 90대 초반인 것 같다. 화를 내는 것이, 한대 칠 것 같다. 하지만 여기는 회사 안이다. 게다가 사람이 많은 노동조합에서 폭행사건이 터진다면, 본인도 큰 위기에 몰릴 것이다.

- 뭐? 씨발? 야이 씨발아. 내가 무슨 말을 만들어내? 현장순회하다가 들은 이야기를 사무장한테 보고 했을 뿐인데.

- 그럼 내가 사인 받으러 다닌다고 말한 사람, 이름 대세요.

나는 "그럴 수 없다."라고 단호하게 말했다.

- 조합원들 간에 싸우도록 내버려 둘 수도 없고, 내가 말하면 나한테 말한 그 사람 입장은 뭐가 돼? 내가 이름 대면 넌 또 그 사람 찾아가서 "씨발"하며 지금처럼 위협할 거 아니야? 사인 받으러 다닌 것이 사실이 아니라면 내가 현장 돌아다니면서 해명할게. 잘못된 정보라고. 그리하면 될 것인데, 왜 이렇게 소란이야?

- 형님이 내 입장되어 봤어요? 지금 엄청 열 받아요.

- 네가 열 받으면 어쩔 건데?
- 형님, 내가 예전에 복싱 좀 했어요. 우리 회사 내, 써클 중에 복싱부가 있어요. 거기 가서 스파링 한번 합시다. 거기서 싸우면 서로 합의하에 하는 것이라 문제 될 것이 없잖아요.
- 그래. 좋다. 지금 당장 가자.

우리 회사에는 "복싱부"라는 써클도 있었다. 옛날 조합원 중, 복싱선수 국가대표 상비군까지 한 사람이 만든 써클이었다. 복싱체육관처럼 링이 설치되어 있었다. 정욱의 말에 나도 화가 나, 더 세게 나갔다. 그랬더니 정욱이 당황한 듯하다. 더 이상 스파링 이야기를 하지 않았다.

- 말한 사람, 이름 대세요.

나는 끝까지 버티었고, 정욱은 씩씩거리며 가버렸다. 정욱이 교선실 문을 열고 나갈 때, 이미 밖에서는 많은 집행위원들이 모여 있었다. 나와 정욱의 큰 언성에 놀라서 모여든 것이다.

노안부장 "광희" 선배가 다가와 물었다.

- 무슨 일이야? 왜 이리 시끄러워?

나는 자초지종을 이야기하면서 내 심정을 토로했다.

- 무섭다. 무서워. 한 대 맞을 뻔했네.

나는 대수롭지 않은 듯 웃고 넘어갔다. 그리고 이것으로 이 사건은 일단락되는 줄 알았다.

상기 선배의 따까리들

정욱과 말다툼을 한 다음날이었다. 예전과 다름없이 교선실에서 소식지를 만들고 있는데, 상기 선배와 정욱이 같이 들어왔다. 나는 어안이 벙벙해져 바라만 보고 있었는데, 정욱이 교선실 문을 닫았다.

정욱은 의자를 들고 와, 내 앞에 갖다 놓았고, 상기 선배가 그 자리에 앉았다.

- 야. 너 그리 안 봤는데....... 진짜 왜 그러냐? 왜 없는 말을 만들어 내고 다녀? 정욱이 그 일로 얼마나 많은 스트레스를 받고 있는 줄 아니? 지금 그것 때문에 잠도 제대로 못 자고, 설친다더라.

나는 당황해 "예?"라고 되물었다. 그러자 옆에 있던 정욱이 큰 소리를 쳤다.

- 형이 없는 말, 하고 돌아다녀잖아요.

상기 선배가 한쪽 손을 가볍게 들었다. '그만하라.'라는 표시인 듯하다. 정욱이 입을 다물었고 상기 선배가 다시 말을 이어갔다.

- 너 젊은 사람이 왜 그리 생각이 없냐? 너 어제 정욱하고 이야기하고 나서는 "무서웠다, 맞을 뻔했다." 는 말을 많은 사람들에게 했다면서? 그게 말이야? 글이야? 둘이 대화를 나누었으면 둘만의 대화로 끝난 것이지. 구태여 다른 사람들에게 "맞을 뻔했다."는 말은 왜 해? 그리되면 정욱은 또 어떻게 되겠어? 그렇지 않아도 네가 말한 것 때문에 정욱의 이미지가 안 좋아지고 있는데, 더 안 좋아지길 바라는 거야?

- 아닙니다.
나는 고개를 푹 숙였다.
- 노동조합 간부라면 마음을 넓게 가져야 돼. 그리고 조합원을 공격할 것이 아니라 감싸주고 보다듬어 주어야지. 넌 지금 간부로써 자세가 잘못되어있어. 그런 식으로 노동조합 활동하면 조합원들에게 욕 먹어. 내가 지금 너 잘 되라고 말하는 거야. 새겨들어라.
상기 선배는 그 외에도 다양한 말로 나를 야단쳤다. 나는 여전히 고개 숙이고 “네”라고 대답만 했다.
- 그래. 내가 이렇게 말했으니 앞으로는 잘하겠지. 내가 지켜볼 거야.
할 말을 다 했는지, 상기 선배가 일어났다. 그리고는 둘은 나가버렸다. 별로 잘못한 것도 없는데, 엄청 야단을 맞았다. 잠시 후 노안부장 광희 선배가 들어왔다.
- 왜? 또 뭐라 하디?
나는 야단 맞은 사실을 털어놓았다. 그러자 광희 선배는 이야기보따리를 풀어놓듯, 나에게 많은 사실들을 알려주었다.
- 넌 여기서 글만 쓰느라 밖에 무슨 일이 일어나는지, 전체적인 흐름이나 들려오는 이야기를 잘 듣지 못하는가 보네. 내가 지금 알려줄게. 방금 들어온 “상기”라는 사람이 “노력파”인 거는 알지? 그 사람은 지금 우리 집행부의 꼬투리를 잡으려고 혈안이 되어 있어. 왜? 우리가 일을 못해야 다음 지회장 선거에서 노력파가 득세할 수 있고, 또 돋보일 테니

깐. 그리고 같이 따라 들어온 정욱은 예전에 대의원 할 때도, 상기 찾아가서 많이 물어보고 그의 지시를 따랐어. 다른 부서인데도 말이야. 대의원이라면 자기 주체성을 가지고 일해야 돼. 상기는 지금 정욱뿐만 아니라 젊은 친구들을 많이 선동하고 있어. '신임금체계 관련해서 지금 집행부가 잘못하고 있다. 이런 식으로 가서는 안 된다.'라며 우리 집행부를 헐뜯고 있어. 특히 비난하는데 있어서 노동조합 홈페이지가 아주 유용하지. 그리고 그거 궁금하지 않아? 상기는 어떻게 네가 '무섭네. 맞을 뻔했다.'라고 말한 것을 알고 있는지?

- 예. 저도 그 부분이 궁금했어요. 노동조합에 도청장치라도 설치되어 있나요?

- 당연히 아니지. 문체부장하고 총무부장은 상기 따까리야. 우리 집행위원회의 하잖아. 그럼 다음날 아침에 바로 상기한테 달려가서 회의내용을 그대로 다 보고하지. 상기는 또 회의내용을 듣고 우리 집행부를 욕할 소재를 찾는 것이고. 상기 때문에 우리가 힘들어 죽겠다. 아무튼 네가 말한 '맞을 뻔했다.'는 문체나 총무, 둘 중에 하나가 말했을 거야.

- 우리 같은 편, 아닌가요? 같은 공간에서 같은 목표를 향해 싸우면서, 이렇게 나눠지다니. 황당하네요. 여기서 의문점이 하나 드네요. 처음부터 문체부장하고 총무부장은 왜 부장으로 선임했나요? 처음부터 다른 사람을 선임할 것이지. 솔직히 문체부하고 총무부 자리는 쉽잖아요? 문체부장은 무대설치나 집회준비가 주 업무인데, 그거 할 줄 아는 사람 많잖아

요. 총무부장 자리도 돈 계산만 잘하면 되잖아요. 사측에 보낼 공문은 그전에 보냈던 공문들 참조해서 만들면 되고요.
- 내 말이 그 말이야. 총무부장은 사무장이, 문체부장은 지회장이 선임 시켰어. 내가 다른 사람 시키라고 했는데도, 경력자가 필요하다고 선임 시키더라. 그래서 지금 이 꼴이 난 거야. 현장에서는 우리 집행부를 부정적 시선으로 쳐다봐. 특히 젊은 층, 다 저놈들의 이빨 때문이야.
- 답답하네요.
나는 이제야 궁금했던 부분이 해소되었다. 광희 선배의 이야기를 듣고 나니 한심한 느낌이 들었다. 같은 노동자로써 조합원을 위해 똘똘 뭉쳐서 협력해야한다. 근데 서로 기득권을 얻기 위해 상대방을 비방하니 말이다.
광희 선배는 한마디 더하고 본인의 노안실로 돌아갔다.
- 앞으로 총무부장하고 문체부장 있을 때는 말 조심해라. 상기 귀에 다 들어간다.
얼마 후 지회장이 교선실로 들어왔다.
- 방금 상기 형 왔다 갔다면서, 무슨 일이야?
지회장은 다 알고 왔으면서도 내게 한 번 더 확인하려는 듯이 물었다. 나는 다시 자초지종을 이야기했다.
- 네가 마음고생이 심하겠구나. 힘내.
그게 다였다. 지회장은 내 어깨를 토닥거렸을 뿐, 상기 선배의 행동에 아무런 대응도 하지 못했다. 상기 선배가 지회장인 재섭 선배의 고향 선배이기 때문일 것이다.

노동조합은 사측과 협의할 때 수주받은 물량을 가지고 싸우기도 했다. 여기서 물량은 일거리의 분배와 관련된 것인데, 외주업체에 일거리를 얼마나 떼어줄 것인가? 직영은 얼마만큼 생산할 것이냐?를 정하는 것이다. 그 물량을 사측 마음대로 할 수 없고, 단체협약에 따라 노동조합과 조율해서 정해야 한다. 그래서 "물량이 많을 때, 노동조합도 큰 소리를 낼 수 있다."는 말이 있을 정도이다.

물량은 각 공장의 대의원들이 공장의 생산팀장과 협의를 하는데, 서로 합의점을 못 찾거나 다툼이 발생하면 노동조합을 찾아와 논의했다. 특히 노동조합은 "고용대책위원회의"를 통해 각 부서의 물량을 파악하고 전체적인 조율을 했다. 그 고용대책위원회의는 고경부장과 부지회장의 주체로 열렸다.

최근 고용대책위원회의가 열렸다. 부지회장, 고경부장, 엄선배, 나. 그리고 각 공장의 대의원 1명씩 참석하여 논의했다. 각 공장의 대의원이 공장에서 생산되는 물량과 관련된 외주처리상황을 보고하고 외주처리 현황과 어려움을 서로 이야기했다. 회의 때 보통 고경차장이 서기로, 회의내용을 정리하고 문서 보관했다. 근데 고경차장을 맡은 젊은 친구가 바빠, 자주 참석을 하지 못했다. 회사 내 족구대표로 대회에 출전한다고 했다. 그래서 내가 서기 역할을 하였고, 그 계기로 고경부장과 친하게 지내게 되었다.

고경부장은 "은석" 선배로, 예전에도 고용경영대책부장을 역임했다고 한다. 은석 선배와 커피 한잔 마시며 이야기 나눌 기회가 있었는데, 그때 희한한 이야기를 들려주었다.
- 기획차장이라고 알지? 그 젊은 친구 말이야. 그 녀석 조만간 잘리게 될 거야.
- 네?
- 그 녀석, 우리 노동조합 정문 밖에만 나가면 우리 집행부 욕을 하는 거야. 특히 젊은 친구들한테 신임금체계 언급하면서 이것 때문에 기성세대들하고 임금 차이가 확 벌어진다고. 표를 만들어서 보여준다고 하네. 이게 다 지금의 집행부 때문이라고 떠벌리고 다니는 거야. 임금차이가 나는 것은 사실이야. 하지만 이런 것들을 조금씩 수정해 가면서 바꿔가야지. 그리고 우리 집행부 소속이라면, 뒷담화는 하지 말아야지. 불만이 있으면 임원들에게 말해서 바꾸던지. 마음에 들지 않으면 사퇴를 해야 하는 것이지. 근데 저 놈은 우리 편 인척 하면서 뒤에서는 우리 집행부 욕을 하고 다니니 환장할 노릇이지. 근데 그 뒷담화는 돌고 돌아, 임원이나 내 귀에 다 들어와.
- 이것도 혹시 상기 선배하고 연관이 있나요?
- 아. 맞다. 너 며칠 전에 상기한테 혼났다면서? 지회장은 아무 말도 못 하고. 그치? 답답하다. 당연히 상관있어. 그 녀석도 상기 따까리야.
- 그래요? 그래도 그 친구하고 이야기 좀 해보죠.
- 벌써 했어. 정책부장하고 이야기했어. 대화 나눌 때 서로 말이 안 통해서 고성이 오고 갔어. 꼰대는 나이하고 상관없

잖아.

의외였다.

집행위원회의가 열렸다. 대회의실. 모두가 다 참석하고 회의를 시작하려 할 때, 사무장이 공지사항을 하나 알려주었다.

- 오늘부로 기획차장이 사퇴하기로 했습니다. 사유는 가사일 때문입니다. 다들 그리만 알고 계십시오.

대회의실에 기획차장이 앉아 있었다. 옆에 있던 기획부장인 엄 선배가 말했다.

- 오늘이 마지막인데, 그냥 나가봐. 수고했다.

기획차장은 머뭇거리더니, 대회의실을 조용히 빠져나갔다. 다시 집행위원회의를 진행했다.

노동조합 내, 부장들끼리의 계모임, 차장들과 위원들끼리의 계모임이 존재했다. 우리 부장들끼리의 계모임은 한 달 1만원의 회비를 거출하고 임원들이 찬조형식으로 돈을 보태주었다. 그 돈으로 회식을 하기도 하고 공용물품을 구입하기도 했다. 탕비실과는 아무 관련이 없는 줄 알았다.

회의 중에 탕비실에 소모되는 컵라면, 믹스커피 등이 부장 계모임의 회비로 구입한다는 것을 우연히 알게 되었다. 부장들의 계 회비 관리는 문체부장이 하고 탕비실은 총무부장이 담당했다. 문제부장과 총무부장은 알고 있었으면서 말을 해주지 않은 것이다.

고경부장 은식 선배가 화를 내며 말했다.
- 이제야 알게 되다니 황당하네요. 그럼 우리는 지금까지 눈치 볼 필요가 없었네요. 지금까지 탕비실에 있는 믹스커피 하나, 냉장고에 있는 아이스크림 하나 먹을 때도 눈치 보면서 먹었는데 말이죠? 참 허탈하네요.
총무부장이 찔리는지 대꾸했다.
- 내가 언제 눈치 줬어요?
기가 찼다. 총무부장은 왜 처음부터 말하지 않았을까? 왜 주인행세를 했을까? 이 일로 내부분란이 더 생길 것 같다. 저 둘을 선임한 임원들한테 화가 났다.
탕비실의 소모품은 부장들의 회비로 구입한 것이라, 부장들의 공동소유인 것이다. 근데 지금까지 총무부장이 주인행세를 해왔다. 항상 탕비실의 열쇠를 본인이 가지고 다녔다. 조합원들 중, 누군가가 감사의 의미로 과일이나 음료수, 아이스크림 등의 먹거리를 들고 오면 항상 총무부장이 건네받아 탕비실에 보관하고 집행위원들에게 나눠주었다.
탕비실에 있는 먹을거리를 먹고 있으면 총무부장이 눈치를 주었다. 나도 예전에 아이스크림을 연달아 두 개 먹다, 총무부장에게 혼난 적이 있었다. 내가 겪은 일들을 다른 선배 부장들도 경험했는가 보다.
탕비실 주인 행세한 총무부장에게 다들 화가 났고, 집행위원회의 때 높은 언성이 오고 갔다. 내부분열을 막기 위해 임원들이 나섰다. 부장들끼리 좋은 곳에 가서 회식을 하라며

금의봉을 챙겨주었다. 다들 반기지는 않았지만, 부장들 중에 나이가 가장 많은 엄 선배가 임원들의 뜻을 받아들였다. 기획부장인 엄 선배가 자리를 마련했다.

평일 업무를 끝내고 진해로 갔다. 바다가 보이는 2층짜리 목조건물의 횟집에 집행위원들 중 부장들만 모였다. 총무부장과 문체부장이 상기 선배한테 쪼르르 달려가서 회의내용을 보고하지 않고 업무에만 집중하면 괜찮을 것이다. 근데 그 둘은 이 자리가 단순히 화합의 자리로만 생각하는 듯하다.

다들 엄 선배가 잘 타일러 주기를 바랐다. 한편으로는 이 자리가 과연 효과가 있을까? 술 한 잔 마시고 속에 있는 이야기 털어 놓는다고 큰 변화가 있을까?라는 의문이 들기도 했다.

총무부장을 제외한 나머지 부장들은 술을 마셨다. 회와 술을 먹으며 분위기가 어느 정도 무르익자 문체부장인 천욱 선배가 알아서 실토했다.

- 내가 한마디 할게요. 지금 총무부장하고 나를 "왕따" 취급하는 거 알아요. 그 이유에 대해서도 알아요. 우리가 상기형한테 가서 회의내용 이야기하고 우리 집행부를 헐뜯는다고 다들 추측하고 있을 건데, 그렇지가 않아요. 잘 가지도 않지만, 저 같은 경우는 가면, 항상 우리 집행부 칭찬하고 유언비어에 대해서도 해명을 해요. 제가 그런 사람입니다. 우리 집행부가 잘 돌아가도록 힘쓰는 사람이다. 이 말이에요.

내가 천욱 선배의 이야기를 듣고 혼잣말을 했다.

- 가기는 가는 갑네.

나의 혼잣말이 다른 사람 귀에 다 들렸는가보다. 주위가 웃음바다로 변했다. 총무부장의 얼굴이 일그러졌고 문체부장에게 뭐라고 하기 시작했다.

- 네가 가겠지. 나는 안 간다. 그리고 술 좀 그만 마셔라. 상기 형 이야기도 그만하고. 등신아.

총무부장의 말에도 아랑곳하지 않고 문체부장은 말을 계속 이어갔다.

- 나는 진짜 서로 의심 같은 거 안 했으면 좋겠어요. 저는 진짜 떳떳해요. 그리고 서로 불만이 있으면 말했으면 좋겠어요. 끼리끼리 모여서 속닥거리며 뒷담화 할 것이 아니라 커피 한잔 마시며 오해 같은 거 풀고 그랬으면 좋겠어요. 남자가 좇 가지고 태어났으면 마음을 넓게 가져야지요. 안 그래요?

천욱 선배는 술이 되어 혀가 꼬였는데도 말은 잘했다. 엄 선배가 정리했다.

- 자, 여러분. 그동안의 일은 잊어버립시다. 방금 문체부장 말대로 오해가 있으면 대화로써 풀고 합시다. 이제 다시 시작하는 마음으로 우리 잘 해봅시다. 그 동안 같은 집행위원들끼리 오해나 불만들이 있었지만, 그것은 접어두고 남은 임기까지 서로 뭉쳐서 유종의 미를 거둡시다.

엄 선배가 건배를 제안했고, 모두 잔을 들어 건배했다.

총무부장 빼고는 다 웃는 얼굴이다. 엄 선배의 건배를 끝으로 더 이상 상기 선배와 관련된 이야기는 언급되지 않았다. 총무부장을 제외하고는 다들 즐겁게 회식을 마쳤다.

외주업체 방문

저번 고용안전대책위원회의에서 회사가 노동조합과 합의 없이 외주업체에 물량을 맡겨 생산한다는 제보가 들려왔다. 그래서 그 물량과 관련된 공장 대의원과 고경부장 은식 선배가 외주업체 시찰을 가기로 한 것이다.

은식 선배가 나에게 '같이 가자.'고 제안했다. 나는 흔쾌히 제안을 받아들였다. 일주일에 한 번식 발행하는 소식지에 실을 소재가 부족한 터라, 좋은 기사거리를 실을 기회인 것이다. 게다가 고경차장을 하던 젊은 친구가 족구에 매진하기 위해 사퇴를 했다. 내가 고경차장 대신 일을 도와줄 겸 같이 참여했다.

회사 소유의 밴을 지원 받아, 외주업체를 찾아갔다. 외곽지역에 위치해 있었는데, 신생기업이었다. 나는 외주업체 방문이 처음이라 가슴이 설렜다.

도착해서 밴에서 내렸는데, 보기보다 공장 부지가 컸다. 대기업 T와는 달리, 경비원 한 명이 정문 초소에 앉아 있었다. 출입하는 것에 크게 관여하지 않았다. 외주업체 사무실은 2층짜리 건물이었다. 관리직원 한 명이 내려와, 반갑게 맞이해주었다.

고경부장이 "공장부터 둘러보고 싶다."라고 말했다. 관리직원이 선두가 되어, 공장내부로 들어갔다. 이동하는 과정에 관리직원이 여러 가지 이야기를 해주었다. 이 부지는 원래 조선소와 관련된 엔진이나 부품 등을 만들었다고 한다. 조선업이 쇄락하면서 이곳도 어려움을 겪다가 문을 닫게 되었다고 한다. 몇 년 동안 방치되어 오다가, 기회가 잘 맞아 싼 가격에 이곳을 인수할 수 있었다고 한다.

부지가 커, 공장 내부를 둘러보는데 많은 시간이 걸렸다. 하지만 막상 공장 안을 둘러보니, 완성품을 만들기 위한 지그는 3개 밖에 없었다. 고경부장이 관리 직원에게 물었다.

- 회사에서 빼돌린 물량이 여기서 생산되고 있다는 제보가 있습니다. 사실이에요?

- 에이. 그런 거 없습니다. 지금 공장 내부를 보십시오. 지그도 몇 개 없습니다. 저희는 지금 시작단계예요. 앞으로 회사와 협의 잘하셔서 우리한테도 물량 좀 떼어주세요. 싼 가격에 잘 생산해 드릴게요.

우리는 들려온 제보가 "거짓"이라는 것을 확인했다. 이제 외주업체 사무실로 갔다. 사무실에 올라가니, 직급이 높아 보이는 사람들이 고경부장을 반겼다.

- 아이고, 고경부장님. 오랜만입니다. 이게 몇 년 만입니까? 그동안 잘 지내셨습니까?

아는 사이인가 보다. 고경부장은 잠시 어리둥절해했다.

- 아니. 왜 여기 계세요? 퇴직하신 지 꽤 오래되었잖아요?

- 에이, 몇 년 안 되었어요.

옆에서 이야기를 들으니, 고경부장의 손을 잡고, 반갑게 안부 인사를 건네는 사람은 이 외주업체의 사장이다. 몇 년 전에 대기업 T에 이사로 있었다고 한다. 오래전 은식 선배가 노동조합에 부장으로 있을 때, 단체교섭을 할 때마다 부딪혀 서로의 얼굴을 알고 있었던 것이다. 대기업 T에서 인사물갈이를 하면서 회사를 나왔고 지금 신생기업을 차린 것이다.
고경부장이 놀란 표정으로 다시 물었다.
- 이사님, 근데 어떻게 이런 회사를 차릴 생각을 하셨습니까?
- 아이고. 도둑놈이 배운 게 도둑질이라고. 본인이 할 줄 알고 잘하는 거 해야지요. 사실 제가 대표로 되어있지만 다 제 소유는 아닙니다. 같이 회사를 나온 동료들과 아는 지인들과 같이 투자해서 차린 것입니다. 물론 은행대출도 당기고요. 우리 회사 잘 되어야 합니다. 지금 여기서 일하는 직원들과 직원들에 딸린 식구들까지 합하면 엄청나게 많은 인원입니다. 많이 좀 도와주십시오.
외주업체 사장은 고경부장의 손을 잡고 이야기가 끝날 때까지 놓아주질 않았다.
- 이왕 왔으니 우리 회사를 제대로 알려야죠. 우리 회사 소개해 드릴게요.
외주업체 사장은 우리를 회의실로 안내하고 나갔다. 회의실 테이블에는 캔 음료와 간단한 다과가 마련되어 있었다. 관리직원 한 명이 들어와서 빔을 쏴서 회사의 연혁을 소개했다. 그리고 완성품을 만들기 위한 자격증과 완성품을 만들어 납부한 성과와 실적 등을 그래프로 보여주었다.
우리 일행은 이 외주업체에서의 일정을 마치고 돌아가려는데, 외주업체 사장을 비롯한 임원들이 나와 배웅해 주었다.

그리고 조그마한 종이갑을 내밀었다. 고경부장이 받질 않았다. 그러자 외주업체 사장이 말했다.
- 부장님, 이거 별거 아닙니다. 핸드폰 이동식 충전기입니다. 김영란 법에도 안 걸려요. 아주 싼 가격의 선물입니다.
뜯어보니 중국산으로 정말 싸구려 제품이었다. 그래도 선물이니 감사하게 받고 다음 행선지로 이동했다.
다음 행선지는 오랜 전부터 대기업 T의 협력업체로 지냈던 회사로, 창녕에 위치해 있었다. 창녕에 있는 협력업체도 경비는 허술했다. 관리직이 한 명 나와, 우리를 공장으로 안내해 주었다. 대기업 T와 물량거래가 많아서일까? 부지는 크지 않은데, 공장이 3개나 있었다. 그리고 공장 안에는 지그가 가득 차 있고 생산이 이루어지고 있었다. 이곳은 노•사 합의하에 물량이 생산되므로 크게 신경 쓸 것은 없었다. 단지 '물건이 잘 만들어지고 있나?'하고 살펴보러 온 것이다.
공장을 둘러보던 중에, 일하던 외주업체 직원이 은식 선배에게 아는 척을 했다.
- 은식아, 잘 지내냐? 여긴 어쩐 일이야?
그 직원은 은식 선배에게 악수를 청했다. 은식 선배는 외주업체직원을 잠시 쳐다보더니 "아, 형님"하며 서로 손을 맞잡았다. 옆에서 이야기를 들어보니, 이 외주업체 직원은 예전에 대기업 T의 현장직 정직원이었다. 그 당시 은식 선배와 같이 일했던 것이다. 지금은 퇴직 후 이곳에서 일하고 있는 것이다.

- 형님, 여기서 일해요? 그동안 수고하셨는데 쉬시지.
- 아니야. 집에 쉬려니깐 몸이 근질근질해서 말이지. 사람이 아무것도 하지 않으면 빨리 늙어. 그래서 이렇게 일하러 온 거야. 사실 일 안 해도 충분히 먹고 살 수는 있지만, 이렇게라도 움직여야지.
- 아. 네.

은식 선배는 전 직장동료와 인사를 마쳤다. 우리는 외주업체 사무실로 올라갔다. 전과 동일하게 관리직원이 빔을 쏘아가며 회사에 대해 간략하게 소개해주었다. 일정을 마친 우리는 다시 노동조합으로 갔다.

사외 외주업체 방문에 대기업 T에 근무했었던 사람들을 만났다는 것이 신기했다. 다들 퇴직하고 나서도 또다시 돈을 벌기 위해 열심히 활동하고 있었다. 현장직과 사무실, 상관없이 말이다.

협력업체 직원들의 고민

또다시 고용대책위원회의를 개최했다. 이번에도 각 공장 외주현황을 공유했다. 고경부장은 다녀왔던 외주업체 방문을 언급하며 대의원들에게 노동조합과 합의 안 된, 외주업체에 의한 물량생산은 없다고 잘라 말했다.

이번 중요안건은 정년퇴직자들의 협력업체로의 취업알선이었다. 지회장은 정년연장이 되지 않아, 꿩 대신 닭이라고 '협력업체 취업알선'이란 카드를 꺼내 들었다. 부지회장의 말로는 조만간 회사 내 협력업체장들과 간담회를 가질 예정이라고 했다.

고경부장이 현재 협력업체에 일하고 있는 정년퇴직자들의 명단이 적힌 서류를 나눠주었다. 생각보다 인원이 많았다. 나는 주의 깊게 보지 않았는데, 눈에 띄는 이름이 보였다. 바로 "최뿔따구"였다.

예전에 최뿔다구는 협력업체 직원들에게 쌍욕을 하며 "너희들 같은 협력업체 놈들 때문에 우리의 일자리가 없어진다."며 원색적으로 비난했었다. 근데 지금 쌍욕 하던 그 대상의 신분으로, 일하고 있는 것이다. 예전에 같이 일할 때 퇴직 후 철물점을 차릴 거라고 큰소리치더니....... 마음대로 되지 않은 모양이다. 최뿔따구의 현 상황을 보니, 고소하면서도 괜히 화가 났다.

고용대책위원회의를 끝내고 나는 소식지를 만들었다. 소식지를 통해 현장에 나돌고 있는 헛소문을 종식시키고 우리 집행위원들이 열심히 일하고 있다는 사실을 알렸다. 소식지에

'신생협력업체에 도착해보니 공장부지가 어마어마했다. 하지만 공장 안으로 들어가 보니 지그도 몇 개 없는 것이 경쟁업체로 발전할 가능성이 전혀 없어 보였다.'라고 적었다. 근데 몇 명의 대의원들이 이것을 가지고 꼬투리를 잡았다. '신생협력업체에 도착해보니 공장부지가 어마어마했다.'라는 문장만을 언급하며 "신생외주업체 자랑하는 거야? 도대체 누구 편이냐?"라면서 임시대의원회의에서 나를 비난한 것이다.

나의 글을 끝까지 읽어봤다면 신생외주업체와 관련해서 신경 쓸 것이 없다는 것을 알았을 텐데, 이해할 수가 없었다. 단순히 꼬투리를 잡기 위한 행동으로 보였다. 그리고 그런 꼬투리를 잡은 대의원들은 노력파 소속이었고, 이번엔 나를 목표물로 겨냥한 듯하다. 앞으로 더 조심해야 할 것 같다.

임원 4명과 대기업 T 내 협력업체장과의 간담회가 있었다. 나는 취재를 하기 위해, 간담회 장소인 대회의실 구석에 앉아, 사진촬영을 하고 이야기를 들었다.

지회장은 협력업체장들에게 말했다.

- 다들 바쁘실 텐데, 큰 걸음 해주셔서 감사합니다. 정치가와 정부가 만들어 놓은 제도 탓에 정규직, 비정규직으로 나눠져 있지만 우리는 다 똑같은 노동자입니다. 노동조합은 노동자를 위한 단체이니, 허물없이 하고 싶은 말씀해보세요. 어려움이나 고칠 점이라도 괜찮습니다.

여러 협력업체장이 입을 열었다. 그중에 공통적인 발언들이 있었다. 내부경쟁으로 인해 입찰률이 많이 낮아져, 수익이 낮다는 것이다. 그리고 일이 많으면 사람을 고용하고, 일거리가 없으면 사람들을 내보내야 한다며 탄력적 고용의 필요성을 이야기했다.

협력업체 직원들의 복지증진도 주문했다. 우리 같은 협력업체가 복지와 관련된 것을 대기업을 상대로 말 꺼내기 힘들다며, 노동조합이 앞장서서 같은 노동자들을 챙겨줄 것을 당부했다.

지회장은 메모를 하며 "방금 말씀하신 것들을 새겨듣고 현실화될 수 있도록 힘쓸 것"이라고 했다. 마지막으로 지회장도 협력업체장들에게 부탁을 했다.

- 여기 계신 분들, 다 협력업체 사장님이시잖아요. 작년도 그렇고 올해도 연장하지 못하고 정년퇴직하시는 선배님들이 많습니다. 그분들 중 많은 분들이 다시 재취업하기를 바라고 있습니다. 사람 채용하는 것이 쉽지 않다는 것은 알고 있습니다만, 여유가 되시는 사장님들은 우리 선배님들을 많이 고용해 주시기 바랍니다.

협력업체장들의 반응은 별로 좋지가 않았다. 그중 60대로 보이는 협력업체장이 나서서 말했다.

- 솔직히 대기업 T를 퇴직한 분들을 채용하는 것에 있어서, 참 난감합니다. 일하는 직원들이 달가워하지도 않고, 나이 드신 분들을 일 시켜 먹기가 쉽지 않아요. 물론 그중에 진짜로

일도 잘하고, 열심히 하는 분들도 계시겠지요. 제가 말주변이 없어서 제대로 전달은 못하겠습니다. 결론은 우리도 노력은 하겠지만 "채용 안 된다고 너무 서운해 하지는 마시라."는 것입니다.

구석에서 이야기를 듣고 있는 나는 협력업체장들의 속마음이 보였다. 밖에 젊고 머리 좋은 사람을 채용하지, 뭐 하러 60이 다 되어가는 사람을 채용할 것인가? 게다가 나이 든 사람에게 일 시키기도 불편할 것이다.

이렇게 노동조합 임원과 협력업체장들의 간담회는 끝이 났다.

교선실에 있으니, 사무장이 들어왔다.

- 교선부장, 식당일 때문에 시끄럽네. 식당업체 직원들 무시하지 말고 서로 존중하자는 내용의 글을 적어서 소식지에 실어라.

정직원이란 이름표를 벼슬로 착각하는 사람들 때문에 외주업체 소속 식당직원들의 고충이 들어왔다. 식당직원들이 고기반찬을 배식할 때 적게 준다고 난리치는 조합원, 양념을 식탁에 갖다 놓으라고 요구하는 조합원 등 갑질하는 조합원들 때문에 힘들어하고 있는 것이다.

나는 좀 더 확실한 상황파악을 위해 식당을 찾아갔다. 식당에는 영양사가 있었다. 내 소개를 하며 식당을 관리하면서

겪는 고충에 대해 물었다.
- 제가 영양사 일이 처음은 아니에요. 경력자예요. 오랫동안 일하면서 느끼는 것은 음식 만드는 것보다 사람 상대하는 것이 더 힘들다는 것이에요. 좀 더 맛있는 음식을 만들기 위해 노력하는데, 돌아오는 건 '이게 뭐야?'라는 핀잔뿐이에요. 물론 소수의 사람들이에요. 그리고 이건 며칠 전에 실제로 있었던 일이에요. 어떤 직영 아저씨가 닭볶음탕을 먹다가 "악" 하며 비명을 지르는 거예요. 그러면서 우리 식당직원들을 황급히 불렀어요. 가보니 "이빨"이 금 갔다면서 "이거 어쩔 거야?"라며 화를 내시더라고요. 그래서 우리는 퇴근한 후 남자 영양사를 시켜, 직영 아저씨와 같이 치과를 가게 했어요. 치과 선생님의 소견으로는 이빨에 금이 간 것은 몇 달 전이래요. 연봉도 저희보다 훨씬 많이 받으시는 분들이 왜 이런 비겁한 행동을 하시는지 모르겠어요. 그 일 이후로 뼈가 있는 음식을 하기가 두려워요. 아까 언급했던 닭볶음탕, 갈비탕 등의 음식들 말이에요. 나이 드신 사람들만의 문제가 아니에요. 노동조합 홈페이지에 젊은 사람들의 식당 관련 글이 많이 올라오는 것을 알고 있어요. "맛이 없다. 불친절하다."라는 말은 어느 정도 감수할 수 있어요. 근데 "회사에서 측정해 주는 단가에 맞춰서 이 정도밖에 음식 못 만드냐?"라는 말은 정말 화나요. 이런 말씀하시는 분들은 음식을 만들어 보지 못한 사람들이에요. 이 정도 가격에, 이 정도 식재료로 이런 음식을 만들 수 있는 것은 대량구매이기 때문에 가능한 거예

요. 이런 기본적인 것도 모르는 사람은 음식을 잘 안 해 먹는 젊은 사람이 틀림없어요.

영양사의 이야기를 들으니, 일하며 받는 스트레스가 상당한 듯하다. 그러고 보니 영양사의 얼굴표정이 예전과 사뭇 다른 것 같다. 처음 식당에 왔을 때 영양사는 활발했다. 식사를 마치고 나가는 조합원들을 붙잡고 “맛은 어떠세요? 아쉬운 점은 없어요?”라며 물어보기도 하고 식사하는 조합원들에게 신 메뉴에 대해 설명하기도 했다. 근데 지금은 그런 모습들이 보이질 않는 것이다. 질문도 하지 않고 설명도 하지 않았다. 심경변화가 있는 것이 분명하다. 내가 도와줄 수 있는 것이라고 따뜻한 위로의 말과 소식지 글뿐이다.

소식지에 “소확행”이란 단어를 집어넣었다. 소소하지만 확실한 행복이란 뜻으로 ‘직장 내 스트레스를 받는, 모든 사람들에게 따뜻한 위로의 말이 소확행이다.’라는 식으로 글을 적었다. 그러면서 글의 말미에 식당직원들의 노고에 감사하며 격려의 말을 전했다.

대의원 선거가 시작되었다. 이번 대의원은 기성세대와 젊은 세대가 반반으로, 적당한 비율로 선임되었다. 나는 대의원들의 선거과정을 사진과 글로써 조합원들에게 전달했다. 그러던 중에 노동조합 홈페이지에 협력업체직원의 글이 올라왔다. 지회장에게 보내는 글이었다.

- 지회장님, 반갑습니다. 저는 000입니다. 저는 현재 대기업 T 내, 협력업체에서 일하고 있습니다. 예전 점심시간에 지회장님과 같이 족구를 한 적이 있습니다. 그 당시, "직영이 되면 같이 일해보자."라고 말씀하셨습니다. 그때 그 말씀이 저에게 큰 희망이 되었고, 지금도 저의 버팀목이 되고 있습니다.
올해 신입사원 모집에서 저는 또 떨어졌습니다. 이유라도 알면 속이 덜 답답할 텐데, 그 이유도 모르니 어찌할 바를 모르겠습니다. 저희 어머니께서 많이 편찮으시고 그로 인해 여러 가지 어려움에 직면해 있습니다. 제가 직영이 된다면 우리 가정에 큰 보탬이 될 것이고 열심히 일해 회사에도 큰 기여를 할 것입니다. 몇 년째 대기업 T의 직영을 노렸지만 생각대로 잘 되지 않고 있습니다. 창피를 무릅쓰고 지회 홈페이지에, 이렇게 글을 남깁니다.
같이 일해보자는 말씀, 아직도 제 귀에 생생합니다. 무리한 부탁이라 생각됩니다. 하지만 저의 간절함을 먼저 생각해 주시기 바랍니다. 항상 건강하세요.

이야기의 핵심은 지회장에게 본인이 정직원이 될 수 있도록 도와달라는 것이다. 하지만 아쉽게도 지회장에게 인사권이 없다. 대기업 T의 인사과에서 담당하는 일인 것이다. 그리고 예전에 "같이 일해보자."라는 말은 인사말과 다름없는 것이다. 친한 친구 사이에 "다음에 밥 같이 먹자! 다음에 또 보자."와 같이 기약 없는 인사인 것이다.

지회장인 재섭 선배의 이야기를 들어보니 '모르는 사람'이라고 했다. 지회장은 보통 2년마다 바뀌는데, 전 지회장과의 에피소드인 듯하다.

이런 부탁이나 할 말은 직접 만나서 할 것이지, 왜 여러 사람들이 보는 노동조합 홈페이지에다 글을 남겼을까? 아마 간절함 때문일 것이다. 노동조합을 방문, 직접 대면하려니 출입문의 문턱이 높아 보였을 것이고 말은 해야 되겠고...... 노출을 감당해서라도 본인의 부탁을 전하고 싶었던 간절함. 이것이 내게 고스란히 전해졌다. 대기업 T에 입사 전, 부모님 등쌀에 취업은 해야 되겠고 마음에 드는 직장은 없어 답답했을 때의 "내"가 생각났다. 그때의 조급함으로, 나와 전혀 맞지 않고 관심도 없는 트럭기사나 요리보조업무 등에 지원한 적이 있었다. 잘하지도 않고 관심도 없으니 취업한다고 해도 얼마 버티지 못하고 금방 그만둘 것을 알면서도 이력서를 넣었던 나. 그때의 조급함으로 올바른 생각과 판단을 하지 못했던 내가 떠올랐다.

몇 주 후, 그 글이 지워졌다. 관리자인 내가 아니면, 글을 올린 본인만 글을 삭제할 수 있다. 그리고 다시는 그런 글이 노동조합 홈페이지에 올라오지 않았다.

11월 전국 노동자 대회와 노동조합의 힘

집행위원회의를 진행했다. 이날 사무장이 "전국노동자대회"를 언급했다.
- 11월은 우리 노동자들에게 의미 있는 달입니다. 바로 전태일 열사가 산화한 날이기 때문입니다. 1970년 11월 13일 평화시장에서 전태일 열사는 자본의 탐욕으로 삶과 건강이 짓밟히고 있는 어린 여공들을 위해, 근로기준법조차 사문화시켜가며 사업주를 비호하는 국가권력에 맞서 "근로기준법을 준수하라! 우리는 기계가 아니다!"라며 분신하셨습니다. 이날을 맞이하여 11월에 "전국노동자대회"를 개최합니다. 그러니 우리 모두 참여하여, 숭고한 전태일 열사의 정신을 기리고 노동자의 힘을 보여줍시다.
사무장이 "진짜 일이 있어 못 가시는 분?"라며 손 들어보라고 했다. 다들 손드는 사람이 없었다. 그리하여 총무부장만 빼고 전체간부들이 상경투쟁에 참석했다.
우리는 서울, 광화문으로 갔다. 대형버스를 빌려 타고 갔는데, 4시간이 걸렸다. 그렇다면 돌아오는 것도 4시간이 걸릴 것이다. 벌써부터 몸에 좀이 쑤셨다.
전체간부를 실은 대형버스는 광화문 근처에 우리를 내려주고 떠나가 버렸다. 외곽에 주차 후 마칠 때가 되면 다시 데리러 온다고 했다.
버스에서 내리자, 조직부장이 노동조합 깃발을 펼쳤다. 노동조합 깃발아래 우리는 다시 뭉쳐 집회장소로 이동했다. 수많은 인파가 모여 있었다. 벌써 몇 만의 노동자가 집회 장소에 집결해 있었다. 우리도 집회 장소에 도착, 자리를 잡았다. 집회무대가 까마득하게 보였다.

나는 우리 노동조합이 위치해 있는 곳의 주변을 기억하고, 카메라를 들고 무대 근처로 갔다. 가는 도중에 경찰의 모습도 보였다. 무대 옆으로 여성용, 남성용 이동식 화장실이 여러 대 위치해 있었다. 나는 집회 무대 밑에서 카메라로 그날의 광경을 촬영했다.

무대 위, 마이크를 잡은 사회자가 인사말을 했다. 이제 막 전국노동자대회를 시작하려는 모양이다. 사회자가 “투쟁”이란 외치자, 무대 밑 노동자들은 “쟁취”로 답했다.

- 전태일 열사가 꿈꾸는 세상을 만들기 위해서는 노동기본권 보장을 위한 ILO핵심협약비준과 관련 노동법 개정에 온 힘을 쏟아야 할 것입니다. 또한 국민연금보장성 강화와 노동 3권 보장, 비정규직 철폐, 적폐청산, 재벌개혁 등을 투쟁으로 반드시 쟁취해야 합니다.

모인 노동자들은 “투쟁”이란 구호로 답하며 크게 호응했다. 무대 위로 아주 큰 풍선이 떠다니고 있었는데 적폐청산, 노동개혁 등의 단어가 적혀있었고 여러 개의 현수막이 무대 옆으로 나열되어 있었다.

곧이어 무대 위로 풍물패가 올라와 흥을 달구었고, 가수가 등장해 노동가를 불렀다. 노동조합 최고상부단체의 장이 나와, 마이크를 잡았다.

- 탄력근로제는 일정기간 내 노동시간 “평균”만 맞추면 되는

것으로 특정일, 특정 날의 노동시간을 무한대로 늘리는 것입니다. 이는 주 52시간 근무제 도입에 찬물을 끼얹는 것입니다. 예를 들어 에어컨 수리기사 같은 경우, 탄력근로제 기간이 확대되면 성수기인 여름 5개월 동안 주 60~70시간을 일해야 합니다. 이는 노동존중사회, 소득주도성장을 이야기하는 정부와 여당의 주장과 다릅니다. 저들에게는 탄력근로제 확대 연장으로 인한 노동자의 울부짖음이 들리지 않습니까?
탄력근로제 확대는 노동자의 건강권 침해, 임금삭감 문제로도 이어질 수 있습니다. 주 60시간 이상 일할 때 뇌혈관, 심장 관련 질병 발생이 크다는 것은 고용노동부가 인정한 사실입니다. 그런데도 불구하고 탄력근로제 확대를 도입하는 것을 이해할 수 있겠습니까? 장시간 일을 시키면 임금이라도 더 줘야 할 텐데, 탄력근로제는 연장근로시간이 아닌 법정 소정근로시간을 늘리는 것이기에 연장수당(1.5배)을 받지 못해 노동자의 임금이 줄어들게 됩니다. 결국 기업과 사용자에게만 유리한 법인 것입니다. 자동차를 매일 6시간씩 나흘 타는 것과 24시간 연속으로 타고 사흘을 쉬는 것이 같을 수 없듯이 근무도 마찬가지입니다. 탄력근로제는 연속적인 장시간 노동을 합법적으로 시킬 수 있는 제도이기에, 반드시 저지해야 합니다. 우리 노동자가 하나로 뭉치면 노동법 개악 막을 수 있습니다.

회사 내, 현장에 있을 때는 정치와 우리가 일하는 환경의 상관관계를 잘 몰랐다. 서울 집회를 통해 이것이 아주 직접적인 연관이 있다는 것을 깨달았다. 특히 노동법과 관련해서 정부와 정치인들이 만든 법에 따라 우리의 삶이 좋아질 수도, 나빠질 수도 있다는 것을 확실히 느꼈다.

우리는 노동자 대회를 통해 전태일 열사의 희생정신을 다시 한번 더 생각했다. 그리고 아직도 노동자, 서민이 살기 좋은 세상을 만들기 위해 지금도 우리는 움직이고 있다는 것을 느끼며 버스를 타고 복귀했다.

전국 노동자대회를 다녀온 후, 다시 일상 업무를 보고 있었다. 노동조합으로 사고소식이 전해졌다. 조합원 중 한 명이 전기에 감전되어 사망했다는 것이다. 회사 내 변전소가 있는데, 기계를 살피던 중 전기에 감전되어 몸이 타버려, 그 자리에서 즉사했다는 것이다.

내가 있는 교선실 옆, 노안실이 바빠졌다. 노안부장 "광희" 선배는 유가족들과 사측 담당자를 번갈아가며 만났고 합의점을 찾으려 노력했다. 노동조합은 사측에게 '유가족에게 보상금 1억 원을 줄 것과 유가족 생계를 위해 죽은 조합원 대신으로 가족 중 한 명을 정직원으로 채용할 것'을 요구했다. 당연히 회사는 극구 반대했다.

몇 주가 지나도 해결되지 않았고, 노동조합은 유가족에게 문제가 해결되기 전까지 고인을 화장하지 말 것을 당부했다. 시간이 더 흘렀고 급기야 노동조합은 회사 정문 앞에 사고로 사망한 조합원의 관을 갖다 놓았다. 시체가 들어있는 관을 차에서 내릴 때, 노측과 사측은 몸싸움을 했다. 내리려는 노측, 못 내리게 하려는 사측은 서로 관을 잡고 대치하다 결국엔 관을 내렸다. 그리고 노동조합은 회사 정문 옆으로 임시 분향소를 세웠다.

회사, 특히 노사협력팀은 정문 앞, 분향소로 다가와 화를 내기도 하고 부탁을 하기도 했다.

- 아이고, 부장님들 정말 왜 이러세요? 회사 방문하시는 손님들도 생각하셔야죠. 손님들이 오시는데 정문에 관이 있으면 어떻게 생각하겠어요? 이런 행위가 다 우리 얼굴에 먹칠하고 침 뱉는 겁니다.

노동조합은 꿈적도 하지 않았다. 급기야 조합원을 분향소에 불러 모았다. 그리고는 위령제를 열었다.

위령제 전날, 지회장은 나에게 위령제를 진행할 때 필요한 멘트를 작성하라고 지시했다. 하지만 아직 경험이 없어, 위령제에 어떤 말들을 적어야 할지 몰랐다. 그래서 엄 선배에게 넘겼다. 그리하여 엄 선배가 위령제에 쓸 멘트를 적었다.

감전사로 죽은 조합원은 정년을 3년 정도 앞둔 사람인데, 인간관계의 폭이 넓지 않았다. 직장동료의 가족 상이나 축하 행사 때 참여하지 않았고 회사 내 친목회나 서클에도 가입된 것이 없었다. 그래서일까? 위령제날, 노동조합은 간소하게 차린 제사상에 “절”할 것을 조합원들에게 주문했지만 추모하는 사람은 2~3명이었다. 지회장은 제사상에 절을 두 번하고 단상에 올라가 마이크를 잡았다.
- 며칠 전 공장 내 아주 안타까운 일이 발생했습니다.
지회장은 사고경위를 아주 간략하게 말하고 다시 말을 이어서 했다.
- 입사 했을 당시, 검은 머리에 혈기 가득한 젊은이였던 고인은 회사를 위해 청춘을 다 받치셨습니다. 아침 일찍 회사를 출근하여 푸른 제복 같은 근무복으로 매일 갈아입으셨습니다. 그리고 몸을 사리지 않고 생산에 매진하셨습니다. 회사를 위해, 가족들을 위해, 이 나라경제를 위해 말입니다.
나는 엄선배에게 다가가 살며시 물었다.
- 선배님, 죽은 고인과 친분이 있으세요?
- 아니. 모르는 사람이야. 회사사람이면 얼굴이 생각 날 법도 한데, 전혀 모르겠어.
잘 알지도 못하는 사람인데, 어떻게 글로써 표현했을까? 지회장의 멘트를 듣고 엄선배의 말을 들으니, 엄선배는 소설을 쓴 것이다. 돈을 벌기 위해 일을 한 것이고, 일하다 재수 없게 사고로 죽은 것이다. 근데 이 위령제의 주인공을 위해 좋은 말과 비유를 한 것이다. 회사와 가족을 위해 희생하고 국가경제에 이바지하는 애국자 등으로 말이다.
지회장의 멘트를 듣다, 마지막 말이 너무 오글거렸다. 지회장은 슬픈 표정을 지으며 억지 울음으로 마지막 말을 절규하듯 쏟아냈다.
- 우리 노동조합의 조합원으로서, 하늘나라에 계시더라도 우

리 조합원들을 사고로부터 지켜주시십시오. 친해하는 동지여, 빨리 일어나 푸른 작업복을 입고 우리 곁에 서 주십시오. 우리 곁에서 항상 우리와 함께 합시다. 동지여, 빨리 일어나십시오.

이 무슨 말도 안 되는 소리인가? 하늘나라에서 지켜달라고 하더니, 또 일어나서 우리 곁에 오라고? 고인을 위한 위령제에 사용될 글을 적을 때의 고민과 체념이 느껴졌다. 엄 선배도 모르는 사람의 죽음에 대해 적으려니 골치가 아팠을 것이고, 끝을 어떻게 매듭지어야 될지도 혼란스러웠을 것이다. 그래서 말도 되지 않는 결말이 나온 것이다. 어찌 되었든 슬프고 침울한 분위기 탓에, 이의를 제기하는 사람은 없었다.

위령제에서 흐느끼는 사람은 안타깝게도 유가족뿐이었다. 지회장의 위령제 발언 이후 고인의 아들이 아버지를 향한 마음을 편지로 표현했다. 아버지에게 감사하고 못해줘서 미안하다고 했다. 그리고 하늘나라에 가서 편히 쉬시라는 말로 편지 낭독을 마쳤고 위령제를 끝냈다.

저녁에 사측은 백기를 흔들었다. 중요손님의 방문이 약속되어 있었는데, 관이 회사 정문 앞에 안치되어 있고 분향소가 설치되어 있으니 곤란한 것이다. 게다가 지방 방송 기자들까지 와서 사진을 촬영하고 인터뷰를 하는 모습이 포착되었다. 좋은 인식유지만을 바라는 회사로써는 노동조합의 손을 들어줄 수밖에 없는 것이다.

그리하여 유가족은 1억 이상의 보상금을 받았고, 아들은 미성년자인 관계로 고인의 아내가 대기업 T에 정직원으로 채용되었다. 일련의 과정은 노동조합이 있었기에 가능한 일이었다.

업무에 대한 관심과 흥미

노동조합에 일하다 보니, 사진 촬영에 매력을 느끼게 되었다. 가족들과 나들이를 가거나 관광명소에 놀러 갔을 때 사진촬영은 추억을 쌓는 방법이다. 노동조합에 들어가기 전, 내가 사진을 찍으면 "못 찍는다."라며 아내에게 구박받았었다. 그래서 사진촬영은 주로 아내가 했었다. 근데 지금은 내가 사진 촬영할 때 구도를 잘 잡기에, 내가 사진촬영을 했다.

내가 그나마 사진촬영을 잘하게 된 것은 부지회장 곽훈 선배의 채찍질이 컸다. 노동조합 내 집행위원들이 무슨 행사나 집회를 할 때마다 항상 사진촬영을 해서 노동조합 홈페이지에 올렸다. 노동조합 홈페이지에 방문한 조합원들에게 집행위원들의 활동모습을 보여주기 위함이다.

초반에 곽훈 선배에게 많이 혼났다.

- 이게 뭐야? 정면이 보여야지. 그리고 기본적으로 배경이 예뻐야 사진 전체가 아름다운 거야! 구도는 또 왜 이래? 사진으로 네가 전달하고자 하는 게 뭐야?

전달? 난 그냥 노동조합 집행위원들이 열심히 일하고 있다는 것을 보여주기 위함인데, 곽훈 선배는 그 외에도 다른 의미전달을 바라는 듯했다.

곽훈 선배의 질책을 덜 받기 위해 사진 촬영하는 방법과 촬영할 때의 구도 잘 잡는 법 등을 공부하기 시작했다. 사진 잘 찍는 "책"을 사서 보기도 했다.

사진촬영에 관심이 높아질 때, 노동조합 상부단체 영훈 부장으로부터 좋은 교육이 있으니, 한번 받아보라는 권유가 있었다. '기자들의 글쓰기와 사진촬영'이라는 주제로 교육을 한다고 했다. 실제 기자들이 강사로 초빙되어, 노동조합에서 일하는 교육선전부장들을 지도하는 것이다.

나는 그 교육에 참석하여 교육을 받았다. 교육날, 기자 2명이 왔다. 한 명은 글을 쓰는 기자, 다른 한 명은 사진기자였다. 첫 번째 수업은 글쓰기 수업이었는데, 기자들이 글을 쓰는 방향성과 전개가 노동조합 소식지와는 많이 달랐다. 기자는 사람의 관심을 끌 수 있는 글귀로 제목을 정해야 한다고 했다. 그리고 읽는 사람이 긴장하게 만들 수 있는, 조바심이 날 수 있는 문장을 첫 문장으로 배치해야 된다고 설명했다.

기자는 각 노동조합의 교육선전부장들이 쓴 글을 찬찬히 살펴보며 잘못된 것을 지적했다. 수업을 받고 있는 모든 부장들이 지적만 당하니 기분이 좋을 리가 없다. 그리고 모든 노동조합 소식지에는 공통적으로, "~년, ~월, ~일 어느 장소에서 개최되었다."라는 문장이 앞에 왔다. 기자는 이런 것이 잘못된 것이라며 딱 잘라 말했다. 지금 생각해 보니, 기자들이 쓰는 신문 글과 우리 노동조합소식지는 본질 자체가 다르다. 신문은 구독자를 늘리기 위해 읽는 독자의 호기심을 유발하는 것이 목적이지만, 노동조합 소식지는 조합원들에게 보고가 목적이다. '언제, 어느 장소에서 집회를 가졌다.'라는 식으로, 앞으로의 계획일정, 바뀐 노동법, 노동자 정치 세력화 등을 보고해야 하는 것이다. 글의 취지가 다르니 글을 쓰는 방식도 달라야 했다. 하지만 기자는 본인의 글쓰기 방식이 모범 답이라고 계속 주입시키려 했다. 교육을 받은 부장들의 표정들이 좋지 않았다.

두 번째 수업은 사진촬영 수업이다. 이번 수업은 되게 유익했다. 사진작가는 본인의 카메라의 보여주며 사용법과 각 버튼의 기능에 대해 설명해 주었다. 부장들에게 가지고 있는 카메라를 꺼내보라고 했다. 회사의 자본과 규모에 따라 노동조합 부장들의 카메라도 천차만별이다. 중소기업의 노동조합 부장 카메라는 부장의 핸드폰이었고, 나와 같은 대기업의 노동조합 부장은 그래도 일백만 원이 넘는 카메라를 가지고 있었다.

사진기사는 촬영된 이미지로 많은 것을 이야기할 수 있다고 했다.

- 촬영된 이미지가 어떨 때는 글보다 더 확실히, 자세히 전달할 수 있어요. 자 그럼 예시를 보시죠.

사진기자는 빔을 쏘아, 여러 이미지를 보여주었다. 이력서에 젊은이의 증명사진을 붙이는 모습. 하지만 사진을 붙이는 손에는 주름이 가득한 것이 노인이 틀림없었다. 사진기자는 이 사진이 취업을 간절히 바라는 노인의 모습이라고 했다. 또 다른 사진은 故 노무현 대통령이 두 눈을 질끈 감은 모습. 머리에서 목 밑까지를 구도로 잡았는데, 유독 머리 뒤쪽으로 여백이 많았다. 이것은 절망하여 고뇌하는 모습이라고 했다. 이 사진을 촬영할 당시 故 노무현 대통령은 탄핵을 당하던 시기라고 했다.

다음은 사진기자들의 사진촬영 모습이었다. 좋은 컷을 얻기 위해, 진흙투성이인 논에 하체를 담그고 카메라 셔터를 누르는 모습, 높은 곳에 올라가 위태로운 자세로 사진촬영에 집중하는 모습, 간이 사다리를 들고 다니는 사진기자들의 모습 등 다양했다.

- 좋은 컷을 얻기 위해서는 몸을 사리지 않고 항상 대기하는 자세를 가져야 돼요. 그래야 순간적으로 지나치는 멋진 순간을 놓치지 않고 촬영할 수 있어요.

우리는 교육실 옥상으로 올라갔다. 그리고 상부단체의 영훈 부장을 모델로 삼아, 사진촬영을 했다.

- 사진을 될 수 있으면 뻣뻣하게 서서 찍지 마세요. 예쁜 구도를 생각해 보세요.

우리 부장들이 촬영한 사진들을 사진기자가 살펴보며 평가해 주었다.

- 사진 촬영할 때 예쁜 구도를 잘 잡으려면 영화의 화면구도를 유심히 관찰하세요. 촬영감독들은 어떻게든 좋은 영상을 담으려고 노력하고, 그것으로 밥벌이를 하니깐요. 특히 영화 "명량" 보시면 구도가 참 잘 잡혀있어요.

우리는 사진기자에게 많은 것을 배웠다. 사진촬영 교육이 끝났을 때, 부장들은 우레와 같은 함성과 박수갈채로 감사를 표현했다.

나는 사진 촬영할 때 더 좋은 이미지를 얻기 위해, 인터넷 검색도 하며 여러 방법들을 찾았다. 사진촬영과 관련된 블로

그를 훑어보았다. 특이한 블로그에 들어갔다. 유럽에 있는 성이 촬영된 이미지 그리고 그 밑으로 블로거의 사연이 적혀있었다.

그 블로거는 어릴 적부터 사진촬영을 좋아했다. 예쁜 풍경과 예쁜 인물화 등을 즐겨 촬영했으며 더 아름답고 희귀한 이미지를 찾기 위해 노력했다. 그리고 노력하는 과정에 구도나 사진촬영기법에 대해 관심을 가지고 공부도 했다. 어느 분야에 관심이 있고 재능이 있다면, 그 분야에 평가를 받아보고 싶은 것은 당연한 것이다. 그래서 사진을 촬영하여 대회에 출품했다. 블로거는 입상은 했으나 항상 최우수상은 획득하지 못했다. 언젠가는 '1등을 하겠지.'라며 기대하고 몇 년 동안 출품했지만 계속 1등은 하지 못했다.

블로거는 대회에서 1등한 작품을 살펴보았다. 유럽에 있는 성인데, 정말 아름다웠다. 해가 질 때 촬영한 사진으로, 흐린 날씨, 지는 해와 안개의 영향으로 유럽 성의 주변에 보라색 빛이 살짝 아른 거렸다. 그 모습이 희한하기도 하고 몽환적이다. 이 모습을 어떻게 촬영했을까? 블로거는 1등한 작품을 머릿속에 각인시키고, 직접 유럽으로 가서 유럽 성을 촬영해 보기로 했다. 유럽으로 가기 위해, 블로거는 일을 하며 돈을 모았고, 소비를 최대한 줄였다. 어느 정도 돈이 모이자, 부푼 꿈을 안고 유럽의 성으로 갔다. 블로거는 1등한 사진을 떠올리며, "그 멋진 모습이 언제 나올까? 나오면 바로 촬영해서 담아야겠다."라는 마음으로 기다렸다. 정말 24시간을 기다렸다. 카메라는 지지대에 고정시키고 유럽 성의 전체적인 모습을 담을 수 있도록 구도도 잡아놓은 상태였다. 잠이 쏟아져 잠시 졸기도 했지만 사진촬영에 크게 영향을 끼칠 정도는 아니었다. 결국 1등한 작품의 모습을 발견하지 못했다. 블로거는 날씨 탓 등 여러 요인들을 생각했다. 날이 너무 밝아서일까? 아니면 지금 여름철이고 1등한 작품은 겨울에 촬영한 것인가? 또다시 하루 더 지켜보기로 했다.

그렇게 한참을 기다리고 있을 때, 문득 "포토샵"이 떠올랐다. 이력서에 붙일 증명사진을 촬영하고 나서 간혹 인물보정을 하는 경우가 있다. 점을 뺀다거나 턱을 살짝 깎을 때 말이다. "풍경화도 보정작업을 할 수 있지 않을까?"라는 생각이 든 것이다. 블로거는 짐을 싸서 다시 집으로 돌아왔다. 블로거는 인터넷 검색을 통해, 사진촬영 관련 대회에 수상자들은 포토샵의 달인들이라는 것을 깨달았다. 블로거는 갑자기 허무함을 밀려왔다.

블로거는 포토샵의 필요성을 깨달았다. 그래서 포토샵을 공부하기 시작했다. 그리고 다시 사진 관련 대회에 사진을 출품했다. 물론 이미지를 보정해서 말이다. 드디어 블로거는 만족할만한 성과를 내었다.

블로거의 사연을 듣고, 나도 포토샵에 관심을 가지게 되었다. 그래서 책을 사서 독학하기 시작했다. 관심이 생기니 공부하는 것에 거부감이 느껴지지 않았다. 처음에는 "레이어"라는 개념을 알아차리지 못해 많이 서툴렀지만 지금은 초보보다 조금 윗 단계인 중수 정도는 되는 실력을 갖추게 되었다.

포토샵은 설명하는데 아주 유용했다. 노동조합 홈페이지에 어느 조합원이 "복지관 내에 있던 정수기가 어디 갔냐?"라고 물어보는 질문이 게시판에 올라왔다. 나는 복지관에 가서 정수기가 있었던 기존의 장소와 현재 배치된 장소를 촬영했다. 그리고 2개의 사진에 글자를 넣어, 정수기가 옮기기 전과 후로 나눠 설명해 주었다. 글을 올린 작성자는 "감사하다."는 칭찬의 글을 다시 올렸다. 복지관 내에 발생하는 일들은 원래 복지부장의 소관인데, 내가 대신 해준 것이다. 복지부장은 "고맙다."라며 음료수를 내게 건네주었다.

사진촬영에 필요한 부수적인 것들을 부지회장인 곽훈 선배가 알려주었다. 또한 곽훈 선배는 본인이 촬영한 사진을 보여주기도 했다. 그중에 특이한 사진은, 수많은 별이 떠 있고 여러 개의 달이 떠 있는 사진이었다.

- 아니 어떻게 한 사진에 여러 개의 달이 있어요?

곽훈 선배는 웃으며 사진촬영기법 중에 하나인데, 한자리에 카메라를 고정시키고, 오랜 시간 머물며 촬영한 사진이라고 했다. 이런 사진을 촬영하려면 좋은 렌즈가 필요하다고 설명해 주었다. 본인은 촬영한 사진들을 모아, 훗날 전시할 계획이라고 했다.

처음 노동조합에 들어와서 업무를 볼 때는 나와 맞지 않는 옷을 입은 것처럼 불편하고 거추장스러웠다. 하지만 계속 일하다 보니 업무에 관심과 흥미를 느끼게 되었다. 그리고 관심과 흥미는 실력향상으로 이어졌고 칭찬이 되어 돌아왔다. 하지만 나의 노동조합 업무도 길게 가지는 못했다.

노동조합 홈페이지 속 유언비어

12월이 되었다. 올해 정년퇴직자 선배들은 노측과 사측이 챙겨주는 퇴직행사를 마음껏 누렸다. 올해 퇴직하는 사람 중에 정년연장 해달라고 강하게 조르는 사람도 없었다. 작년 단체 활동을 하며 퇴직행사거부를 외치며 퇴직한 선배들의 모습을 보았기 때문이다.

회사는 어느 호텔의 한 층을 빌려 식사를 마련하였고, 거기서 정년퇴직자들 식사 및 퇴임식 행사를 거행했다. 퇴직하는 선배들은 모두 웃는 얼굴로, 꽃다발과 박수를 받으며 즐겁게 퇴직했다.

노동조합은 12월 말쯤에 정기총회를 실시, 조합원들에게 그동안의 업무를 보고하고 앞으로 더 발전하는 노동조합이 되겠다고 했다. 정기총회는 조합원 모범상 수여 등을 진행하고 마무리되었다.

정기총회 후 또다시 “감사”가 시작되었다. 감사위원들에게 지출내역과 활동내역을 건네주었다. 그리고 임시대의원회의를 하는 회의실에 임원들과 부장들이 차례대로 한 명씩 들어가 질문을 받고 대답을 했다. 이번에도 노력파 소속, 대의원들의 질문들이 날카로웠다. 질문이 비수 같이 마음속을 찌르는 듯하다. 대답을 제대로 하지 못하면 마음속에 박힌 비수는 폭탄이 되어 터졌다. 화를 식히며 그런대로 잘 참아내었다.

새해를 잘 보내고 노동조합 업무에 다시 매진하고 있는데, 지역집회가 열렸다. 도청 앞에서 갖는 지역집회였다. 이번 지역집회는 일하다 사망한 김옥균을 추모하고 앞으로 이런 일이 발생하지 않도록 정부에 시위하는 의미가 컸다. 뉴스에서 그 김옥균 사망사고를 본 적이 있다. 故 김옥균은 화력발전소 협력업체소속으로 일하다, 석탄 이송용 벨트 컨베이어에 협착되어 사망했다. 나이도 20대였다. 뉴스를 봤을 때는 "참 안타깝다."라는 생각만 들었다.

근데 집회에 와서 이야기를 들어보니, 분노가 치밀어 올랐다. 사망 장소는 예전에도 사고가 잦았고 회사도 이 사실을 알고 있었다고 한다. 알고 있는데도 조치를 하지 않은 것이다. 원청은 '나 몰라라.'하고 있고 협력업체의 책임으로 돌렸다. 제일 화가 났던 부분은 사람이 죽었는데 벌금이 3백에서 4백 사이이며, 보통 340만 원이 평균 벌금이라고 한다.(2019년 기준) 벌금이 이렇게 적으니, 원청이나 협력업체는 무감각한 것이다. 그리고 협력업체는 영세해 보상을 제대로 해 줄 수 없을 것이다. 일하다 사망한 사람만 안된 것이다.

집회를 주체한 상부단체에선 사망한 김옥균의 가면과 "내가 김옥균이다."라는 팻말을 나눠주었다. 우리는 가면을 착용하고 팻말을 든 채로 분노의 함성을 지르며 팔뚝질을 했다.

단상에 올라간 상부단체 장은 도금법 방지, 과로사 방지, 장시간 노동으로 내모는 탄력근로제 확대저지, 노동 3권 개악저지, ILO핵심 협약비준 등을 외쳤다.

- 동지 여러분, 최근 대통령은 故 김옥균 동지의 어머니를

만나, 안전이 최우선이 되는 나라를 만들겠다고 했는데, 진심인지 의심이 듭니다. 탄력근로제 확대는 노동자를 더욱더 죽음으로 내모는데 왜 방관하는 것입니까? 동지 여러분, 미래에 내 아이가 노동자가 되어서, 왜 아버지는 노동개악을 막지 못해 우리에게 이런 시련과 아픔을 주시냐? 고 물어본다면 무슨 염치로 낯을 들겠습니까? 하나의 투쟁전선으로 연합하여 투쟁합시다.

故 김옥균 노동자를 추모하며 집회를 마치고 귀가했다. 마치고 가는 길에 발걸음이 무겁다. 잘 살아보려고, 더 나은 미래를 위해 노력하던 중이었는데 허무하게 세상을 떠난 것이다. 영국에서는 기업살인처벌법이 제정된 이후 산재(사망)사고는 절반이하로 줄어들었다고 한다. 그렇다면 우리도 영국처럼 강력한 법안을 만들어, 대안을 마련해야 하지 않을까? 대기업 T 입사 전, 비정규직으로 일하며 여러 곳을 떠돌던 때가 떠올랐다. 그리고 괴로웠다.

집회 때마다 언급되는 "노동법이 우리 같은 노동자에게 얼마나 중요"한 지 다시 한번 더 깨닫게 되었다.

날이 점점 더워지고 있다. 올해만 지나면 나는 다시 현장으로 복귀한다. 그전에 다른 부서로 옮기는 것을 천천히 알아보려 했다. 복지부장이 조립쪽 소속이며, 그쪽에서 대의원을 자주 했었다. 그래서 복지부장을 찾아가 커피 한잔 마실 것을 제안했다. 복지부장인 "을석" 선배에게 나의 고충을 토로했다. 용접 쪽에 오래 일하니, 시력도 나빠졌고 면역력도 많이 떨어졌다며 부서이동을 부탁했다. 을석 선배는 시큰둥하게 말했다.

- 왜 옮겨? 용접수당도 받고 돈 많이 벌어서 좋지.

그동안 을석선배 대신 여러 번 문서도 만들어주고 타자도 대신 쳐주었는데, 서운했다. 빨리 영향력 있는, 다른 사람에게 부탁해야겠다. 하지만 아직 시간이 많이 남았으므로 업무에 더 집중하기로 했다.

요즘 노동조합 홈페이지가 심상치 않다. 계속 유언비어가 홈페이지를 통해 나돌고 있는 것이다. 노동조합 홈페이지에 현 집행부를 비난하는 사람은 젊고 노력파를 숭배하는 조합원일 것이다. 왜냐하면 신입사원들이 많이 들어오기 전에는 노동조합 홈페이지에 많은 댓글이 올라오지 않았고, 지금의 젊은 조합원은 신임금체계 도입으로 현 집행부에 불만이 많았기 때문이다. 그와 더불어 노력파 사람들이 젊은 조합원들을 선동하고 있다. 그런 상황을 알기에, 나를 비롯한 다른 집행위원들도 꼬투리를 잡히지 않으려고 말과 행동을 항상 조심했다. 나는 주로 소식지를 만드는 것과 관련하여 꼬투리를 잡혔다.

최근 들어 나보다 더 꼬투리를 잡혀, 논쟁의 중심이 된 집행위원이 있다. 바로 노안부장 광희 선배이다. 노동조합 홈페이지에 광희선배에 대한 악의적 글이 다수 올라왔다. 그리고 노안부장을 “모부장”이라고 간접적으로 불렀다.

- 작년 감전사고로 사망한 조합원과 관련하여, 모부장이 유

가족을 제외하고 사측과 결탁하여 사망사고를 해결하려 했다. 모부장은 각성하라.

- 일하다 다쳐 공상을 내야했다. 의사소견으로 "한 달 이상 일하지 말라."라고 했는데, 모부장이 사측과 이야기해 2주일간 쉬었다 오는 것으로 합의를 보았다. 조합원의 편에서 조합원 위해 일해야 할 집행위원이 다친 조합원과 상의도 없이 지 마음대로 하고 있는 것이다. 과연 이 부서가 왜 필요하진 모르겠다.

- 다른 부장들은 노동조합에 자주 보이는데, 모부장은 노동조합에 갈 때마다 보이질 않는다. 병원에 가서 할 일이 많다지만, 진짜 업무로 시간을 때우는지 궁금하다.

노안부장을 비방하는 추측성 글이 게시판에 많이 올라왔는데, 이도 젊은 조합원일 것이다.

며칠 전 현장에서 예전에 같이 일하는 동생과 커피 한잔 마시며 노안부장과 관련된 대화를 나눈 적이 있다. 노안부장의 언행 때문에 젊은 사람들이 싫어한다고 했다. 일하다 다치면 공상이나 산재승인을 받고 쉬어야 했다. 좀 더 괜찮은 보상을 받기 위해 노동조합 노안부장을 찾아가 의뢰를 한다. 그러면 노안부장이 다친 조합원의 대변인이 되어, 회사와 협의를 잘해서 조합원에게 유리한 조건을 만들어야 하는 것이다. 근데 젊은 조합원이 다쳐서 노안부장을 찾아가, 의뢰를 하면 "알겠다."가 끝이라는 것이다. 젊은 친구들은 '회사와 어떻게 협의해서 어떤 결론을 내도록 노력을 하겠다, 그리고 이와 비슷한 사례를 설명하며 이렇게 될 것이다.' 등의 부연설명을 원했다. 하지만 노안부장은 젊은 친구들에게 전화상으로 "2주 쉬고 다시 현장복귀해라."라는 말 한마디하고 끝이라는 것이다. 조합원이 유리하도록 최선을 다했겠지만 그보다 조합원의 불안한 마음을 다독이고 보살펴, 안정감을 주어야 했다. 그러니 노안부장에게 의뢰한 조합원들은 노안부장을 불신하고, 불만을 품게 되는 것이다. 따뜻한 말, 몇 마디만 했어도 지금처럼 불신의 아이콘이 되지 않았을 것이다.

노안부장에 대한 불신은 같은 집행위원사이에서도 일어났다. 집행위원회의 시간이었다. 회의 도중 문체부장이 노안부장에게 질문을 했다.

- 노안부장님, 저번에 보니깐 병원 관계자한테 무슨 선물 박스 같은 거 받던데, 그거 어찌 된 거예요? 받지를 말던지, 받았으면 뭐 때문에 받았고 안의 내용물은 무엇이었는지 공유해야 되지 않나요? 말도 하지 않고 혼자 입 싹 닦으면 어떠합니까?

노안부장이 당황해하는 기색이 역력했다.

- 그게 아니고, 병원 측에서 받은 선물은 양이 많지가 않습니다. 그래서 고생하시는 임원 4분에게 나눠드렸습니다.

문체부장과 총무부장은 노동조합에서 오래 일했기에, 어떤 부서에 선물이 들어오는지, 대충 어떻게 돌아가는지 다 알고 있었던 것이다.

노안부장이 받은 것은 뇌물이 아니라 조그마한 선물이었다.

매년 조합원을 대상으로 건강검진을 해야 하는데, 건강검진을 진행 할 병원을 노안부장이 추천하는 것이다. 조합원이 일천여명이 넘기에 건강검진을 맡게 된다면 담당병원의 수익도 클 것이다. 그래서 병원에서는 감사의 의미를 담아 조그마한 선물을 했다. 문체부장의 말에 의하면 지금까지 병원에서 받은 선물들은, 그 양이 적든 많든 임원과 부장들이 논의해서 나눠가졌다고 한다. 그런데 이번에 광희선배가 마음대로 하여 문체부장과 총무부장이 화가 난 것이고, 공식적인 자리인 회의시간에 이야기를 꺼낸 것이다.

집행위원회의에서 문체부장은 건강검진 선물 외에 다른 이야기도 했다.

- 노안부장님, 지금 노동조합 홈페이지가 난리예요. 난리! 사측과 결탁했다. 조합원을 우습게 본다. 하면서 우리 집행위원들 중 누군가를 겨냥해서 계속 언급하고 있어요. 그 모부장이 노안부장님 같은데, 거기에 해명 좀 해주시죠.

광희선배가 이번에는 침착하게 대답했다.

- 일을 처리하는데 있어, 오해가 많이 생겼습니다. 저도 모부장이 저인 것을 알고 있습니다. 저는 회사와 결탁한 적도 없고 조합원을 우습게 여긴 적도 없습니다. 현장에서 일하다 다쳐서 오는 조합원들이 많습니다. 기다리는 사람도 많으니 일처리가 빨라야겠지요. 그래서 사측과 빨리 협의한 것인데, 몇 명 조합원이 색안경을 끼고 말을 만들어 낸 것이지요. 그리고 제가 말 주변이 없어서, 조합원들 오해를 잘 해명 못한

것 같습니다. 저도 이번에 느낀 것이 많습니다. 앞으로 이런 오해가 생기지 않도록, 제 스스로 되돌아보고 더 나은 모습을 보여드릴 수 있도록 노력하겠습니다.

노안부장의 강제 사퇴

노안부장 광희 선배를 욕하는 글이 노동조합 홈페이지에 계속 올라왔다. 시간이 지나면 시들 법도 한데, 갈수록 더 세지는 듯하다. 처음에는 노력파 측 사람들인 줄 알았는데, 불만을 품은 일반 조합원들도 많았다. 결국 없는 말도 사실인 것처럼 포장되어, 노동조합 홈페이지에 올라왔다.

- 우리 노동조합에 모부장이 업무시간에 조합원을 돌보지는 않고, 골프나 치러 가다니. 이게 말이 됩니까? 지회장님, 업무시간에 골프 치러 간 모부장을 당장 사퇴시키세요.

노동조합에 상근하는 집행위원들은 회사 밖을 나갈 때, 항상 행선지를 기록하고 볼일을 보러 다녔다. 지회장을 비롯한 임원 4명은 행선지를 기록한 서류를 보며 확인했고, 노안부장은 만나 면담도 했다. 예상한대로 노안부장은 업무시간에 골프 치러 간 적이 없었다.

노안부장은 없는 말을 만들어, 사실인 것처럼 꾸민 글에 크게 분노했다. 노안부장은 내가 있는 교선실로 슬며시 찾아왔다.

- 교선부장, 잘 지냈어?
- 네. 부장님, 요즘 마음고생 심하시죠? 저는 부장님 편이에요. 이상한 글 보고 너무 신경 쓰지 마세요.
- 그래, 고맙다. 내가 너에게 부탁할 것이 있는데.......
- 당연히 들어줘야지요. 하실 부탁이 뭡니까?
- 내가 업무시간에 골프 치러 간다고, 노동조합 게시판에 글 올린 놈의 IP주소 좀 알려줘, 관리자는 IP 볼 수 있다면서?

- 네. 제가 관리자니깐 로그인해서 들어가면 볼 수 있어요. 제가 캡처해서 톡으로 이미지 파일로 보내드릴게요. 근데 IP 주소는 뭐하게요?
- 고소할거야.
- 네? 그럼 문제가 더 커지는데. 부장님이 더 곤경에 처할 수도 있어요.
- 열 받아 죽겠어. 어떤 새끼가 적었는지 얼굴을 확인해야겠어.
- 그럼 무엇으로 고소하는 거예요?
- 당연히 명예 훼손이지. 나 좀 도와줘. 아무한테도 말하지는 말고. 지번에 이야기했지. 총무부장하고 문체부장 조심하라고. 그 놈들이 알게 된다면 지랄염병을 할 것이고 나를 현장복귀 시키려 할 거야.
- 그럼 안 되죠. 제가 돕겠습니다.

나는 노안부장이 시키는 대로 글 올린 사람의 IP주소를 캡처해서 톡으로 보냈다. 노안부장 광희 선배는 그 길로 엄 선배를 몰래 찾아갔다. 그리고는 도움을 요청했다. 엄 선배는 기획부장으로, 법쪽 담당이기 때문이다.

비밀이란 것은 타인에게 이야기하는 순간 더 이상 비밀이 아닌 것이다. 엄 선배는 광희 선배를 돕기로 했지만, 훗날을 대비해 지회장에게 살짝 알렸다. 지회장은 다시 광희 선배를 찾아갔다. 광희 선배와 재섭 선배는 같은 공장, 동년배여서 친구사이였다.

- 노안부장, 고소 안하면 안될까?
- 아니, 난 해야 되겠어. 이것 때문에 주변에 여러 사람들이 나를 이상한 놈처럼 쳐다본다고. 내 이미지가 완전 추락해버렸어. 단순히 보복하겠다는 게 아니야. 정말 어떤 놈인지 알고 싶어서 그런 거야.
- 그래도 우리 조합원이잖아.
- 그건 모르지. 조합원 일 가능성도 높지만 사측일수도 있잖아.
- 아. 나도 머리 아프다. 본인이 하고 싶다면 해야지. 대신 우리 조심하자! 지금 대의원하고 젊은 사람들이 눈에 불을 켜고 우리 집행부를 지켜보고 있어.
- 알았어.

나도 광희 선배를 돕기 위해 정보를 모았다. 우리 노동조합 홈페이지를 관리해주는 업체에 전화를 걸어, '홈페이지에 댓글을 단 사람들이 누군 인지 알아볼 수 있는지'에 대해 문의했다. 결론은 어느 놈인지 찾기 어렵다는 것이었다. 특히 본인의 데이터를 사용하여 핸드폰으로 글을 남기는 경우는 거의 찾을 수 없다고 했다. 그나마 와이파이를 사용하면 와이파이 지역 내, 핸드폰이나 컴퓨터 IP 주소를 볼 수 있다고 했다. 그리고 사이버 수사대를 통해 수사하려면, 조합원의 정보를 제공해야 하고 단체장인 지회장의 승인도 필요하다고 했다. 여러 가지 조건과 절차가 있기에, 에너지 소모와 희생이 따른다며 그냥 넘어갈 것을 권했다.

교선실로 광희 선배가 다시 찾아왔다. 광희 선배는 USB를 주며 "오타"가 없는지 확인을 부탁했다.
- 이거 고소장이야. 양식 받아서 작성했는데, 네가 한 번 더 확인해 봐.
나는 오타가 있는지 확인하고 알맞은 단어선택인지도 살펴보았다.
- 이제 고소장 보내면 끝이에요?
- 이것을 엄 선배에게 맡기기로 했어. 아무래도 그쪽 담당이니깐 나보다 일처리를 잘하겠지.
광희 선배는 엄 선배에게 USB를 건넸고 일처리를 부탁했다. 하지만 우연찮게 일이 꼬여버리고 말았다.
일주일에 3번 하는 집행위원회의가 시작되었다. 안건토의 시간에 느닷없이 총무부장이 날을 세웠다.
- 제가 어제 업무를 보다가 놀라운 것을 발견했습니다. 이게 과연 말이 되는지, 도대체 이해가 안 됩니다. 노안부장님, 정말 우리 조합원을 고소할 작정이었습니까?
광희 선배가 본인을 모함한 글을 올린 사람을 찾아내, 고소할 것을 총무부장은 알고 있었다.
어제 총무부장이 업무를 보다가 우연히 팩스가 온 것을 확인했다. 그리고 하필 노동조합에 한 대 밖에 없는 팩스가 총무부장 손 닿는 곳에 위치해 있었던 것이다. 팩스로 온 것은 광희 선배가 작성한 고소장이었다.
당시 엄 선배가 고소장을 사이버 수사대에 이메일로 보냈고, 이를 확인한 사이버 수사대는 팩스로 다시 엄 선배에게 고소장과 고소와 관련된 여러 서류를 확인 차 보낸 것이다. 사이버 수사대가 엄 선배에게 팩스로 보냈으니 확인하라고 전화를 했는데, 운 없게도 총무부장이 먼저 팩스를 확인한 것이다.

총무부장은 고소장을 읽고 있을 때, 황급히 엄선배가 팩스 쪽으로 다가왔다. 그리고는 총무부장이 갖고 있던 고소장을 낚아챘다. 총무부장은 "이게 어찌 된 일이에요?"라며 따져 물었다. 이왕 들켜버린 것, 변명할 도리가 없었다. 엄 선배는 사실대로 자초지종을 이야기했다.

총무부장은 어제 있었던 일을 가지고 공론화시키는 것이다. 당황한 광희 선배는 최대한 침착하게 말하려 노력했다.

- 저도 이렇게까지 하지 않으려고 했는데, 화가 나서 도저히 안 되겠더라고요. 저에 대해 유언비어를 만들어 퍼뜨린 사람이 조합원이라 하더라도, 저 또한 동등한 조합원입니다. 조합원을 위해 활동해야 할 집행위원이 아닌 동등한 조합원 입장에서 사이버수사대에 의뢰한 것입니다. 저도 심리적으로 많이 다쳤습니다. 이렇게라도 해야 조금이나마 회복이 될 것 같습니다. 양해 바랍니다.

총무부장은 광희선배를 노려보며 언성을 높였다.

- 양해? 조합원을 고소하는데 양해? 고소하려면 옷 벗고 현장으로 내려가서, 조합원이 된 상태에서 고소해야 조합원 대 조합원으로서 고소하는 것이지. 지금 당신은 집행위원이야.

조합원을 위해 희생하고 봉사해야 할 집행위원이 고소한다는 게 말이 돼?

나는 총무부장의 말에 코웃음이 살짝 나왔다. 총무부장 조운 선배는 조합원들에게 인사도 잘하지 않는다. 그리고 예전에 나에게 이런 말을 했다.

- 노동조합에 상근하는 집행위원은 대의원들한테 잘 보여야 돼. 그래야 업무진행도 수월하게 하고 편안하게 지내지. 조합원은 신경 안 써도 돼.

이런 말을 하던 총무부장이 '우리 집행위원이 조합원을 받들어야 한다, 봉사해야한다.'는 말을 하는 것이다. 상황에 따라 본인이 유리한 쪽으로만 말하는 것이 간신배 같다.

총무부장이 회의석상에서 언성을 높이고 광희선배에게 말을 놓았다. 총무부장 옆에 있던 고경부장 은식 선배가 총무부장에게 주의를 주었다.

- 여기는 엄연히 회의자리입니다. 아무리 화가 나도, 고성을 지르는 등 예의에 벗어나는 행동을 하면 안 되지요. 흥분을 가라앉히세요.

총무부장이 욕을 하며 더 화를 내었다.

- 야이 씨발새끼야. 너는 가만히 있어라. 어디서 끼어드노?

- 뭐라고? 야이. 개새끼야.

대회의실 안이 난장판이 되었다. 총무부장과 고경부장이 동시에 일어났다. 총무부장은 책상에 놓여있던 서류파일을 고경부장 얼굴로 던졌다. 서류파일에 맞은 고경부장이 총무부장의 멱살을 잡으려 했고, 그 과정에 고경부장의 얼굴은 또 손으로 가격 당했다. 그 모습을 본 노안부장도 총무부장에게 쌍욕을 하며 다가가려 했다. 그때 지회장이 고성을 지르며 달려와, 셋을 떼어놓고서야 싸움이 진정되었다.

- 그만! 다들 이제 그만하세요. 다시 자리에 앉아요.

지회장이 수습했다. 총무부장은 안정을 되찾았는지 다시 자리에 앉았고 모두 자리에 앉았다. 고경부장이 침착한 목소리로 말했다.

- 나는 다른 것은 모르겠고 회의석상에서 주먹을 내지르는 등의 폭력행위는 절대 용납 할 수 없습니다. 절대 가만히 넘어가지 않을 겁니다.

다들 총무부장을 쳐다보았고 총무부장도 입을 열었다.

- 제가 침착했어야 했는데, 실수를 한 것 같습니다. 특히나 고경부장에게 죄송합니다. 화도 나고 답답해, 해서는 안 될 행동을 한 것 같습니다. 다시 한번 더 고경부장에게 죄송합니다.

총무부장이 고개를 숙였다.

이제 지회장이 정리하려는 듯했다.

- 다들 의견이 맞지 않아서 화가 난 것 같은데, 우리는 한 식구입니다. 식구끼리도 의견이 안 맞아, 싸우기도 하잖아요? 총무부장이 진심을 담아 고경부장에게 사과했으니, 이제 고경부장도 마음 푸세요. 우리 임기도 1년 안되게 남았고 앞으로 할 일이 정말 많습니다. 곧바로 공청회를 시작해야 하고,

그 후에는 전체간부수련회도 다녀와야 합니다. 이어서 단체 교섭에 본격적으로 들어가야 합니다. 우리 남은 기간 동안 열심히 해봅시다. 유종의 미를 거둡시다.
그리고 이거 하나, 간절히 부탁드릴게요. 우리 내부적으로 있었던 일은 절대 밖에 발설하지 맙시다. 괜히 타인이 알면 말이 와전될 수도 있잖아요. 그러니깐 오늘 있었던 일과 노안부장 조합원 고소 건은 더 이상 이야기하지 맙시다. 덧붙여 노안부장이 조합원을 상대로 고소하지 않을 겁니다. 단지 누군지 알아보려고 그런 것입니다. 본인이 제게 약속했어요. 집행위원으로서, 조합원을 고소하지 않는다고요. 그러니깐 너무 염려하지 마시고 오늘 일은 잊어버리고 업무에 집중합시다.

지회장의 말을 끝으로 회의가 끝났다. 근데 대회의실에 앉아 있는 이들이 정말 "가족"이라고 생각할까?

노동조합 대회의실에 도청장치가 있는가보다. 어제 총무부장을 상대로 고경부장, 노안부장이 싸웠던 일이, 묘사하듯 노동조합 홈페이지 게시판에 글로써 작성되었다. 그리고 그 밑으로 노안부장을 욕하며 "사퇴하라."는 댓글이 엄청나게 달렸다.
- 노안부장은 사측 프락치인가?
- 조합원을 우습게 아는 노안부장은 사퇴하라.

- 내 월급에서 나가는 조합비가 아깝다.
- 지회장도 똑같다. 다 그냥 내려가라.

지회장이 어제 회의석상에서 오늘 있었던 일과 조합원 고소건 이야기를 절대 발설하지 말 것을 부탁했는데도, 말이 새어나간 것이다. 누구인지는 물증이 없어 단언 할 수는 없지만, 다들 심증으로 두 사람을 지목했다. 같은 노동자 신분으로, 같은 노동조합에서, 집행위원으로 있는데, 참 동상이몽이다.

예전에도 이와 비슷한 일이 있었다. 집행위원회의를 하고 있는데, 도중에 어느 집행위원이 사측이 노측과 협의한 내용을 잘 지키지 않는다는 것을 알렸다. 사무장이 쌍욕을 하며 노발대발했다.

- 며칠 전에 합의를 했는데, 이 씨발새끼들이 잉크도 마르기 전에 헛짓거리를 하네. 10분 쉬었다가 준비해서 본관으로 쳐들어갑시다. 가서 따지고 어느 놈이 협의대로 안 했는지 색출합시다. 기습시위니깐 절대 발설하지 마세요.

우리 집행위원들은 정확히 10분 쉬고, 본관으로 쳐들어갔다. 근데 본관의 모든 출입문이 잠겨있었다. 조직부장이 화난 얼굴로 소리쳤다.

- 누구야? 누가 사측에 일러바쳤어? 누구야?

여기저기서 웃음이 터져 나왔다. 어이가 없어, 새어나오는 웃음이다.

우리 집행위원들은 본관의 현관문을 말로 차고 “빨리 열어라."라고 윽박질렀다. 그리해도 사측은 꿈쩍하지 않았다. 그렇게 몇 분 있다 철수하려는데, 총무부장이 노동조합으로 가서 박스 하나를 가져왔다. 안에는 스티커가 가득 들어있었다. 이 스티커는 집회 때 자주 쓰는 것으로 "노동개혁, 적폐청산, 노동법 개악 반대, 투쟁해서 쟁취하자." 등의 구호가 적혀있었다. 우리는 이 스티커를 본관 현관문에 빽빽이 붙였다. 밑에서부터 위까지 붙여, 투명유리로 된 현관문인데 안을 볼 수 없을 만큼 붙였다. 게다가 손잡이에도 덕지덕지 붙였다.

다 붙이고서야 우리 집행위원들은 노동조합으로 다시 돌아가려고 했다. 그때 빨간 청소장갑을 끼고, 밀대와 물통을 가지고 지나가는 청소 담당 아줌마와 부딪쳤다. 이 아줌마는 외주업체 소속 직원으로 본관에서 청소업무를 맡고 있다. 아줌마가 우리 집행위원들과 현관문을 번갈아 보며 한숨을 푹 쉬었다.

- 아이고! 이게 뭐고? 청소할 것이 또 늘어났네. 그렇지 않아도 일이 많은데.......

우리 집행위원들은 "죄송합니다."라고 하며 고개를 숙였다. 그리고 노동조합 사무실로 돌아왔다. 접착력이 강한 스티커를 현관문에 붙임으로써 분풀이를 했지만, 솔직히 치우는 것은 외주업체 소속, 청소 아줌마의 몫이다. 미안한 마음이 들었다.

이렇듯 대회의실에서 회의를 하면 항상 유출되었다. 그리고 유출된 정보들은 상기 선배든, 사측의 노사협력팀이든 상관없이 흘러들어갈 것이다.

지금까지 회의내용이 유출되어도 그냥 한번 웃으며 넘어갔는데, 노안부장 건은 달랐다. 일주일에 2~3번 하는 임시대의원회의 때, 노안부장의 조합원 고소 건이 큰 이슈로 떠올랐다. 역시나 노력파 대의원들이 난리였다.

- 노안부장을 당장 부르세요. 직접 물어보고 추궁해야 합니다.

- 집행위원이 조합원을 고소하려 하다니, 이게 말이 돼요?

- 노안부장 사퇴시키세요.

- 아직 단체교섭 시작도 안 했는데, 부장들끼리 싸우는 게 말이 됩니까? 벌써 집행부 조직력이 와해된 거 아니요?

임시대의원 회의에서 노동조합 홈페이지에 올라왔던 댓글과 똑같은 말들이 쏟아졌다. 지회장을 비롯한 임원 4명이 대의원들을 달래려고 애를 썼다. 지회장은 "사실이 아니다."라고 했다. 하지만 통하지가 않았다. 노력파 대의원들은 다 알고 왔을 것이다. 총무부장이나 문체부장이 상기 선배에게 알렸을 것이고 상기 선배가 자기 쪽 대의원들에게 무엇인가를 주문했을 것이다. 노력파 대의원 중 한 명이 물었다.

- 노동조합 팩스에서 고소장을 처음 발견한 사람이 누구요?

- 팩스로 뭐가 왔다고요? 저는 잘 모르겠습니다.

지회장은 거짓말을 했다. 하지만 노력파 측 대의원은 이것을 놓치지 않고 계속 물고 늘어졌다.

- 내가 알기론 총무부장이 처음 발견했다고 들었는데요. 그

럼 총무부장을 불러 보시오.

대의원들의 거센 요구에 사무장이 총무부장을 불렀다. 총무부장이 대의원들 앞에 섰고, 총무부장을 불러달라고 요구한 대의원이 물었다.

- 팩스에서 고소장 봤어요? 진짜 확인했어요?

지회장을 비롯한 임원 4명은 총무부장이 “아니요.”를 대답하기를 간절히 속으로 바랐다. 하지만 바람은 무참히 깨졌다.

- 예. 확인했습니다.

- 그럼 그 고소장을 볼 수 있을까요?

- 네.

임원 4명의 얼굴에 어둠이 밀려왔다. 총무부장이 대회의실을 나갔다, 금방 다시 들어왔다. 그리고 그의 손에는 고소장으로 보이는 서류가 수십 장 보였다. 총무부장이 이 날을 위해 미리 복사해 놓은 것이다. 그러니깐 총무부장은 처음 팩스에서 고소장인 것을 확인하고 한 장 빠르게 복사한 뒤 숨겼다. 그리고 태연히 팩스 앞에서 고소장을 찬찬히 살펴보았고, 다가오는 엄 선배에게 따져 물은 것이다.

임원 4명의 얼굴이 일그러졌다. 총무부장은 아무렇지 않은 듯 고소장 복사본을, 대회의실에 앉아있던 모든 대의원들에게 나눠주었다. 그리고 대회의실을 나가버렸다.

대회의실은 또다시 난리법석이었다.

- 지회장, 왜 거짓말을 했어요? 우리를 우습게 보는 거예요?

- 이래 가지고 무엇을 같이 한단 말이오.
- 지회장님, 창피하지도 않소?

결국 지회장이 한 손을 들며 정리에 나섰다.

- 대의원 동지 여러분, 죄송합니다. 제가 처음부터 상세히 설명드릴게요. 사건의 발단은 노동조합 홈페이지 내, 노안부장을 왜곡하여 공격하는 댓글에서 시작됐습니다. 노안부장은 맹세코 업무시간에 골프를 치러 간 적이 없었습니다. 너무 화가 난 노안부장은 그 유언비어로 엄청난 스트레스를 받았습니다. 밤에 잠도 제대로 자지 못하고 밥을 먹어도 소화가 안 될 정도로요. 그래서 저를 찾아왔어요. 노안부장은 진정으로 조합원을 고소할 마음은 없었어요. 단지 누군지 "알고 싶다."라고 그랬습니다. 노안부장이 스트레스를 받아 힘들어하는 모습을 옆에서 지켜보니, 지회장으로 너무 안타깝더라구요. 그래서 "그럼 알아봐라. 대신 나중에 고소는 취하해라." 라고 말했고, 그 부분에 노안부장도 동의했습니다. 정말 동지들과 하늘에 맹세코, 조합원을 고소할 마음은 없었습니다.

지회장의 발언에도 대의원들은 계속 난리였다.

- 아까는 왜 거짓말했어요? 아까도 거짓말인데, 지금도 거짓말 아니에요? 지회장은 벌써 신뢰를 잃었소.
- 그래요. 처음부터 사실대로 이야기하면 잘 풀렸을 일을. 왜 거짓말한 거요? 그리고 거짓말이 아니라는 것을 어떻게 믿겠소?

시끄러워진 대회의실에서 지회장은 결국 결단할 수밖에 없었다.
- 그럼 노안부장을 사퇴시키겠습니다. 그리고 조합원 고소 건도 취하하겠습니다. 그럼 되겠습니까?
그제야 대회의실 안이 조용해졌다. 그리고 임시대의원회의가 끝났다.
지회장은 노안부장인 광희 선배를 찾아갔다.
- 오늘 대의원회의를 했어. 조합원 고소 건으로 말이 많았어. 미안하지만 현장으로 복귀하면 안 될까?
- 예상은 했어. 근데 열 받네.
- 그리고 조합원 고소도 취하하면 안 될까?
광희 선배는 아무 대답도 하지 않았다.
다음날 광희 선배는 노동조합 사무실에서 본인의 중요물품만 챙겼다. 그날도 임시대의원회의가 있었다. 광희 선배는 노동조합 현관문을 나가기 전, 노동조합 사무실 안쪽으로 욕을 했다.
- 야이, 씨발놈들아. 니들은 얼마나 잘하는가 보자. 개새끼들아.
다들 의아했다. 누굴 보고 욕하는 거지? 아마 노력파 대의원들과 문체부장, 총무부장에게 하는 욕일 것이다. 그리고는 퇴근해 버렸다.
광희 선배가 "사퇴했다."는 소문이 일파만파로 퍼졌다. 노동조합 내, 분위기가 어수선하다. 갑자기 노안실에서 소란스러운 소리가 들렸다. 고경부장 은식 선배가 지회장에게 윽박지르고 있었다.
- 나도 사퇴하겠습니다. 현장복귀 하겠습니다. 임원 바라보면서 부장들이 일하는데, 부장도 못 지켜주는 임원들을 어찌 의지하고 일합니까?
- 고경부장, 그게 아니고. 내 말 좀 들어봐라. 임기는 좋게 끝내야 될 거 아니야?
- 나는 모르겠고, 더 이상 임원들을 못 믿겠소.
지회장은 땀을 뻘뻘 흘리며 고경부장을 말리고 설득했다. 노동조합에서 각 부장들은 손과 발이다. 각 부장들이 역할을 제대로 수행하지 않으면 노동조합은 제대로 돌아갈 수 없는 것이다.
고경부장은 사퇴서를 작성해, 지회장에게 건넸다. 지회장은 사퇴서를 받고는 수리하지 않고 "다시 생각해 볼 것"을 권했다. 하지만 은식 선배는 단호했다. 지회장은 "간직만 하고 있겠다."라고 했다.
나는 여전히 교선실에서 소식지를 만들고 있는데, 복지부장도 임원들에게 "사퇴서를 냈다."라는 소문을 들었다. 광희 선배 일로 나도 임원들에게 불만이 많았다. 노동조합 홈페이지에 나온 유언비어가 광희 선배를 "역적"으로 만들었다. 그 유언비어로 인해 광희 선배는 여러 조합원들에게 손가락질을 당했다. 식사도 제대로 못할 만큼 스트레스를 받았기에, 진상규명을 하고 싶었던 것이다. 그래서 사이버수사대에 의뢰를 한 것이다.

어찌 보면 정당방위인데, 그것을 가지고 또 광희 선배를 궁지로 몰아넣은 것이다. 임원들은 대응도 못하고, "노력파"들이 하라는 대로 하는 것이다. 일련의 과정을 지켜보며 나도 화가 치밀어 올랐다.

교선실 밖을 쳐다보니 고경부장 은식 선배가 일은 하지 않고, 조합원들이 쉬는 공간에 앉아있는 것이 보였다. 나는 은식 선배에게 다가가, 커피타임을 요청했다.

나는 믹스커피 한잔을 타, 은식 선배에게 건넸다.

- 광희 선배 일은 정말 안타까워요. 옆에서 지켜보는 저도 화가 나요.

- 내가 봤을 때는 임원들이 가장 큰 문제야. 특히 지회장이 말이야. 우유부단해 가지고. 저기서 저렇게 하자하면 "예". 여기서 이렇게 하자하면 또 "예". 사람이 밀어붙이는 결단력이 없어. 노안부장 건도 말이야. 뒤통수 친 총무부장을 잘라야지. 노안부장은 보호해주고 말이야. 총무부장이 상기한테 일러바치고, 상기 따까리들이 노동조합에 와서 난리 치니깐 지회장이 넘어간 거 아니야.

- 광희 선배만 불쌍하네요.

- 광희도 문제가 있어. 나도 옆에서 지켜보고 들은 것이 있어. 광희가 말을 함부로 내뱉더라고. 특히 젊은 친구들한테 말이야. 말이라도 상냥하게, 부드럽게 친절히 해주었다면 등

을 돌리지 않았을 텐데. “내 말 들어라. 몇 주간만 쉬고 현장에 복귀해라.” 등의 명령조로, 설명도 없이 이야기하니 당연히 싫어하지. 싫어하는 애들이 뭉쳐서 대의원 찾아가서 하소연하고 대의원들이 노동조합에 와서 난리 치고. 이런 악순환이 반복되어서 이런 사달이 난거야. 광희 책임도 있는 거야.

은식 선배는 날카로웠다. 모든 일들을 정확히 분석하여 원인과 결과를 이야기해 주었다.

- 그럼 고경부장님은 정말로 사퇴하실 거예요?

- 응. 여기 있다가 또 총무부장에게 뒤통수 맞을 거야. 뒤통수 맞아도 임원들은 병풍처럼 가만히 있을 것이고.

은식 선배는 한숨을 내쉬고는 “커피 잘 마셨어.”라며 일어났다. 그리고 조합원들이 쉬는 공간에서 다시 빈둥거렸다.

나도 사퇴하기로 결심했다. 나 역시 노안부장을 사퇴시킨 것과 임원들의 문제해결에 불만이 있었기 때문이다. 인터넷을 검색해 사퇴서 쓰는 요령을 살펴보았다. 그리고 사퇴서를 작성했다. 노안부장이 조합원을 고소하는 것을 알고 있으면서도 방관한 점, 고소 건에 대해 오타가 있는지 없는지 확인하고 검토해 준 점 등을 언급했다. 나도 조합원 고소 건을 도왔으니 “사퇴하는 것이 맞다.”라고 적었다. 그리고 조합원들이 색안경을 낀 채 노안부장을 바라본 것은 본인의 잘못이지만 “사퇴”는 너무 가혹한 처벌이라고 했다. 그 외에도 은식 선배가 이야기했던 것처럼 서로 불신이 가득한 이곳에서 더 이상 업무를 볼 수 없을 것 같다는 말도 덧붙였다. 나열한 이유로 사퇴하겠다고 적었다.

나는 사퇴서를 4장 복사했다. 우선 지회장에게 주었다. 지회장이 짜증을 내었다.

- 너까지 왜 이러냐? 그렇지 않아도 머리 아파 죽겠는데.

사무장과 수석 부지회장에게도 주었는데, 별로 반응이 없었다. 그리고 부지회장인 곽훈 선배에게도 주었다. 그러자 쌍욕을 했다.

- 아이. 씨발, 지랄하네. 뭐 하는 짓이야?

쌍욕을 하든지 말든지 사퇴서를 주고 바로 내 자리로 왔다.

잠시 후 임시 집행위원회의를 열었다. 회의 자리에서 지회장이 사퇴서를 제출한 부장들을 쳐다보며 말했다.

- 노안부장 건과 관련해 문제제기 하신 분들이 있는데, 조금만 더 참아주시기 바랍니다. 전체간부수련회를 다녀와서 잡을 건 바로 잡고, 결단할 것은 결단하겠습니다.

아리송하게 말했지만 어떤 뜻인지는 대충 알 것 같았다.

노동조합 내에 시끄럽고 혼란스러워도 기본적인 업무는 수행했다. 이런 와중에도 조합원을 대상으로 복지관 대강당에서 공청회를 개최했다. 그리고 전체간부수련회도 준비했다.

대의원이나 여러 조합원들이 '상황이 이 지경인데도 계속 진행할 것인가?'라며 질문을 했고, 지회장은 "계속 진행한다."라고 했다. 다들 하기 싫어하는 일을 억지로 하듯이 전체

간부수련회를 준비하고 다녀왔다.

전체간부수련회를 다녀온 후, 나는 광희 선배에게 연락을 해보기로 했다. 원래는 광희 선배가 사퇴하고 난 후, 바로 연락하려고 했었다. 광희 선배가 다른 조합원들에게는 안 좋은 이미지였지만 노동조합에 있을 때, 나에게 잘해주었기 때문이다. 그래서 연락하려 했더니 엄 선배가 말렸다.

- 지금 우리는 전체간부수련회 때문에 바쁘고, 광희도 정신없을 거야. 간부수련회 다녀와서 연락해. 그리고 지금쯤 광희는 머리 식히고 있을 거야. 지회장이 사측과 이야기해서 광희에게 일주일 유급휴가를 주었어. 사퇴한 날로부터 일주일이야.

이제 광희 선배도 현장에 복귀했을 것이고, 나도 바쁜 일정이 없으니 연락해도 될 것이다. 그래서 아침 일찍, 광희 선배에게 연락했다.

- 형님, 사퇴할 때 인사도 제대로 못하고 헤어졌네요. 그동안 전체간부수련회 때문에 바빴어요. 이제 여유가 생겨서 연락드립니다.

- 그래. 잘했다. 그렇지 않아도 너에게 부탁할 것이 있었어. 사퇴하고 나올 때, 내 귀중품만 챙겨서 나왔어. 내 캐비닛에 작업복 여러 벌이 있거든. 그것 좀 챙겨서 내가 일하고 있는 곳으로 가지고 와. 와서 이야기도 나누고 하자.

나는 광희 선배 말대로 굴러다니는 종이 박스에 광희 선배의 여러 작업복을 담아 광희 선배의 작업장으로 찾아갔다.

광희 선배의 표정이 평화로워 보였다.
- 형님, 이제는 밥 잘 먹어요?
- 그래. 현장으로 복귀하니 낫네. 이제 노동조합일은 안 하려고. 너도 이번만 하고 앞으로 노동조합 활동 같은 거 하지마. 골치만 아파. 돈도 적게 받고. 난 노동조합 올라가기 전에 직급이 조장이었어. 지금 현장복귀해서 다시 조장 달았어. 따박따박 조장수당, 용접수당 다 받고 얼마나 좋아.
- 이야, 부럽네요. 아참, 개인적으로 궁금했던 건데요. 노동조합 게시판에 글 올린 사람 고소한 것은 어떻게 했어요? 이제는 집행위원이 아닌, 조합원이니깐 고소해도 되잖아요? 조합원 대 조합원이니깐요.
- 아니야. 됐어. 다 내려놨어. 끝까지 갈려고 했는데, 지회장이 하지 말라더라. 그 말도 맞는 것 같아. 진 것 같은 기분이라 씁쓸하지만, 현장으로 북귀하니 그런 생각도 잘 안 들더라.
대화 도중에 광희 선배가 느닷없이 사무장 욕을 하기 시작했다.
- 총무부장하고 문체부장 때문에 이리 되었지만 사무장도 책임이 커! 총무부장 꼭두각시처럼 총무부장 시키는 대로 다하고. 처음 총무부장 뽑은 것도 사무장이라면서? 미친 새끼.
- 아니, 왜 그러세요? 예전에는 사무장이 아침에 가장 먼저 출근해서 가장 늦게 퇴근한다면서요? 엄청 부지런하고 뚝심있다고 칭찬하더니, 이제는 왜 욕해요?

- 아니야. 역시 사람은 오래 두고 관찰해야, 그 사람을 정확히 알 수 있어. 그 새끼는 쓰레기야. 마지막으로 부탁 하나만 더 하자. 노동조합 내 노안실, 내 컴퓨터 바탕화면에 파일 몇 개만 삭제해 줘. 내가 적어 줄 테니깐 보고 지우면 돼.

- 네. 알겠습니다.

- 시간 나면 자주 놀러 와라.

나는 광희 선배에게 작별인사를 하고 다시 노동조합으로 돌아왔다. 주머니에 있던 종이를 꺼냈다. 광희 선배가 건네준 종이조각이었다. 나는 노안실로 들어가, 컴퓨터 앞에 앉았다. 그리고 광희 선배가 일러준 메모를 보고, 바탕화면에 있던 파일 3개를 삭제했다. 그때 지나가던 노안차장이 물었다.

- 여기서 뭐 하냐?

노안부장 광희 선배 사퇴 후, 노안차장인 "종수" 선배가 노안부장 대행을 맡아서 업무를 보고 있었다. 종수 선배는 광희 선배보다 나이가 많았다.

- 광희 선배가 시킨 게 있어서 그거 하고 있었어요.

- 그게 뭔데?

- 컴퓨터 바탕화면에 파일 3개 지워달라고 하더라고요.

노안차장이 잠시 생각하더니 벌컥 화를 냈다.

- 아, 씨발. 그거 혹시 조합원 관련 병원기록일지나 뭐 그런 거 아니야?

- 어. 벌써 지웠는데.......

- 아, 나 참. 그거 지우면, 남아서 업무 봐야 되는 사람은 어떻게 일하라고? 그거 분명히 광희가 시켰어?
- 네.
- 그 새끼, 이제 현장 복귀한다고 볼 장 다 봤다는 거네. 내가 인계받아서 노안업무 보는 거 알 텐데. 나는 임원들한테 사퇴서 제출안해서 열 받았나 보네. 에고, 더러운 심보.
순간 내가 광희 선배 대신 욕을 먹고 있는 기분이 들었다. 그래서 빨리 노안실을 빠져나왔다. 작업장에서 광희 선배는 다 내려놨다고 하더니, 마음속에 아직 앙금이 남아 있는 모양이다.
노안실을 나오니, 고경부장이 보였다. 고경부장이 "커피 한잔 마시자."라고 했다. 나는 자판기 앞에서 커피를 마시며 광희 선배를 만나고 왔다고 말했다. 그리고 궁금했던 것을 물었다. 은식 선배는 많은 것을 알고 있을 것이라 확신했다.
- 광희 선배하고 사무장하고 말다툼이라도 했나요? 예전에는 사무장 칭찬하더니, 방금 만났을 때는 좀 부정적이네요.
- 예전 한번 싸웠어. 싸우기보다는 광희가 욕먹었지. 광희가 사퇴하기 전, 노동조합 홈페이지에서 모부장 욕이 엄청 많았잖아. 대의원들하고 다른 조합원들까지 합세해서 난리 치니깐 사무장이 화가 난 거야. 그래서 여러 집행위원들이 있는 데서 광희에게 화를 낸 거야. "이게 어찌 된 거야? 너 때문에 우리 전체가 욕먹잖아. 어떻게 수습할거야?" 광희도 화가 났지. "아 그럼, 사퇴하면 될 거 아니요." "그래, 말 잘했다.

빨리 현장 복귀해라. 지금해라. 너 말고도 노안부장 할 사람 많다." "알았소." 광희가 노동조합 사무실을 뛰쳐나갔어. 그 자리에 있었던 지회장이 쫓아가서 어르고 달랬어. 잠시 후 지회장이 사무장도 찾아가서 달랬고. 중재역할을 한 것이지. 광희 입장에서는 많이 서운했을거야. 본인도 힘든데, 사무장까지 난리를 치니깐. 아무튼 그 뒤로 광희하고 사무장은 물과 기름사이가 되어버렸어.

- 사무장이 잘못했네요. 잘 달래서 머리 맞대어, 해결하려고 노력했어야죠.

- 사무장뿐만이 아니야. 임원 4명이 다 똑같아.

은식 선배는 "임원이라면 부장들을 잘 보살피고 보호막 역할을 해주어야 하는데, 그 역할을 하지 못한다."라고 했다.

지회장의 결단

고경부장인 은식 선배는 "총무부장이 잘릴 것"이라고 했다.

- 내가 빨리 현장복귀 하고 싶다고, 사퇴시켜 달라고 지회장을 달달 볶았지. 그랬더니 지회장이 내게 물어보더라. "총무부장 자르면 괜찮겠냐?" 나는 아무 말도 안 했어. 지회장이 "알겠다."하더니 가더라고.

은식 선배와 커피 한잔을 마시며 이야기를 끝마쳤다. 그리고 내 자리인 교선실로 돌아왔다. 혼란스럽고 불안했다. 집행위원들이 이렇게 한 명씩 사퇴한다면, 바라보는 시선도 곱지 않을 것이다. 그리고 그로 인해 많은 말들도 양산될 것이다. 다른 사람을 인선하는 것도 쉽지 않을 것이다. 임기가 이제 1년도 안 남은 상황에서 누가 부장자리를 수락할 것인가? 결국 다 현장 복귀해야 할 상황이 올 수도 있다.

이런 생각들로 머리가 복잡한데, 조직부장이 "잠시 후 집행위원회의를 시작합니다."라며 큰 소리로 알려주었다.

집행위원회의가 시작되었다. 그런데 총무부장이 보이질 않았다. 지회장이 입을 열었다.

- 오늘부로 총무부장이 사퇴를 했습니다. 제가 총무부장에게 현장으로 복귀할 것을 부탁했습니다. 이유는 말하지 않아도 다들 아실 것입니다. 그리 말했더니 "그렇지 않아도 현장으로 복귀할 계획이었다."라는 말을 했습니다. 총무부장에게는 일주일간의 휴가가 주어졌고, 그 휴가 이후에 현장으로 복귀할 것입니다. 그동안 여러 일들로 다들 많이 피곤하셨죠? 이

제 임기도 얼마 안 남았습니다. 생각에 따라 남은 기간이 많게도, 적게도 느껴질 수 있습니다. 모든 것은 마음먹기에 달렸습니다. 마음 단단히 먹읍시다. 우리 유종의 미를 거두어야죠. 전체간부수련회도 다녀왔으니, 슬슬 교섭을 준비해야 합니다. 교섭위원들 꾸려서, 단체교섭이 올해 안에 마무리될 수 있도록 우리 최선을 다해봅시다.

지회장은 힘 있게 말했지만 왠지 힘이 나질 않았다. 회의하는데, 빈자리가 여럿 보였다. 예전에는 꽉 찼는데 말이다.

임원들은 다시 의기투합하여 새로운 마음으로, 유종의 미를 거두고 싶은 모양이다. 하지만 마음대로 되질 않았다. 총무부장, 노안부장 자리가 공석이라, 사무장이 인선을 위해 사방팔방 뛰어다녔다. 하지만 아무도 하려고 하지 않았다. 결국 임원들은 없으면 없는 대로, 이가 없으면 잇몸으로 전진할 각오였다.

대의원들 사이에서 임원들의 힘을 빼는 소리가 들렸다.

- 벌써 레임덕입니까?
- 이래 가지고 무슨 교섭을 하겠습니까? 이게 노동조합이야?
- 집행위원들이 2명 사퇴하고 몇 명의 부장들이 사직서를 제출한 것 때문에 현장에서는 벌써 노동조합을 불신하고 있어요.

사측을 상대로 단체교섭을 진행할 때, 노동조합은 교섭위원단을 꾸린다. 교섭위원은 대의원 절반, 집행위원 절반으로 구성되며, 대의원들은 자체 논의를 거쳐 교섭위원을 선출한다.

근데 이번에 대의원들 중 "아무도 교섭위원으로 나오지 않는다."는 것이다. 노동조합 집행위원들을 상대로 보이콧을 하는 것이다. 이유는 일련의 내부 사태를 지켜본 결과, 노동조합 집행부를 신뢰하지 못하겠다는 것이다.

지회장은 대의원 대표와 여러 대의원들을 찾아가, 교섭위원으로 나와 달라고 설득했다. 하지만 아무도 응해주지 않았다. 대의원들 없이 단체교섭을 한 사례가 없었기에, 지회장은 조바심이 났다. 지회장은 그 스트레스로 술을 진탕 마시고, 다음날 점심때쯤 출근했다.

여러 대의원들과 조합원들이 지회장에게 "내려갈 것"을 촉구했다. 머리가 아파진 지회장은 임시 집행위원회의를 열어, 여러 집행위원들의 의견을 물어보았다.

조직부장은 "내려가야 된다."라고 강력히 주장했다.

- 어쩔 수가 없습니다. 우리는 다 내려가야 합니다. 지금 대의원들이 다들 등을 돌렸어요. 계속 "고"하면 욕만 더 먹어요. 어차피 결과는 똑같아요. 우리끼리 독불장군처럼 진행할 수 없어요. 한시라도 빨리 내려갑시다.

하지만 엄 선배는 달랐다. 차분한 어조로 "유종의 미"를 강조하며 전진하자고 했다. 조직부장은 짜증을 내며 목소리를 더 키웠다.

- 아, 기획부장님. 답답합니다. 지금 주변을 둘러보세요. 우리 안 내려가면 명찰 떼겠다는 대의원들이 수두룩해요. 그리 되면 다시 보궐선거를 해야 되고, 어느 천 년에 다시 교섭위

원 꾸려서 단체교섭 들어갑니까? 또한 분위기가 이런데 누가 대의원으로 나오려고 하겠습니까? 전체간부수련회를 가지 말았어야 했어요. 가기 전에 내려가야 했어요. 지금 내려가는 것도 늦었어요.

부장들의 의견이 갈렸고, 임원들 사이에서도 의견이 나눠졌다. 부지회장인 곽훈 선배도 내려가야 된다고 강력히 주장했다.

- 우리 내려갑시다. 우리 집행부가 하려는 활동 방해하고 훼방 논 사람들이 새 집행부 세울 거잖아요. 그 사람들 얼마나 잘하는지 우리 지켜봅시다. 우리는 현장에서 열심히 돈 벌며 지켜보자고요.

선택은 지회장의 몫이었다. 지회장은 머리를 감싸 쥐었다.

- 일주일 동안 생각해 보고, 결단 내리겠습니다.

그렇게 집행위원회의가 끝났다.

나도 엄 선배와 같이 "끝가지 가보자."라는 마음이었다. 이왕 이리된 것, 임기를 다 채우고 싶은 마음뿐이었다.

"집행부가 내려오는 것이 맞다."라는 글이 노동조합 홈페이지에 계속 올라왔다. 노안부장의 조합원 고소 건으로, 노동조합 홈페이지에 글을 달아도 글쓴이를 찾는 것이 어렵다는 것을 다들 알게 되었다. "조합원"이란 이유로 고소는 더 어렵다는 것을 깨달았다. 나도 홈페이지 게시판을 이용하기로 했다. "내려오라."는 글들에 맞대응하기로 했다. 그래서 나도 노동조합 홈페이지에 글을 달기 시작했다. 처음에는 글을 적다가, 장난 끼가 발동하여 이미지 합성을 해서 올렸다.
"어부지리"란 아이디로 영화 "어벤저스"의 타노스를 이미지 합성해서 올렸다. 타노스는 사측의 모자를 쓰고 험상궂게 웃으며 손가락을 튕기려는 모습이다. 타노스를 가리키는 화살표를 넣고, 그 옆에 "사측"이라고 적었다. 합성 이미지 제일 밑단에 문구를 넣었다.
- 같은 노동자끼리 싸운다고 투쟁력이 약해졌군. 난 필연적인 존재다. 단체교섭 요구안 반을 날려버릴테다.
내가 올린 이미지에 많은 댓글이 달렸다. 물론 비난하는 글이다. 그중에 가장 센말은 "누군지 알게 된다면 죽이겠다. 내 손에 잡히면 바로 대가리를 뽑아버리겠다."였다. 걸릴 일이 없으니 안심이 되었고, 안심이 되니 그런 협박성 말들이 우습게 들렸다.
계속 이미지 합성을 해서 올렸다. 어느 영화배우가 울부짖고 있는 모습, 머리에 빨간 투쟁 띠를 합성하고 말풍선을 달았다.
- 야이 놈들아. 노안부장 사퇴시키니깐, 이제 속이 좀 후련하냐?
말풍선의 글씨를 크게 하고 일부러 흔들리게 왜곡했다. 또 '죽이겠다.'는 답글이 달렸다.
노동조합 내, 지회장이 고민하는 모습이 보였다. 내려가야 되나, 말아야 되나. 고민하고 있는 것이다. 나는 지회장에게 "희망"을 심어주고 싶었다. 그래서 지회장의 얼굴을 다른 사진과 합성하기로 했다. 임진왜란 때, 성웅 이순신 장군이 명량해전에서 싸우는 모습. 갑옷 속, 이순신 얼굴을 지회장 얼굴로 바꿔버렸다. 그리고 말풍선을 넣었다.

- 조합원 동지 여러분, 신에게는 아직 12명의 집행위원들이 남아있습니다. 죽기를 각오하고 싸우겠습니다.

또다시 비난하는 댓글이 많이 달렸다.

- 어느 놈이냐?

- 할 일 더럽게 없는 놈이다.

- 내 손에 잡히면 진짜 죽인다.

- 지회장 사진 도용해서 합성한 이 놈, 잡아서 구속시켜야 돼요. 노동조합을 아주 우습게 보는 놈이에요. 사이버 수사대에 의뢰해서 잡읍시다.

그중에 칭찬하는 글도 있었다.

- 그냥 적어도 될 것을, 이렇게 정성 들여 이미지 합성하시네요. 누군지 모르겠지만 항상 응원할게요.

이렇듯 신나게 이미지를 합성해서 노동조합 홈페이지에 올리는데, 누가 교선실을 들어왔다가 바로 나가는 것이 보였다. 문체부장 "천욱" 선배였다.

"아차 들켰다."라는 생각과 함께 불안감이 급습했다. "못 봤을 수도 있지 않을까? 라며 스스로를 진정시키고 다시 이미지를 합성해서 올렸다. 화난 헐크의 모습이다. 분노해 팔을 크게 벌리고 있는 모습에 말풍선을 달았다.

- 같은 노동자끼리 그만 싸워라. 내가 모 부장이다.

또다시 "잡히면 가만 안 두겠다."라는 협박성 댓글이 달렸다. 웃음이 터져 나왔다.

다음날 노동조합에 출근하여 업무를 보려는데, 교선실로 문체부장이 들어왔다.

- 교선부장, 나 커피 한잔 타서 줘.

때마침 내 자리에 있던 컴퓨터 화면에는 노동조합 홈페이지 내, 헐크의 화난 모습이 보였다. 나는 커피 한잔 타서 문체부장에게 주었다. 문체부장은 턱으로 컴퓨터 화면을 가리켰다.

- 교선부장, 포토샵은 또 언제 공부했어? 글 쓴다고 바쁜 와중에도 독학으로 공부하고. 대단해. 다음 집행부에서 교선부장 한번 더해라. 내가 말 잘해놓을게.

나는 모른척하며 시치미를 뗐다.

- 저거 제가 한 거 아닌데요. 근데 다음 집행부라니요? 재섭이 선배가 내려간대요?

- 내려가야지. 별수 없어. 답이 없는데. 대의원들이 다 등 돌렸어. 선택지가 없어. 아무튼 조합원 게시판에 딱딱한 글만 보다가 저런 이미지사진 보니깐 재미있더라. 아주 잘 만들었어. 다음에 또 커피 한잔 하자.

문체부장은 마시던 커피를 들고 나가버렸다. 나는 문체부장의 말에 불안감을 느꼈다.

노동조합 홈페이지에 또 사진을 올렸다. 이순신 장군이 판옥선 위에서 검으로 몸을 지지한 채, 왜놈들을 노려보는 모습. 이순신 장군 얼굴에 재섭 선배의 얼굴을 합성했다. 그리고 사진 제일 밑단에 문구를 넣었다.
- 성웅 이순신은 임금의 도움 없이도 왜군을 막아내었다. 또한 소금을 만들어 팔아, 군사자금으로 활용했다. 이와 같이 하고자 하는 굳은 의지만 있다면 못할 것이 없다. 주변의 도움 없이 충분히 나아갈 수 있다. 똘똘 뭉쳐 전진하자.

또 다른 세력

역시나 노동조합 홈페이지 내, 내가 작성한 이미지 사진에 많은 댓글이 달렸다. 갈수록 욕의 수위가 높아졌다. 그러거나 말거나 신경 쓰지 않았다. 오히려 웃으며 욕 하는 것을 즐겼다.

노동조합 홈페이지에 댓글을 쳐다보고 있는데, 지회장이 교선실로 들어왔다.

- 교선부장, 네가 홈페이지 게시판에 이상한 그림 올리냐?
- 아니요. 제가 아닌데요.
- 아무튼 올리지 마.

지회장은 할 말만 하고 바로 나가버렸다. 속으로 뜨끔했다. 잠시 후 조직부장의 목소리가 들려왔다.

- 잠시 후 긴급 집행위원회의를 합니다. 5분 뒤에 대회의실로 다들 모이세요.

지회장이 결단을 내렸고, 그것을 발표하려나보다. 대회의실로 들어가니, 집행위원들의 표정이 평화로웠다. 잠시 후 임원 4명도 들어왔다. 모두 참석한 가운데, 지회장이 입을 열었다.

- 며칠 동안 고민 많이 했습니다. 임원들과 수차례 머리를 맞대고 회의를 했습니다. 내린 결론은 여기까지만 하고 현장 복귀를 하자는 것입니다. 유종의 미를 거두기를 바라는 분들도 계셨는데, 기대에 못 미쳐 죄송합니다. 이 모든 것은 저, 지회장이 모자란 탓입니다. 저를 도와, 같이 일하신 모든 집행위원 동지들께 감사의 인사를 드립니다.

지회장은 일어나 고개를 90도로 숙이며 인사를 했다. 그리고는 대회의실을 나가버렸다. 이것으로 회의가 끝난 것이다. 평화로웠던 집행위원들은 이미 결론을 알고 있었던 것이다.

회의가 끝나자, 부장들은 삼삼오오 모여 커피를 마시고 인터넷 서핑을 했다. 하지만 난 아직도 해야 할 일이 남았다. 우리 집행부가 내려간다는 사실을 알리고 그동안 지지해 준 조합원들에게 감사를 표현해야 했다. 소식지 내용을 작성해 임원들에게 보여주려고 인쇄를 했다. 임원들에게 건네주러 가는 길에, 고경부장인 은식 선배를 만났다.

- 그거 뭐야?

- 마지막 소식지예요. 우리가 내려가는 것과 지지해 준 분께 감사의 인사를 담았어요.

- 그럴 필요 없어!

- 네?

- 지회장이 내려간다고 하면 모든 업무는 올 스톱이야. 집행위원들 표정 못 봤어? 온화한 거. 이제 현장으로 내려갈 건데 뭐 하러 업무를 봐? 그냥 쉬었다가, 현장 복귀해. 그리고 "우리 집행부가 내려간다."는 소식은 지금쯤 현장에 쫙 퍼졌을 거야. 다들 알고 있다고. 그러니 굳이 힘들게 소식지 낼 필요 없다고. 임원들한테 가져가면, 임원들도 싫어할 거야. 귀찮으니깐.

- 아. 네.

은식 선배의 이야기를 들으니, 더 이상 소식지는 의미가 없었다. 그래서 인쇄한 종이를 찢어버렸다. 나도 다른 집행위원들처럼 커피나 마시고 인터넷 서핑을 했다. 읽고 싶었던 책도 읽고 은식 선배처럼 일찍 퇴근했다.

지회장 선거에 돌입했다. 우리가 지회에 머물 수 있는 시간은 한 달 남았다. 2주일 안에 지회장 선거를 마치고, 남은 2주 동안 다음 집행부 부장에게 인수인계를 해주고 현장에 복귀하는 것이다. 말이 인수인계 기간 2주이지, 보통 1주일 만에 인수인계를 끝내고 남은 일주일은 휴가였다. 이 기간은 회사를 출근하지 않아도 되니, 휴가인 것이다.

손을 놓아버린 우리 집행부의 관심사는 누가 지회장으로 나올 것인가? 하는 것이다. 지금까지의 사례를 보면 대의원들 중 대표가 지회장으로 이름을 올렸다. 그렇다면 대의원 대표를 맡고 있는 "희봉" 선배가 나올 것이다. 희봉 선배도 노력파 일원이라, 다들 그렇게 예상했다. 근데 지회장 출마에 상기 선배가 출사표를 던졌다고 한다. 의외였다.

상기 선배가 지회장 후보라는 소식이 현장에 널리 펴졌나보다. 노동조합 홈페이지에 지지하는 글들이 올라왔다.

- 상기 선배님을 지지합니다. 제가 현장에서 응원할 테니, 왕성한 활동 부탁드립니다.

- 전 집행부가 싸지른 똥 치워야 되겠네요. 그래도 힘을 내어서, 힘 있는 노동조합의 모습을 보여주세요.

아마 젊은 조합원들과 예전부터 상기 선배를 따르는 사람들일 것이다.

노동조합에서 업무를 보지 않으니, 다른 부장들과 왕래가 잦아졌고 커피도 자주 마시며 많은 정보를 공유했다. 특히 은식 선배와 커피를 마시면 많은 것을 알게 된다.

- 요번에 지회장으로, 희봉이가 아니라 상기가 나오잖아. 다들 희봉이를 예상하고 있었는데 말이야. 둘 다 같은 노력파잖아. 상기가 희봉이 보다 나이가 더 많아. 지회장으로 나가려던 희봉이가 상기를 찾아갔어. 단순히 본인보다 형이고 학교 선배이기에, 예의상 찾아갔어. "형님, 이번 지회장 선거에 지회장으로 나가보시죠?" 퇴직이 4년 정도 남았고, 지회장을 해봤던 사람이기에, 당연히 "아니야. 네가 나가봐."라고 말할 줄 알았지. 그런데 상기가 "그래. 내가 한번 해볼게." 이리된 거야. 희봉이는 깜짝 놀랐어. 이게 아닌데 말이야. 이미 쏟아낸 말을 주워 담을 수가 없잖아. 희봉이는 "형님, 그럼 열심히 해보세요."하고 나와 버렸어. 그리하여 지회장 후보로 상기가 나온 거야.

나는 질문했다.

- 그럼 희봉이 형님도 지회장으로 나오면 되잖아요? 그래서 둘이 경합해서 이긴 사람이 지회장 되면 되잖아요?

- 아니지. 둘은 같은 노력파잖아. 도와주지는 못할망정, 경쟁 구도로 가겠어?

- 아. 그러네요.

커피를 마시고 있던 사람들은, 다들 "상기가 지회장 되면 얼마나 잘하는지 보자!"라는 말을 하며 코웃음을 쳤다. 나는 코웃음의 의미를 알 것 같았다.

과거, 상기 선배가 지회장으로 있을 때, 나는 최뿔따구와 같이 일하고 있었다. 그때 지켜본 결과, 상기 선배는 용두사미였다. 지회장이 되고 나서 첫 단체교섭 때에 1차 찬반투표에서 바로 가결되었다. 정말 드문 경우였다. 그만큼 녹록지 않은 사측의 압박에도 굴복하지 않고 대다수 조합원의 요구에 걸맞은 제시안을 받아낸 것이다. 그 당시 조합원들은 모두 "대단하다."며 상기 선배를 칭찬했다. 몇 명의 사람은 상기 선배를 "영웅"이라 칭하는 사람도 있었다. 하지만 딱 여기까지만 이었다.

단체교섭 가결 후 후속업무는 진전 없이 미비했다. 게다가 그 당시 대기업 T는 주식회사로 발돋움하여 성장할 때였다. 다들 낮은 가격에 주식을 배당받을 수 있을 거라는 희망에 행복해 있었다. 노동조합이 회사와 잘 논의해 조합원들에게 주식을 배당한다. 근데 배당받은 주식의 가격이 높았다. 기대와 달라, 많은 조합원들이 상기 선배에게 실망했다. 다시 단체교섭이 시작되었다. 상기 선배의 두 번째 단체교섭 성과도 미미했다. 그리하다 현장으로 내려왔다.

대기업 T에 오래 근무한 조합원들은 상기 선배의 과거경력이나 활동내역, 성과나 결과 등을 알고 있지만 젊은 조합원들과 신입사원들은 잘 몰랐다. 상기 선배가 신임금체계 도입에 크게 반대하고 젊은 사람들을 대신해 목소리를 내어주었기에, 젊은 조합원들은 상기 선배를 아주 반겼다.
 엄 선배와 같이 오래 근무한 선배들은 미래가 보이는가보다.
- 젊은 놈들, 너희들도 겪어봐라. 우리가 아무리 말해도 귀에 안 들어올 거야. 직접 겪어봐야 깨닫고 정신 차리게 될 것이야.
 노동조합 홈페이지에 “제주도 7인방 실체”라는 이상한 글이 올라왔다.
- 우리 회사 내, 집행위원이나 대의원으로 활동해 왔던 7인이 제주도를 다녀왔다. 제주도에서 무엇을 위해 갔으며, 거기서 무슨 결론을 도출했는지는 알 수 없다. 하지만 분명한 것은 지회장 선거를 앞둔 이 시점에 단순히 제주도로 놀러 간 것은 아닐 것이다. 오직 조합원을 위해 뭉쳐도 모자랄 판에, 본인들의 권익을 챙기려 뭉치는 것은 어리석은 것이다. 제주도를 다녀온 7인은 가슴에 손을 얹고, 자신에게 물어보라. 정말 조합원을 위해 싸울 준비가 되어있는지를 말이다.
 노동조합 홈페이지를 관리해야 하는 나로서는 의아했다. 제주 7인방? 안테나가 높아, 많은 소식과 사실을 알고 있는 은식 선배에게 달려갔다. 그리고 커피 한잔을 권하며 물어보았다. 이제는 현장으로 내려가야 할 조합원 신분이기에, 부장님과 형님이란 호칭을 섞어서 사용했다.
- 은식 형님, 노동조합 홈페이지에 이상한 글이 올라왔던데, 그게 뭐예요? 7인방은 무엇이고, 조합원을 위해 싸울 준비는

또 무슨 말이에요? 지금 지회장으로 나올 사람은 상기 선배 밖에 없다면서요?

은식 선배는 역시나 소식이 빨랐다.

- 저번에 희봉이가 상기를 찾아가, 말 잘못하는 바람에 본인이 하려던 지회장을 못하게 되었잖아. 완전 낙동강 오리 알 신세가 되었잖아. 그 이후에 희봉이와 같이 임원으로 나서려던 사람들은 많이 서운한 것이지. 그 서운한 사람 포함, 7명이 제주도로 놀러 갔나 봐. 제주도에서 술 마시며 한라봉 밑에서 도원결의를 했는지는 모르지. 모르는 상황이지만 주변의 사람들은 상상을 하고 추측을 했지. 한 팀 꾸려서 지회장 선거에 나가려는 것이 아닌가?라고 말이야. 누가 봐도 그렇잖아. 지회장 선거를 앞둔 시점에 7명이 갑자기 제주도에 놀러 가서 1박 2일을 하고 왔으니 말이야. 그리고 그 멤버는 현재 대의원도 있고, 과거에 간부 했던 사람들이니, 그런 쪽으로 생각할 수밖에.

은식 선배는 커피 한잔 마시며 말을 이어서 했다.

- 이것은 내 예상이지만 노동조합 홈페이지에 "제주도 7인방"을 거론한 사람은 "상기"야. 상기가 단독 출마해야 지회장이 될 것이 확실하니깐. 그래서 노동조합 홈페이지에 7인방을 언급하며 부정적 이미지로 유도하려는 것이지. 우리는 잠자코 지켜보자고. 시간이 지나면 "노력파"도 쪼개질 거야. 지금 상황도 그렇잖아. 노력파의 주축인 상기가 지회장으로 나오는데, 노력파 일원 몇 명과 노동조합 간부들이 제주도로

놀러 갔으니 말이야. 내 말대로 될 거야.

노동조합 홈페이지에 올라와 있던 "제주도 7인방" 이야기가 지워졌다. 관리자인 내가 지운 것이 아니니, 글 작성자가 지웠을 것이다. 이게 또 어찌 된 일일까? 나는 또 은식 선배를 찾아가서 물어보았다.

- 제주도 7인방이 제주도를 다녀와서, 상기와 붙어보려고 러닝메이트를 구성하려고 했나 봐. 7인방에는 젊은 사람들이 꽤 많아. 그 사람들이 임원을 하기에는 경험도 부족하지만 나이가 어려서 조합원들이 인정을 안 해줄 거야. 그러니 젊은 사람들이 예전에 노동조합 활동을 오래 했던 사람들 또는 전직 임원들을 찾아다녔어. 만나서 "임원이 되어 달라."라고 부탁을 했어. 근데 아무도 나서지를 않는 거야. 결국 제주도 7인방은 지회장 선거를 포기하고 말았어. 그리고 제주도 7인방 중에는 노력파 일원도 있어. 그들은 상기와 같은 노력파임에도 불구하고 상기를 절대 도와주지 않는 거야. 상기 입장에서는 많이 서운하겠지. 상기가 부장들을 선임하는데 애를 먹을 거야. 희봉이를 포함한 노력파 일원들은 움직이지 않을 테니깐.

나는 은식 선배의 이야기를 듣고서야, 왜 노동조합 홈페이지에서 제주도 7인방과 관련된 글이 사라졌는지 알 수 있을 것 같았다. 상기 선배가 지회장 단독후보로 나오는 것이 확

실시되기에, 글을 지운 것이다. 이제 더 이상 제주도 7인방을 비난할 필요가 없어진 것이다.

나는 또 장난기가 발동했다. 노동조합 홈페이지에 제주도 7인방 이야기를 다시 꺼내기로 했다. 그래서 또 이미지 합성을 했다. 뉴스 보도 장면이다. 외국계 뉴스 앵커가 화면을 손으로 가리키며 설명하는데, 밑에 자막에는 “제주도 7인방 출몰, 그들의 정체는?”이라고 글을 넣었다. 그리고 뉴스 앵커가 가리키는 네모난 화면에는 제주 하르방을 배경으로, 빨간 머리띠를 두른 검은 그림자 7명이 서 있다. 합성한 이미지 밑으로 글을 작성했다.

- 제주도 7인방 관련해서 글을 올리더니, 왜 갑자기 지웠소? 7인방이 지회장 선거와 관련이 있다면 우리 조합원들도 알 권리가 있소. 아는 것이 있으면 좀 알려주시오.

내가 작성한 글 밑으로, 많은 댓글이 달렸다.

- 저도 궁금합니다. 7인방은 제주도에서 무엇을 했을까요?

- 제주도 가서 소주 한잔 마시고 왔겠죠. 회사 와서 무엇을 했는지는 몰라도, 계속 지켜봅시다.

- 이거 정말 뉴스 감이네요. ㅋㄷㅋㄷ.

재섭 선배가 “내려간다.”라고 선언하고 난 후, 일주일이 지났다. 노동조합 사무실에서 빈둥거리고 있는데, 전 총무부장이었던 조운 선배가 보였다. ‘저 놈이 왜 여기 있지?’라는 의문이 들었다. ‘뭐, 단순히 볼 일이 있겠지.’ 싶었다.

그동안 열리지 않았던 집행위원회의가 열렸다. 임원중에는 사무장만 보였다. 사무장은 각 부장들을 바라보며 앞으로의 일정을 알려주었다.
- 제가 여러분을 모이시라고 한 것은 앞으로의 일정을 공유하기 위해서입니다. 다들 알다시피 지회장 후보로 상기 조합원이 단독으로 나옵니다. 지회장이 되면 우리는 일주일 정도 인수인계하고 빠지면 됩니다. 그리고 일주일간의 휴가가 부여되는데, 휴가기간 중 1박 2일 정도는 그동안 수고하신 집행위원들과 모여 휴가를 떠날 것입니다. 물 맑은 곳에 가서 고기도 구워 먹고 뱃놀이도 할 계획입니다. 그러니 그날 다들 꼭 참여해 주세요. 그전에 다 같이 식사를 할 계획입니다. 내일 점심시간, 밖에 나가서 닭백숙이나 먹읍시다. 모두 시간 내셔서 참여해 주세요.
사무장의 말이 끝나자, 고경부장인 은식 선배가 손을 들고 질문을 했다.
- 전 총무부장이 보이던데, 그 사람은 왜 여기 있습니까?
- 아. 제가 말씀 드리려고 했는데, 깜박했네요. 전 총무부장은 잠시 상근 할 계획입니다. 제가 부탁했습니다. 사무장으로써 남은 업무를 제 혼자 감당하기 힘들어, 전 총무부장의 힘을 빌리기로 했습니다.
전 총무부장 조운 선배는 예전에 노동조합 임원으로 있다 현장으로 복귀한 석두 선배 대신에 임원을 잠시 한 경험도 있다. 그리고 노동조합에 8년 정도 있었기에 노동조합 업무를 훤히 알고 있었다.

- 꼭 전 총무부장을 불렀어야 합니까?

은식 선배가 조금 화난 목소리로 물었다.

- 저도 지금까지 고생했는데, 말년에는 편해야 될 거 아닙니까?

사무장을 제외한, 그곳에 있던 모든 집행위원들은 어안이 벙벙해졌다. 조운 선배 때문에 이 지경이 되었는데, 사무장은 또 도와달라고 손을 내민 것이다. 집행위원회의는 그리 끝이 났다.

다음날 도심을 벗어나, 산골짜기에 위치한 백숙 집에 모든 집행위원들이 밥을 먹으러 갔다. 다들 한 차에 여러 명이서 타고 왔는데, 사무장은 조운 선배의 차를 타고 둘이서 왔다.

식사를 하는 동안 조운 선배는 사무장과 밥을 먹었고, 우리는 그쪽으로 고개도 돌리지 않았다. 식사를 마치고 노동조합 사무실로 돌아갈 때도 사무장은 조운 선배의 차를 타고 복귀했다.

꼴 보기 싫은 조운 선배를 또 보려니, 짜증이 났다. 난 더 이상 조운 선배에게 인사를 건네지 않았다. 은식 선배의 말로는 조운 선배도 제주도 7인방 중 한 명이라고 했다. 조운 선배는 노동조합 일이 참 재미난 모양이다. 8년간 했으면서 또 하고 싶어 제주도 7인방에 가입해서 새 집행부 선출을 도모했으니 말이다.

조운 선배는 대기업 T에 줄 서서 들어온 경우였다. 대기업은 간혹 가다 체육 특기생이나 선수들을 입사시켰다. 정확히 무슨 이유인지는 모르겠지만 과거 타 대기업의 경우, 회장이 마라톤을 좋아해서 회사 업무와 전혀 상관없는 마라톤 선수를 채용했다는 이야기를 들은 적이 있다. 과거에 회장이나 사장이 운동을 좋아해서, 혹은 회사 이미지를 좋게 보이려 운동선수를 채용한 사례는 있다. 아무튼 조운 선배는 과거 씨름 선수였다고 한다. 씨름 특기생으로 대기업 T에 입사했고, 입사하고 얼마 안 되어 노동조합이 생겼다. 그리고 운 좋게 노동조합에서 일하게 된 것이다. 노동조합 일을 계속하고 싶으면 이미지 관리에 신경 썼어야 했다. 과거 안 좋은 소문과 우리 집행부의 뒤통수를 친 일이 합쳐져 현장에서 평판이 최악이다. 들리는 소문에 의하면 상기 선배는 조운 선배를 절대 집행위원으로 기용하지 않을 것이라고 한다.

노동조합 사무실에 있으니, 현재 돌아가는 상황이나 분위기가 내 귀에 저절로 들렸다. 단독후보인 지회장은 젊은 조합원과 접촉하고 있다고 한다. 그들에게 부장의 역할을 맡기려는 것이다. 지금까지의 관례대로라면 각 업무를 해봤던, 경력자를 부장으로 기용했다. 그래야 업무가 실수 없이 돌아갈 것이기 때문이다. 하지만 희봉 선배를 비롯한 노력파 일원들이 도와주지 않으니, 새로운 인물을 모색할 수밖에 없는 것이다.

우리 집행부가 내려가고 새로운 지회장이 나오는 순간에도, 노동조합 홈페이지는 뜨거웠다. 이제는 제주도 7인방을 비방하는 글이 많이 올라왔다.
- 제주도 7인방은 뭐 하는 집단이에요? 뭐 때문에 제주도 간 거예요?
- 제주도 7인방은 왠지 어두운 분위기가 느껴져요. 도적단처럼 뭉쳐 다니며, 사고 치는 사람들 같아요.
 제주도 7인방에 조운 선배가 있다는 사실에, 나도 제주 7인방이 미워졌다. 현장으로 내려가려면 아직 시간이 남았기에, 노동조합 홈페이지를 자주 살펴보았다. 나는 댓글을 남겼다.
- 올여름 휴가 때 제주도에 놀러 갈 건데, 제주도 7 인방님들! 제주도 맛집은 어디 어디 있어요? 좀 알려주세요!
 내가 작성한 글 밑으로 댓글이 달리기 시작했다. 실제 제주 7인방인 듯하다.
- 야이, 씨발아. 제주도 맛집은 푸른색 포털 사이트에 가서 물어봐라. 제주 7인방이 한가한 줄 아나?
 나는 굴하지 않고, 또 장난 글을 올렸다.
- 제주도 7인방은 왠지 영화 "어벤저스" 느낌이 나요. 우리 조합원을 위해 싸워줄 영웅들 말이에요. 근데 어벤저스 대원들은 다들 능력이 다르잖아요? 제주 7 인방님들의 주된 능력은 뭐예요? 서로 간의 이간질?
 또다시 내가 작성한 글 밑으로 무수한 댓글이 달렸다. 하지만 나는 더 이상 확인하지 않았다. 욕일 것이라 확신했기 때문이다.
 상기 선배가 지회장 단독출마이지만, 그래도 선거운동을 했다. 높은 지지율이 나오면, 그것은 노동조합을 집행하는 동력이 될 것이다.

노동조합, 교선실에서 인터넷 서핑을 하고 있는데, "승호" 선배가 찾아왔다. 승호 선배는 내가 예전 선전차장으로 있을 때, 교육 차장으로 임명된 사람이다. 근데 교육 차장이 임명되고 나서는 노동조합 회의나 활동에 전혀 참여하지 않았다. 그래서 그 당시 선배들에게 욕을 많이 먹었다.

승호 선배가 나를 찾아와, USB를 건넸다.

- 이거 상기 형님 지회장 선거 포스터인데, 노동조합 홈페이지 게시판에 좀 올려.

- 아. 네.

눈치를 보니깐 승호 선배가 교육선전부장 자리에 앉으려나 보다. 조만간 인수인계하고 나는 휴가를 떠나면 될 것이다.

승호 선배가 나가고 나자, 부지회장이었던 곽훈 선배가 나를 찾아왔다. 나는 믹스 커피를 타서 건네주었다. 곽훈 선배는 "업무관계에 있어 오해를 풀려고 왔다."라고 했다.

- 그동안 나랑 일한다고 힘들었지? 네가 글 써서 오면 내가 빨간 펜으로 그어버리고 말이야. 근데 그건 어쩔 수가 없었어. 너보다 내가 회사를 오래 다녔고 노동조합 경험도 많잖아. 그렇기 때문에 너에게 이래라 저래라 지도한 거야. 넌 노동조합 부장 업무가 처음이잖아. 서운한 점이 있다면 마음속에서 걷어 내버려.

- 네. 괜찮습니다. 저도 형님 덕분에 많이 배웠어요. 임원이

노동조합 집행부의 “머리”라면 부장들은 집행부의 “손과 발” 이잖아요. 제가 “왜 내 글에 함부로 빨간 줄을 긋냐? 왜 이건 싣고 이건 안 되냐?”라고 반발했다면, 일주일에 한 번씩 소식지를 못 만들었을 거예요. 그리고 노동조합이 시끄러워지고 안 돌아갔겠죠. 제가 수긍했기에 필요한 순간, 제때에 소식지가 발행될 수 있었어요. 그리고 글을 수정하는 과정에서 저도 많은 것을 배우고 깨달았어요. 때문에 나쁜 감정은 없습니다.

곽훈 선배는 흡족한 미소를 지었다.

곽훈 선배는 현장으로 복귀하면 그동안 하지 못했던 취미생활을 즐길 것이라고 했다. 그 취미생활은 당연히 “사진촬영” 이다.

- 사진촬영이 취미생활로 좋은 것은 가족사진 촬영할 때야. 나 지금까지 우리 딸이 커 온 과정을 시간의 흐름에 따라 다 담았어. 물론 우리 가족전체의 모습도 보관되어 있어. 우리 가족의 역사를 제작한 것이지. 시간이 지난 지금, 그것들이 내겐 큰 보물이야. 난 가족들이랑 어디를 놀러 가든지 항상 카메라와 카메라 거치대를 챙겨. 물론 지금 핸드폰이 잘 만들어져서, 폰으로 촬영해도 되겠지. 하지만 진짜 카메라하고는 아직도 차이가 나. 내가 우리 가족들에게 지금까지 크게 잘한 것은 없지만 가족의 역사를 카메라로 담은 것은 정말

잘한 것 같아. 딸이 시집간다면, 딸과 우리 가족의 모습이 담긴 사진들을 선물로 줄 거야.

곽훈 선배는 취미생활을 이야기하며 앞으로 펼쳐질, 즐거운 본인의 미래를 상상하는 듯하다. 곽훈 선배가 마음속에 있던 가족 이야기를 하니, 나도 내 속에 있던 답답함을 토로했다

- 우리 집행부가 임기를 못 채우고 내려가는 것이 너무 아쉬워요. 힘들게 달려왔는데 말이죠.

- 그래. 나도 그 부분이 열 받아. 아침에 출근하잖아. 그럼 문체부장하고 총무부장이 보이잖아. 가서 뒤통수 세게 한 대 때리고 업무를 시작하고 싶었어. 특히 총무부장, 조운 그 새끼가 우리 뒤통수 제대로 때렸잖아.

- 그런데 상기 선배는 갑자기 왜 지회장이 되려는 거죠?

- 내년에 국회의원 선거 있잖아. 자기가 당원으로 있는 당 밀어주려고 그러겠지.

그러고 보니 6년 전, 상기 선배가 지회장이었을 때 직접 현장을 돌아다니며 정치후원금 서류에 사인을 받으러 다녔다. 그리고 현장의 조합원들에게 연말 정산에 돌려받을 수 있다고 했다. 서류에 사인은 "정치후원금으로 10만 원을 카드로 결제한다."라고 약속을 받는 것이고, 며칠 후 집행위원이 카드단말기를 들고 다니며 결제를 한다. 지회장이 "노동자를 위해 애쓰는 국회의원을 도와주자!"라고 말하며 사인을 요청하면 사인을 할 수밖에 없는 것이다. 어찌 보면 반강제적이다. 그 일로 상기 선배는 조합원들에게 욕을 먹었다. 너무

“정치적”이라며 지적을 받은 것이다. 주변의 조합원들에게 욕까지 먹으며 당이나 국회의원을 밀어주려는 모습을 보면, “그럴 수도 있겠다.”라는 생각이 들었다.

곽훈 선배는 주변을 살피며 본인의 가설을 이야기해 주었다.

- 상기가 단독 출마니깐, 분명히 지회장이 되겠지. 그리고 지금 젊은 사람들과 많이 접촉하고 있잖아. 부장 시키려고. 내 예상이지만 올해 단체교섭에서 상기는 세게 나갈 거야. 올해의 중요 과제는 뭐야? 통상임금하고 정년연장이잖아. 강하게 행동해서 본인이 업무방해죄로 구속되어도, 상기는 큰 지장이 없어. 만약 감옥에 간다면 지회장 신분이기에, 조합비로 월급을 따박따박 받지. 그리고 업무방해나 뭐 이런 죄목으로 험한 교도소로 가지도 않아. 정년도 몇 년 안 남아겠다. 감옥 가서 2년, 3년 있다 출소하면 바로 퇴직이야. 본인이야 손해 볼 거 전혀 없지. 감옥에 있으니 답답할 것이라고? 과거, 지회장이 감옥에 간 사례를 보면, 조합원들이 한 달에 1명씩 면회를 갔었어. 상기 자식들은 다 커서, 군대가 있고 대학졸업반이야. 자식들 신경 쓸 것도 없지. 조합원을 위해 일하다 감옥에 갔으니 “영웅”이라 칭송받으며 지내는 거야. 그러면서 밑에 따까리들 시켜서 국회위원 지원해 주라고 할 것이고. 그럼 국회의원은 또 나서서 “상기 빨리 내보내라. 잘못 없다.”며 지방 정부를 상대로 싸우며 촉구하겠지. 그래서 상기가 조기 출소하고. 상기는 아무 피해가 없는 것

이야. 어때? 내 상상 속 시나리오.
- 에이. 설마 진짜 그리 될까요?
- 하하. 물론 내 상상이지. 그리될 확률은 현저히 낮아. 하지만 사람 일이라는 것이, 미래는 아무도 모르잖아. 그럴 희박한 가능성도 있다는 것이지. 만약 내 시나리오대로 된다면 가장 힘들어지고 피해 보는 것은 남은 집행위원들과 조합원들이지. 특히 그중에서도 젊은 부장들이지. 어찌 보면 상기 총알받이로 전락할 수도 있어. 젊은 친구들은 정신적으로 힘들어질 거야.

재미난 상상이며, 최악의 시나리오였다. 이야기를 하는 우리는 웃고 말았다. 하지만 한편으로 이런 상상도 해보았다. 상기 선배가 정년이 얼마 안 남아, 본인의 이익만을 추구하는 사람이라면? 최악의 시나리오가 현실이 될 수도 있을 것이다. 예전에 내가 처음 입사 했을 때, 상기 선배를 만나 이야기를 나눈 적이 있다. 당시 상기 선배는 신입사원들을 보며 한탄했다.
- 너희들은 정년퇴직 못 할 거야. 그때 되면 용접 같은 것은 다 외주업체가 할거야. 그리고 너희들, 대다수는 회사를 떠나게 될 것이고, 몇 명이 남아서 협력업체직원들 관리나 하겠지. 지금 있을 때, 돈 많이 벌어 놓아. 노후 대비 단디해라.

입사한 지 얼마 되지도 않은 사람입장에서는 열불 나는 소리다. 불안한 미래를 기정사실화하여 말하니 말이다. 게다가 상기 선배가 조합원을 위해 일하는 노동조합 간부라는 사실에 한 번 더 충격을 받았다. 이런 정신 상태를 지닌 사람이 노동조합 간부라니.......

설령 미래가 불안하더라도 노동조합간부라면, 암울한 미래를 바꿀 청사진을 생각하고 대비해야 할 것이다. 미래는 어찌 될지 모른다. 훗날 상기 선배의 아들이나 친척이 이 회사에 입사하거나 관련된 일을 할 수도 있는 것이다. 본인이 정년퇴직할 때까지만 회사가 무사하면 된다는 사고방식에, 기가 찬다.

아무튼 이런 정신 상태를 가진 사람이 지회장이라니, 불안하다. 그럼에도 불구하고 젊은 조합원들은 환호성을 불렀다. 그동안 신임금체계도입 반대에 목소리를 내었고, 젊은 사람들의 입장을 대변해 주었기 때문이다.

지회장 선거를 했다. 90%의 찬성으로 상기 선배가 지회장이 되었다. 나의 예상대로 승호 선배가 교육선전부장이 되었다. 나는 인수인계를 깔끔히 해주었다. 그리고 궁금한 것이 있다면 언제든 연락하라고 했다.

휴가 중 1박 2일로, 같이 노동조합에서 근무했던 동료들과 휴가를 떠났다. 때마침 더운 여름이었다. 지리산 근처로 가, 리프팅을 하며 재미나게 놀았다. 조운 선배와 천욱 선배는 당연히 동참하지 못했다. 정말 단합이 잘되었고 즐거웠다. 우리의 집행부 생활도 이 두 사람이 없었다면, 더 잘 굴러가지 않았을까? 하는 아쉬움이 들었다.

휴가를 즐기고 있던 중에 용득 반장에게서 전화가 걸려왔다.

- 야, 너 이제 현장에 복귀하잖아. 토요일 날 특근해야지? 특근하면 20만 원 정도 벌 거 아니야? 내가 너를 아껴서, 전화 안 해도 될 것을 이렇게 전화한다. 특근 올린다?

- 아. 네. 감사합니다. 올려주세요.

그냥 물어보면 될 것을, 온갖 생색을 다 내었다. 그리고 보니 공장을 옮기질 못했다. 노동조합간부를 이용해, 좀 더 편한 곳으로 가고 싶었는데 말이다. 재섭 선배가 갑자기 내려오는 바람에 아무것도 하지 못했다. 다시 더운 여름날에 마스크, 용접 두건, 용접장갑, 용접재킷 착용하고 용접할 것을 생각하니 벌써 호흡이 힘들다.

현장조직위원

노동조합 업무는 다이내믹하다. 갑자기 회사 밖, 집회나 거리투쟁에 참여하기도 한다. 그리고 회사 내에서 관리자들과의 협약이 틀어지거나 지켜지지 않으면, 가서 따지고 화를 내기도 한다. 현장에서의 작업처럼 반복되는 일이 아니기에, 어쩔 때는 신바람이 나기도 한다. 이제 현장에 복귀했으니 머리 박고 용접과 그라인더 작업만 해야 할 것이다.

노동조합의 다이내믹한 업무가 가끔 그립기도 하지만 대의원의 따가운 시선이 싫다. 또한 도깨비 방망이를 쥐고 있는 것 마냥, 바라보는 조합원의 기대치도 부담스럽다. 이런 것들을 생각하면 현장이 좋을 것 같다. 어찌 되었든 그 다이내믹한 노동조합 업무를 제대로 마무리하지 못하고 중간에 내려오니, 나 스스로가 패잔병이 된 것처럼 느껴졌다. 기분이 조금 서글펐다.

이제 그런 우울한 기분을 털어내고 다시 힘을 내서 생산에 매진해야 할 것이다. 회사에 출근하여 일을 하다, 쉬는 시간에 반샵에 갔다. 그라인더를 너무 심하게 해서 옷이 너무 더러워진 것이다. 그래서 옷을 갈아입기 위해, 캐비닛이 있는 반샵에 간 것이다. 반샵에는 다른 작업장 선배가 앉아 있었다. 선배가 내게 말을 걸었다.

- 너 현장조직위원 안 했더라. 너 노동조합에 상근 한다고, 네 차례가 그냥 지나가 버렸어. 그러니깐 이번에 네가 현장조직위원 해야 돼. 노동조합 간부였으니 잘하겠네. 할 거지? 이름 올린다.

- 제 차례면 해야죠.

그리하여 현장으로 내려온 지 얼마 되지 않아, 현장조직위원이 되었다.

현장조직위원의 주 역할은 반원들에게 정보제공이다. 금요일 오전, 쉬는 시간에 개최하는 현장조직위원회의에 참석한다. 이 회의는 대의원들이 주체가 되어, 노동조합이 추천하는 일과 성과, 현장의 소소한 소식들을 현장조직위원들에게 전해주었다. 그럼 현장조직위원들은 주요 내용을 메모하고, 그것을 본인이 속한 반, 아침조회 시간에 발표하며 알려주는 것이다.

현장조직위원을 하려는데, 꺼림칙한 것이 있다. 대의원들이 상기 선배의 말을 잘 듣는 따가리 출신이라는 것이다. 내가 노동조합 부장으로 있을 때, 상기 선배의 따까리들과 불화가 많았기에 편치 않은 것이다.

금요일 오전 10시, 작업장에서의 일을 마치고 회의에 참석하기 위해 공장 내 간부 회의실로 갔다. 첫 현장조직위원회의라 차례대로 자기소개 시간을 가졌다. 자기소개 이후 "서로 힘을 보태 열심히 해보자!"라고 의기투합했다.

우리 공장은 조합원 인원이 100여 명이다. 조합원 50명당, 대의원이 1명이 선출되므로 우리 공장의 대의원은 2명이다. 대의원 중에 "정욱"이란 녀석이 있는데, 성격이 다혈질이다. 덩치도 큰 데다가 인상도 사나워서, 화를 내면 겁이 난다.

며칠 전, 정년이 얼마 남지 않은 선배가 내게 정욱과 관련된 이야기를 하며, 하소연을 한 것이 생각난다.

- 내가 정년이 몇 개월 안 남았잖아. 내 아는 친구가 편한 부서에서 일하고 있는데, 나를 추전 하더라고. 이곳으로 일하러 오라고 말이야. 그래서 나는 우리 부서에서 나를 놓아주면 갈 수 있었어. 근데 정욱 대의원, 이놈이 반대하는 거야. "형님이 편한 곳으로 가면 다른 조합원들도 편한 곳으로 가려고 시도할 겁니다. 그리되면 우리 공장은 누가 지킵니까? 형님, 이제 퇴직도 얼마 안 남았으니, 그냥 여기 계세요."라고 말하더라. 원래 계획대로라면 나이로 밀어붙이려고 했는데, 그놈의 인상 쓰는 거 보니깐 겁이 덜컥 나더라. 그래서 아무 말도 하지 못하고 나와 버렸어. 몇 개월만 참으면 되니깐 별 상관은 없는데, 괜스레 열받아.

큰 덩치와 더러운 인상 때문에 아무도 정욱에게 함부로 대하질 못했다.

금요일마다 하는 현장조직위원회의에 참석했다. 예전 노동조합에 있을 때, 대의원들에게 많은 부분을 지적당하고 질타도 받았다. 그런 지적과 질타를 받으며 나 자신도 그 부분을 배웠다.

우리 공장의 대의원들이 활동하는 것을 보니, 미흡한 부분이 몇 가지 있었다. 대의원과 현장조직위원 조직이 다 완성되었는데도 조직도가 작성되지 않았고, 추석 전날에 반을 돌며 조합원들에게 인사도 하지 않았다. 나는 대의원들을 싫어하는 마음 없이, 그저 미흡한 부분을 지적하기로 했다. 그래야 발전이 있을 것이기 때문이다. 지적하기 전에 정욱 대의원이 마음에 걸렸다.

대의원들의 노동조합과 관련된 이야기를 듣고 안건토의에 들어갔다. 나는 손을 들어, 발언을 했다.

- 우리 간부님들이 조합원들을 위해 정말 열심히 일하고 있는 모습들이 보기 좋습니다. 근데 아쉬운 부분이 있어, 몇 가지 말씀드리겠습니다. 우선 각 반의 현장조직위원들이 다 조직되었고, 3주라는 시간이 흘렀습니다. 그런데도 아직 조직도가 없습니다. 빨리 조직도를 만들어서 각 반에 배부해야 되잖아요. 다른 조합원들이 어떻게 생각할까요? 사람들은 본인이 보고 싶어 하는 것만 보며 판단할 수도 있습니다. 조직도의 부재로 대의원들의 활동에 의심을 품을 수 있다는 말입니다.

정욱이 대답했다.

- 조직도는 조만간 완성될 겁니다. 현재, 신입사원을 기다리고 있습니다. 다음 주면 신입사원이 입사해서, 각 반에 배치될 겁니다. 그때 각 반의 조직도를 완성할 겁니다.
- 아니지요. 지금 만들고, 신입사원이 오면 또 만들어야죠.
- 그럼 일을 두 번 해란 말입니까? 어차피 할 거, 신입사원 들어왔을 때 한꺼번에 하면 우리가 편하잖아요.

정욱의 언성이 높아졌다. 나는 아랑곳하지 않고 다른 이야기를 했다.
- 이야기할 것이 더 있습니다. 며칠 전에 추석이 있었잖아요. 그때 보니깐 사무실의 부장, 차장, 대리, 직장들이 각 반을 돌며 "추석 잘 다녀오세요."라며 인사를 하던데, 우리 현장간부들은 보이질 않더라고요. 어찌 된 겁니까?
- 그때는 다들 개인 사정이 있었습니다. 조퇴한 사람, 연•월차를 사용한 사람도 있었습니다. 개인사정으로 못했습니다.
- 그럼 그 전날, 현장간부들이 모여서 각 반을 돌며, 인사하면 되잖아요. 조합원들이 색안경을 끼고 오해할.......
정욱이 내 말을 잘랐다.
- 아이, 씨발, 거참. 되게 성가시게구네. 사람이 어떻게 완벽하게 합니까? 일하다 보면 놓칠 수도 있는 거 아니요? 이야기 들어보니 지금 꼬투리 계속 잡고 흠집 내려고 그러는 것 같은데, 왜 그러는 거요?
정욱이 눈을 부라리며 언성을 높였다. 나는 침착하게 말했다.
- 욕 하지 말고. 화내지 말고, 침착해라. 내가 싫어서 그러는 거 아니라 잘해보자고 말하는 거잖아.
나보다 나이가 어린 정욱, 이 녀석이 말을 놓았다.
- 지금 꼬투리 잡는 게 아니면 뭔데? 지금 뭐 하자는 거야?
그때 정년퇴직이 1년 남은, 최고령 현장조직위원이 화를 내며 중재했다.

- 그만해. 둘 다 입 다물어. 회의는 이것으로 끝내. 다들 마음 추스르고 다음에 회의하자. 오늘은 이것으로 끝.

나는 할 말이 더 있었지만 하지 못했다. 회의장소인 간부실의 분위기가 어수선해졌다. 그렇게 현장조직위원회의가 끝났고, 모든 현장조직위원들은 본인의 작업장으로 돌아갔다.

일주일이 지나, 금요일이 되었다. 다시 현장조직위원회의에 참석했다. 회의를 기다리고 있는데, 정욱 대의원이 다가왔다.

- 형님, 이거 올해 퇴직하는 선배님들 명단이에요. 한번 보세요.

뭐지? 시키지도 않았는데, 공장에 일하는 조합원들의 태어난 년도와 정년퇴직 날짜가 기록된 서류를 나에게 건네는 것이다. 같은 공장에서 나와 마찰 일으키기 싫어, 내게 호의를 베푸는가보다. 나도 그전에 있었던 감정을 지워버리기로 했다.

이번 현장조직위원회의에서 도비들의 문제가 큰 이슈였다. 며칠 전, 도비들이 용접작업이 끝난 중량물을 옮기다가 땅에 떨어트린 것이다. 대의원들은 교육도 제대로 안되고, 나이 많은 선배들에게 도비 일을 맡긴 사무실을 비난했다.

- 지금 사무실은 아무 생각이 없는 것 같아요. 사람만 집어넣으면 다 되는 줄 알아요. 현재 도비들이 모여 있는 공정지원반에는 대부분이 정년이 얼마 남지 않은 선배들이에요. 사무실이 그쪽으로 다 몰아넣은 거예요. 그렇다면 제대로 된, 중량물 취급 교육이라도 시켜야 될 텐데, 그런 것도 없어요.

그러니깐 계속 사고가 나죠. 며칠 전에 도비들이 중량물 옮기다가 떨어뜨린 거 아시죠? 만약 그 밑에 누가 작업하고 있었다면, 어찌 되었을까요? 상상만 해도 끔찍합니다. 그에 대한 대책이 하나도 없어요. 사무실은 완전 막무가내식이에요.

현장의 간부들이 사무실을 상대로 중량물 취급과 관련된 좋은 방법들을 강구할 것을 강력히 주장했다. 방법이 없으면 중량물을 취급하는 강사를 불러, 교육 실시를 제안하기도 했다. 그리해도 관리직들은 “알았다.”라는 대답만 하며 시간을 끌 뿐이었다.

간부실에 앉아있던 각 현장조직위원들이 한 마디씩 본인의 생각을 말했다. 나도 한마디 했다.

- 지금까지 사측의 행태를 보면 깔끔한 방법 제시는 없었어요. 단지 시간만 끌다 본인의 자리가 바뀌면 “끝”이니깐요. 사측을 상대로 “대자보”를 작성합시다. 대자보에 사측의 시간끌기식 해결방법을 강력히 질타합시다. 대자보를 작성하면 다른 공장사람들 보기에도 좋잖아요. 우리 공장 내 대의원들과 현장조직위원들이 “이렇게 열심히 일하고 있다.”라는 것을 홍보하는 것도 되잖아요. 여러 가지로 좋은 것 같아요.

정욱이가 “좋은 생각”이라며 반겼다. 그러면서 나에게 부탁했다.

- 대자보 좋네요. 그럼 형님이 대신 적어주세요. 예전에 노동조합에서 글 많이 썼잖아요. 형님만 믿을게요.

- 뭐?

순간 할 말을 잊어버렸다. 공장 내 사안을 대자보로 작성할 때 보통 대의원들이 작성을 하는데, 현장조직위원인 나보고 적으라니 당황스러운 것이다. 여러 현장조직위원들의 시선이 나에게로 향했다.

- 네. 한번 적어보겠습니다.

어쩔 수 없이 내가 적기로 했다.

현장조직위원회의가 끝나고 작업실로 돌아갔다. 일을 하면서도 대자보가 생각났다. 대자보를 적었는데, '대의원들이 마음에 들어 하지 않으면 어쩌지?'라는 불안감과 걱정이 들었다. 쉬는 시간, 걱정을 잠시 접어두고 대자보에 집중하기로 했다.

대자보는 크게 3개의 단락으로 나누었다. 첫 번째 단락은 현장에서 열심히 일하는 조합원들의 모습과 그에 비해 덜 열정적인 관리직들의 모습을 묘사했다. 첫 번째 단락 말미에는 현장직에 비해 생산에 노력하지 않는 관리직들의 행태를 비판했다. 두 번째 단락은 관리직들의 문제점을 더 조명했다. 특히 현장조직위원회의 때 거론되었던 도비들의 관리 문제와 그로 인한 사고를 집중적으로 이야기했다. 두 번째 단락 끝에는 관리직들의 시간끌기식 문제해결과 결여된 책임의식을 비판했다. 세 번째 단락은 공장 내, 조합원들에게 당부하는 글을 적었다. 현장에서 생산을 위해 매진하는 조합원들의 노고를 칭찬하며, 안전사고에 항상 대비하여 조심할 것을 당부했다. 그리고 우리 현장의 간부들은 조합원들의 선두에서 서서, 사측과 싸울 것이라고 했다. 그러니 많은 기대와 관심, 성원을 부탁드린다고 했다. 첫 번째와 두 번째 단락은 반말이고 세 번째인 조합원들에게 당부하는 글은 높임말로 적었다.

정욱에게 부탁받은 반나절 만에 다 완성했다. 그리고 다음 날, 아침 현장조직위원 단체 톡에 나의 대자보 글을 올렸다. 몹시 걱정되고 불안해졌다. 대의원들이나 현장조직위원들이 실망하면 어쩌지? 잠시 후, 다행히도 "수고했다."라는 글이 올라왔다. 그리고 뒤를 이어 칭찬도 쏟아졌다.

- 역시 전직 교육선전부장이네.

- 잘 적었네요. 우리가 해야 할 말들이네요.

천만다행이었다.

나는 내가 적은 대자보를 USB에 담아, 대의원들에게 건넸다. 정욱이 고마워하며 말했다.

- 형님, 고맙습니다. 저는 사측과 싸우라고 하면 잘 싸울 자신이 있는데, 이런 글 적으라고 하면 난감합니다. 형님 덕분에 일을 수월하게 하네요.

대의원들이 만족해하니, 나도 기분이 좋았다. 이틀 뒤, 대자보가 각 식당과 공장의 출입문에 붙여졌다. 대자보를 읽어보니 두 번째 단락이 약간 수정되었다. 관리직들을 조롱하는 내용이 추가되었다.

- 중량물을 취급하는 도비들 관리문제 해결되지 않으면, 사무실에서 내려와 천장 크레인 리모컨을 잡아라.

작업장, 쉬는 시간에 쉬고 있었다. 정욱 대의원이 음료를 들고 왔다. 나에게 건네주며 “도와준 감사의 표시”라고 했다. 음료를 건네주고는 바로 나의 작업장을 빠져나갔다.

내가 작성한 대자보 덕분에 정욱 대의원과 서먹했던 관계가 조금 나아졌다. 이제 만나면 인사를 나누는 정도의 사이가 된 것이다. 그리해도 서로 간의 대한 경계는 조금 남아 있는 듯하다.

어느 멍청한 대의원의 치기

노동조합은 조합원들의 복지차원에서 책을 대여해주기도 한다. 나는 노동조합 도서관을 자주 애용한다. 자기 개발서나 경제서적, 추리소설 등을 빌려 쉬는 시간에 보곤 한다. 여느 때와 마찬가지로 노동조합에 책을 빌리러 갔다가 현민이를 만났다.

현민이는 나보다 4살 어린 동생으로, 노사협력팀에서 대리로 일하고 있다. 이 친구는 내가 과거 노동조합 집행위원으로 있을 때 알게 된 동생이다. 부동산이나 코인, 경매 등에 많은 지식을 가지고 있고, 나에게도 도움되는 많은 정보를 알려주었다. 직장에 얽매이지 않고 혼자 힘으로 파이어족을 꿈꾸는 그를 보면 어린 나이에도 불구하고 참 대단하다는 생각이 들 정도다. 또한 노동소득에 의존하지 않고 다른 경로나 방법을 모색하여 돈을 불리고 노후를 대비하고 준비하는 모습을 보니 참 똑똑하고 근면성실하다. 나도 현민 대리와 이야기를 나누다 보면 많이 배우고 깨닫는 것 같다. 그날도 노동조합에서 만나 경제나 부동산 이야기를 하다 사이좋게 헤어졌다.

몇 주가 지나, 노동조합 홈페이지에 희한한 글이 올라왔다.

- 단체교섭을 앞둔 이 위중한 시기에 왜 모 대의원은 사무실 직원에게 물리적 행사를 가해 잡음을 만듭니까?

내용을 읽어보니 어떤 대의원이 사무실 직원의 몸에 손을 댄 것 같다. 대의원 중, 특히 젊거나 다혈질인 대의원들이 간혹 문제를 일으키곤 했다. 어떤 젊은 대의원은 노사협력팀 대리에게 담배심부름을 시키는 일도 있었고, 다혈질인 대의원은 술이 되어 늦은 밤 각 공장의 팀장들에게 전화를 걸기도 했다. 또 어떤 대의원은 단체교섭기간에 나이 많은 사무실 부장에게 막말을 했다. 다행히 그 대의원이 사과하고 잘 마무리되었다. 사소한 일이라 별 일 없이 넘어갔지만 납득할 수 없는 일들이다. 왜 이런 일이 발생하는 것일까? 처음 해보는 일이라 의욕이 앞설 수도 있고 선배들이 사측에게 강경하게 대응하는 모습을 요구하는 점도 작용할 것이다. 선배들 말로는 7, 80년대에 사무실 직원들에게 괄시당하고 간혹 얻어맞는 일도 있었다고 했다. 그런 아픈 기억 때문일까? 나이 많은 선배들은 노동자의 강경한 모습을 요구했다. 젊은 대의원들이 수많은 조합원들의 앞자리에서, 리더로서 용기 내는 모습은 보기 좋지만 그 의욕이 앞선다면 큰 화를 부를 수도 있는 것이다.

이번에도 비슷한 일이 발생한 것 같다. '누구에게 물어볼까?'를 생각하다 책도 빌릴 겸 노동조합에 가서 물어보기로 했다. 나도 이제는 회사생활 한지도 10년이 다 되어가고 노동조합활동도 했기에, 노동조합집행위원 중에 아는 얼굴이 많았다. 노동조합에 가서 노안부에 들어갔다. 아는 동생이 노안차장으로 근무하고 있었다. 나는 노동조합 홈페이지에 올라온 글을 언급하며 어찌 된 상황인지 물었다. 노안차장은 있었던 사실을 내게 상세히 말해주었다.

우리 회사는 다른 지역에도 공장이 있다. 노동조합은 대의원들 포함 전체간부들 위주로 타 지역 공장으로 갔다. 그곳에서 조합원들의 이야기도 듣고 잠시 집회를 할 예정이었다. 사건은 집회 과정에서 발생했다.

"광조"라는 대의원이 집회 도중에 대오를 이탈해 사무직원에게 다가갔다. 이때 사무직원은 노사협력팀의 현민이었다. 노사협력팀에서 말단 직원인 현민이는 노동조합을 따라다니며 사건사고가 없는지 살피고, 노동조합에 있었던 일들을 상사에게 상세하게 보고하는 일을 했다. 그날도 먼발치에서 노동조합의 활동을 지켜보고 있었던 것이다. 광조 대의원은 다짜고짜 현민 대리에게 다가가 시비를 걸었다.

- 씨발 새끼야. 너는 노동조합이 우습냐? 이 더운 날 우리는 팔뚝질하며 집회하는데. 감히 짝다리 짚고 거드름을 펴?

광조 대의원은 암바를 걸 듯이 현민 대리 목에 팔을 감아 잡아당겼다. 당연히 현민 대리는 허리가 접히고 목이 꺾였다. 광조 대의원은 그것도 모자라 다른 한 손으로 딱밤을 여러 대 날렸다. 현민 대리는 그 고통의 과정 속에서 술 냄새를 맡았다. 현민이는 고통으로 "하지 마라."라고 고성을 질렀지만 광조 대의원의 물리적 압박은 계속되었다. 현민 대리의 고성을 듣고 달려온 여러 간부들이 둘의 사이를 떼어놓았다.

그날 일은 그렇게 일단락되는 듯했으나 그리되지 못했다. 현민 대리는 그동안 노동조합을 드나들며 광조 대의원의 말을 잘 따랐다. 본인보다 나이도 2살 많기에 '형님'이라 부르며 광조 대의원의 부탁도 잘 들어준 터였다. 근데 이런 일을 겪으니 배신감과 함께 큰 분노가 들끓었다. 게다가 여러 사람들이 보는 앞에서 그런 창피를 당했으니 실망과 화는 말로써 형용할 수 없을 것이다. 현민 대리는 광조 대의원을 상대로 고소를 했다.

노안차장은 '지금 고소를 한 상황'이라고 말했다. 이야기를 듣고 현장으로 돌아오는 길에 답답함을 느꼈다. 성실하고 착한 현민 대리가 그런 일을 당했다고 들으니 나도 화가 치밀어 올랐다. 그 광조 대의원은 예전부터 술을 좋아라 했고 자주 마셨다. 그리고 술을 먹고 선배들에게 막말을 하기도 했고 만만한 사람을 상대로 주먹을 휘두른 적도 있었다. 그런 그의 과거를 떠올린다면 충분히 그런 행동을 하고도 남을 사람이다.

혹시나 하는 마음에 현민 대리에게 전화를 걸었다. 괜히 고소 건 이야기를 하면 내가 남의 싸움에 구경이나 하는 가벼운 사람으로 보일까, 먼저 말하지 않았다. 안부를 물으며 그동안 어찌 지냈는지, 현 부동산 시장은 어떠한지를 물었다. 현민 대리는 짧게 답하며, 내가 원하는 "고소 건" 이야기를 하기 시작했다. 본인이 겪은 것을 이야기하며 분노를 터뜨렸다.

- 정말 가만두지 않을 거예요. 나를 얼마나 우습게 봤으면. 경찰서에 가니깐 크게 다친 거 아니면 별거 아니니 고소하지 말라는, 되지도 않는 소리만 하더라구요. 그래서 변호사한테 상담비 주고 자문을 구했어요. 변호사 말대로 공장에 있던 CCTV확보해서 증거물로 제출하고 고소했어요. 변호사 말로는 충분히 고소가능하고 잘하면 감방에 갈 수도 있다네요.

현민 대리의 이야기를 들으니 정말 화가 많이 난 것을 느낄 수 있었다. 화를 잘 내지 않던 현민 대리의 모습이 되게 낯설다. 화가 난 현민 대리를 위로해주고 싶다. 무슨 말을 해줄까?

- 응원할게. 힘내.

이 말을 끝으로 전화통화를 마쳤다.

현장에서 일하고 쉬는 시간 휴게실에서 선배들과 자판기 커피를 마셨다. 이야기를 하다 보니 "광조 대의원 고소 건"이야기가 나왔다. 그를 옹호하는 사람이 더러 있었다.

- 광조를 고소한 새끼. 그거 아주 나쁜 놈이야. 장난 식으로 팔로 목 조금 감싸고 흔들었다고 고소를 했어. 지가 잘못한 것도 모르고 말이야.

그 말에 나는 되물었다.

- 그 친구가 뭘 잘못했는데요?

- 그 새끼가 노동조합 집회하는 곳 조금 떨어진 데어서 노동

조합 간부들이 팔뚝질하는 거 보고 짝다리 짚은 상태로 웃고 삿대질을 했어.
- 실제로 봤어요?
선배는 오히려 내게 화를 냈다.
- 광조가 왜 거짓말을 하겠어? 아무도 제지를 안 하니깐 참다못한 광조가 나선 거 아니야!
나는 이야기 중에 그날 광조 대의원에게서 술 냄새가 났다는 것을 언급했다. 하지만 아무도 내 말을 들으려고 하지 않았다. 다들 '뭐 하는 거야?'라는 눈빛으로 나를 쳐다봤다.
현장에 나돌고 있는 소문을 들으니 광조 대의원이 그와 친한 사람들과 목소리 큰 사람들을 찾아가 자신의 입장을 이야기하고 설득시키고 있는 것 같다. 알아보니 실제로 광조 대의원과 그와 뜻을 같이하는 무리들이 현장을 돌아다니며 광조 대의원에게 유리한 쪽으로 소문을 퍼뜨리고 있었다. 그 영향으로 현장에 몇 명 사람들은 '광조 대의원이 결단력 있고 불의를 보면 못 참는 정의의 사도'라고 여기고 있었다. 그의 행동을 칭찬하고 있었다. 하지만 광조 대의원의 행실을 아는 주변의 사람들은 그런 헛소문을 믿지 않았다.
현장의 의견은 분분했다. 나는 노동조합 간부활동을 해봤고 20대 비정규직 신분으로 관리직에게 무시 받거나 필요 이상의 작업지시를 받기도 했다. 그리고 노동자 신분이다. 팔뚝이 안으로 굽는다고 노동자, 광조 대의원 편을 들고 싶지만 이건 아니다. 노동자, 관리자 신분과는 별개로 인간 대 인간으로 대하지 않았고, 하지 말아야 할 짓을 했다.
현 상황을 지켜보니 노동조합은 중립을 지키고 있었다. 집회 도중에 일어난 일이기는 하나 '개인과 개인 사이에 일어난 문제'라는 주장이다. 하지만 광조 대의원과 그의 무리들은 노동조합이 나서기를 강요했다. 이것은 노동조합이 주체인 집회 때 일어난 일이며 노동조합을 무시하는 노사협력팀 직원에게 일침을 가한 행동이기에 당연히 노동조합이 나서서 원만하게 해결시켜 주기를 원했다. 노동조합은 노사협력팀의 일개 직원이 조합을 무시하는 짓은 일어날 수 없는 일이며, 그 직원은 본인이 해야 할 일을 했다는 입장이었다.
광조 대의원과 그의 무리들은 현장 여론을 조성하더니 급기야 노사협력팀까지 쳐들어갔다. 여러 명이 우르르 몰려가 팀장과의 면담을 요청했다. 여러 명이 왔기에 위협을 느낄 수도 있지만 노사협력팀장은 침착했다. 회의실에 들어가 커피를 대접하며 광조 대의원 및 여러 대의원들의 이야기를 묵묵히 들어주었다. 이야기를 다 듣고 노사협력팀장은 답했다.
- 이야기 잘 들었습니다. 하지만 이야기라는 것이 한쪽 이야기만 듣고 옳다고 단정 지을 수 없습니다. 그리고 지금 이 상황에서 제가 이래라저래라 할 수도 없는 입장입니다. 현민 대리가 겪은 일이고 본인의 판단 하에 움직이겠죠. 아무튼 참고는 하겠습니다.
노사협력팀장과의 면담은 그리 일단락되었다. 솔직히 이 일은 팀장이 제일 먼저 알고 있었다. 현민 대리가 가장 먼저 보고했기 때문이다. 앞에 언급했듯이 팀장이라고 함부로 이래라저래라 할 수 없는 것이다. 내가 공장에서 10년 넘게 일하면서 느낀 것이 있는데, 높은 위치에 있는 사람들은 '현상유지'를 선호한다는 것이다. 현장의 반장도 그랬고 노사협력팀장도 그랬다. 현민 대리를 조용히 불러 더 이상 잡음 생기지 않게 적당히 마무리해라고 주문했다. 나와의 전화통화에서 현민 대리는 '미칠 노릇'이라고 했다. 팀장부터 차장 및 선배들이 조용히 마무리할 것을 요구한 것이다.

- 본인이 겪은 일 아니라고 다들 쉽게 생각하네요. 지금 이런 생활자체가 스트레스로 다가와요. 반대로 후배들은 저를 응원하고 있어요. 제가 이렇게 쉽게 마무리 짓는다면 또다시 이런 일들이 발생할 수도 있고, 그 피해자가 후배 자신이 될 수도 있으니깐요. 그런 후배들에게 부끄럽지 않은 당당한 선배가 되고 싶습니다. 저는 제 길 그대로 가겠습니다.

나는 현민 대리의 이야기를 듣고 독려했다. '멋지고 용기있는 행동'이라며 그를 칭찬해 주었다.

나는 앞으로의 계획을 물었다. 현민 대리는 역시 현명했다.

- 지금부터 3개월간 병가휴가를 쓸 거예요. 그리고 정말 정신적으로 힘들어요. '여기저기서 고소 취하해라.'라고 전화오고 찾아오는 사람들 때문에요. 현장 선배 및 사무실 선배들까지 한 마디씩 거들어요. 그래서 핸드폰 끄고 3개월 정도 쉴 거예요.

현민 대리 말이 맞다. 지금이야 고소 취하해라고 여러 군데에서 전화 오겠지만 한 달만 지나도 부푼 거품처럼 사그라질 것이다. 그리고 3개월 정도 회사를 나오지 않으면 주변사람들의 시선과 생각도 바뀔 것이다. 저 친구 정말 힘들구나. 저 친구 정말 상처 많이 받았구나. 현민 대리를 측은하게 여기고 그날 있었던 진실도 파헤쳐질 것이다. 그리된다면 더 이상 현민 대리를 힘들게 하고 괴롭히는 것들은 사라질 것이다.

노동조합 홈페이지도 난리가 났다. 광조와 그의 무리들이 올린 글 같다. '노동조합과 사측이 한패'라며 싸잡아 욕을 하고 비난했다. 그리고 광조 대의원은 노동조합이 해야 할 일을 대신한 영웅으로 칭송했다. 건방진 노사협력팀 직원을 참교육시킨 강경한 노동조합 대의원으로 말이다. 반대 글도 올라왔다. '소설 쓰지 말라.'며 죄를 달게 받으라는 글도 올라왔고 어찌 되었든 폭력은 정당화될 수 없는 의견도 올라왔다.

답답한 마음과 현민 대리를 응원해 주고 싶은 마음에 나도 노동조합 홈페이지에 글을 올렸다. "바꿔야 산다."라는 제목으로 글을 올렸다.

- 최근에 일어난 폭력사태에 정말 유감이다. 얼마 되지 않은, 예전에도 비슷한 폭력 관련 사건사고가 발생했는데, 또 발생한

것에 대해 분노를 넘어 비통하다.

어떤 동기와 이유를 불문하고 폭력은 정당화될 수 없다. 폭력 사태와 관련해 다시는 이런 일이 발생하지 않기를 바라는 간절한 마음으로 몇 자 적어보고 싶다.

신성한 집회 시간에 사측 매니저가 짝다리나 볼썽사나운 모습을 하고 있다면, 가장 먼저 해야 할 일은 “왜 그런지?” 물어보는 것이다. 손이 먼저 나갈 것이 아니라. 몸이 불편해서, 좀이 쑤셔서, 아픈 곳이 있어 그럴 행동을 보일 가능성도 있다.

만약에 지회를 무시해서 그런 행동을 했다면 구두 경고하고 지회를 통한 “절차”를 밟아야 했다. 단체교섭이라는 이 중요한 시기에, 본인의 판단으로 큰 화를 부를 것이 아니란 말이다. 지회를 왜 간과했는지 묻고 싶다. 지회가 못 미더웠던 것일까? 그리해도 지회를 거쳐야 했다. 혼자서 해결할 거였으면 지회장 선거를 뭐 하러 할 것인가? 그냥 대의원만 뽑고 말지. 조합비는 왜 내겠는가? 지회 집행위원들을 대동해서 본관에 찾아가 항의하던지, 그보다 높은 직급의 관리자를 찾아가 따질 수도 있었다. 왜 지회를 통하지 않고 본인의 판단에 따라 행동했는지 의아하다. 대의원이 되면 구타 면허증이나 폭력 면죄부라는 옵션이라도 생기는 것이라 착각한 것일까? 모 대의원이 초선이라면 그럴 수도 있겠다며 보듬어 줄 수도 있다. 하지만 그는 간부 활동도 오래한 대의원이다. 베테랑이라 할 수도 있는 대의원이 왜 돌발행동을 했는지 이해할 수 없다.

노동자 입장에서 바라보자. 피해자도 월급 받고 일하는 노동자다. 매니저란 직책으로 상사의 지휘 하에 일을 한다. 어느 누구의 아들이며 아버지, 또는 남편이다. 힘들게 스펙 쌓아서 대학교 졸업해 이 회사에 근무하고 있다. 위에서 시킨 대로 일하고 있는데, 많은 사람들이 지켜보고 있던 상황에 날벼락을 맞았다. 모 대의원은 행동을 하기 전에 노동자 입장을 고려해야 했다.

역사적으로 우리 독립투사들은 일개 순사나 병사를 노리기보다는 조선총독부 총감에게 폭탄을 던지거나 총을 겨누었다. 왜 그런 짓을 했겠는가? 지휘부가 머리이며 원흉이기 때문이다. 마찬가지로 가슴속, 영웅적 기질이 몸부림치고 있다면 본관의 직책 높은 양반을 찾아가 항의했어야 했다. 힘없고 시키는 대로 일한 매니저에게 해를 가한 것은 양아치 짓이나 다름없다. 모 대의원이 무력을 행사했을 때 많은 사람들이 있었다. 앞에서 언급한 것처럼 '보여줌'으로써 영웅인 된 것이라 착각했던 것은 아닐까? 긴 간부 활동을 한 그가 만용과 용맹함을 구분하지 못하다니, 참으로 실망스럽다.

단독적인 돌발행동으로, 그 파장은 크다. 이 소식이 협력업체 동지들 또는 밖의 언론에 퍼진다면 어떤 피드백이 나올까? 그렇지 않아도 언론에서는 노조의 안 좋은 모습만 비쳐주고 있다. 자기 밥그릇만 챙기는 단체, 사무실이나 도로를 점검하는 폭력단체 등으로 말이다. 이번 사태가 언론에 보도된다면 또다시 "폭력". 그 자체에 돋보기를 갖다 대어 무식한 폭력단체라 치부할 것이다. 그리된다면 경남의 자랑, 마창의 강성노조라는 타이틀은 변색되게 될 것이다.

지금까지 현장과 지회에서는 "팔이 안으로 굽는다."라며 시간이 지나면 저절로 고쳐질 것이라는 "자정작용"을 믿었다. 그것이 진리라고 생각한 듯하다. 하지만 또다시 발생한 폭력사태를 보며 드는 생각은, 더 이상 이런 자정작용은 기대해선 안 될 것이라는 확신이다. 썩은 고름이 터졌다. 그렇다면 닦아내고 약을 발라야 한다. 자정작용을 믿고 기다리는, 안이한 태도는 사과나무 밑에서 누워 입 벌리고 기다리는 것과 같다. 천재 아인슈타인 박사는 "계속 반복되는 과정을 지켜보며 다른 결과를 바라는 것은 미친 짓"이라고 했다.

돌이켜보면 우리 각 개인 조합원들도 반성해야 한다. 그 많은 폭력사태에 자정작용을 바라며 지켜만 보았다. 방관은 동조나 다름없다. 우리들이 방관했기에 또다시 이런 불상사가 발생한 것이다.

이제는 달라져야 한다. 폭력은 불가하다. 평화로운 방법은 얼마든지 찾을 수 있고 그 방법은 지회와 조합원들의 소통과 단결, 투쟁으로 이루어져야만 할 것이다.

내 글을 두고 여러 댓글이 달렸다. 나를 '미친 놈'으로 취급하며 욕하는 글도 있고 나의 글에 동조하고 응원하는 댓글도 있었다. 다행히 긍정적으로 보는 이들이 더 많았다.

폭행과 창피를 당한 피해자임에도 불구하고, 병가휴가를 쓰는 현민 대리를 보니 안타깝다. 정작 본인이 잘못한 것도 아닌데, 병가 휴가를 쓰는 바람에 월급도 온전히 받지 못한다. 이런 상황이 분명 잘못되었다. 그에게 조금이나마 도움이 되고 싶다. 나는 현민 대리를 바라보는 주변 사람들의 시선이나 생각을 바꿔주고 싶었다. 쉬는 시간 휴게실에서 현민 대리 이야기가 나오면 그를 대변해 주고 그날 진실을 이야기 주었다.

나는 노사협력팀장을 찾아가기로 했다. 노사협력팀에 전화를 걸어 팀장과 면담을 요청했다. 나는 예전에 노동조합 교선부장으로 있었기에, 노사협력팀장과는 안면도 있고 오다가다 인사도 건네는 사이였다. 노사협력팀에 올라가니 팀장이 기다리고 있었다. 회의실에서 커피 한잔 마시며 이야기를 나누었다. 팀장은 예상하고 있다는 듯이 내가 말하기도 전에 말을 건넸다.

- 현민 대리 때문에 왔죠?
- 네. 맞습니다.

나는 진솔하게 내 안에 있는 이야기를 해보기로 했다.

- 지금 온 공장에 대의원 고소 건으로 떠들썩합니다. 특히나 광조 대의원의 행동이 정당한지에 대해 의견이 분분합니다. 같은 노동자인 제가 봤을 때도 이건 대의원이 잘못한 것입니다. 마음에 들지 않거나 불만이 있으면 좋게 말로써 해도 되고, 정식적인 절차를 밟아가며 항의해도 됩니다. 손부터 나갔다는 것은 정말 그릇된 행동입니다. 저도 노동조합 집행위원 경험이 있습니다. 노동조합은 먼 타 지역에 집회하러 갈 때

면 버스를 대절해서 갑니다. 그때 간혹 술을 좋아라하는 소수의 현장간부들이 소주를 여러 병 챙겨 옵니다. 버스 안에서 친한 동지들과 나눠마시곤 합니다. 이번 일을 일으킨 광조 대의원은 술을 좋아하기로 소문이 나있고 실제로도 그렇습니다. 버스 안에서 그 술을 마시고 젊은 치기로, 여러 사람들 앞에서 자신의 힘을 과시하기 위해 현민 대리를 제물로 삼은 것입니다. 술에 취하면 안하무인의 성격으로 변하는 광조 대의원이라면 그런 짓을 하고도 남을 사람입니다.

정보력이 높은 노사협력팀의 팀장이라면 나보다 현장을 더 꿰뚫고 있다. 그러니 방금 내가 말한 내용은 노사협력팀장도 알고 있는 내용일 것이다. 이제는 팀장이 간과하고 있을 것 같은 내용을 이야기하기로 했다.

- 그리고 이번 일은 현민 대리의 개인적인 문제로 치부해서는 안됩니다. 이대로 아무 징계 없이 넘어간다면 관리직 후배들의 기가 꺾일 겁니다. 단체교섭 때문에 노동조합 눈치보며 아무것도 할 수 없는 무능한 노사협력팀이라고 속으로 간주할 겁니다. 거기에서 나오는 원망의 화살은 팀장님에게 가장 크게 닿을 것입니다. 팀장님, 저도 노동자입니다. 노동자로써 같은 현장의 노동자 편을 들어주고 싶지만 잘못된 것은 잘못되었다고 말할 줄 알아야 된다고 생각합니다. 그러니 이번 건은 그냥 넘어가지 마시고 회사차원에서 광조 대의원을 징계 내려주십시오. 다시는 이런 일이 발생하지 말아야 합니다.

내 이야기를 듣고 팀장은 자신의 과오를 떠올렸다.

- 그러고 보니 제가 실수한 것 같네요. 저는 그동안 현민 대리에게 '그냥 조용히 넘어갈 것'을 은근히 주문했습니다. 어차피 같은 회사사람이며 회사 안에서 계속 보게 될 사이이니 용서해 주라고 했습니다. 본인이 받은 충격은 그 누구도 가늠할 수 없고 측정할 수 없는 것이지요. 그리고 방금 말씀하신 대로 안 좋은 사례를 남길 수도 있겠네요. 그렇지 않아도 최근 젊은 대의원들에 대한 이미지가 좋지 않습니다. 일 년 전인가요. 어떤 젊은 대의원이 술 먹고 새벽 2시쯤에 온 공장 팀장에게 전화를 거는 사건도 있었습니다. 저는 저녁이면 무음으로 설정해 놓기에 전화를 받지는 않았습니다. 하지만 어떤 부장은 그 전화를 받았습니다. 다짜고짜 현장에서 일하는 근로자의 처우나 대우가 부당하다는 말을 했다더군요. 그 부장님은 화를 내며 전화를 끊어버렸습니다. 할 말이 있으면 낮에 맨 정신으로 해도 되는데, 술에 취해 팀장에게 전화하는 것이 말이 됩니까? 게다가 이제 갓 30살인 직원이 50대인 팀장급들에게 밤늦은 새벽에 예의 없이 전화 거는 것 자체가 상식 밖의 일 아닙니까? 이야기를 들으니 제가 놓친 부분이 있었군요. 그냥 넘어가지 않겠습니다. 전무님을 푸시해서 징계를 받도록 조치하겠습니다. 아울러 현민 대리는 우리 팀 소속입니다. 그 친구가 상처를 회복하고 다시 일상으로 돌아올 수 있도록 팀장으로서 맡은 역할을 다할 겁니다.

팀장의 발언에 힘이 났다. 면담하러 오길 잘한 것 같다. 나는 팀장과 악수를 하며 면담을 마쳤다.

나는 광조 대의원이 정당한 벌을 받기를 바라며, 이 사건을 예의주시했다. 하지만 나의 바람과는 달리 흐지부지하게 끝이 났다. 중립을 지키던 노동조합도 결국엔 '같은 조합원'이라며 대의원 편을 들어주었고, '노동조합 집행위원 및 대의원은 함부로 징계할 수 없다.'라는 단체협약을 내밀며 징계를 막았다. 이에 사측도 수긍하며 '단체교섭에 좀 더 집중하자'며 구두로만 광조 대의원에게 경고했다. 나의 노력은 물거품이 되고 말았다. 피해자만 억울한 것이다.

이런 결과는 나보다 현민 대리가 먼저 알고 있을 것이다. 답답하고 안타까운 마음에 현민 대리에게 전화를 걸었다. 역시나 결과를 알고 있었다. 근데 목소리가 차분하다. 오히려 활기찬 기운이 느껴졌다. 의아해하며 나는 현민 대리 대신 화를 냈다. 그랬더니 그가 나를 달래며 '받은 만큼 더 갚아주었다.'라며 자신 있게 말했다.

- 저번에 이야기했듯이 변호사를 통해 최대치로 벌을 받을 수 있도록 노력했어요. 법원에서 판결이 나왔어요. 벌금 100만 원에 6개월 집행유예예요. 폭력전과가 없어 집행유예가 나온 거예요. 만약 과거 폭력전과가 있었다면 가중처벌로 실형을 선고받았을 거예요. 앞으로 광조, 이 놈은 조심할 거예요. 알다시피 우리 회사는 이름에 빨간 줄 그이면 퇴사처리 되잖아요. 이번에 초범이라 넘어갔지만 또 이런 일이 발생한

다면 실형과 함께 퇴사될거예요. 이 결과에 만족해요. 가해자에게 경고를 주었고 경각심을 심어주었어요. 후배들 보기도 떳떳해요. 우리 팀장님도 별말씀 안 하시더라고요. 그리고 며칠 전에 회사에서 광조를 만났는데, 저한테 '미안하다.' 라고 사과했어요. 저는 별말 안 했어요. 사과나 용서를 떠나 제가 받은 치욕과 고통을 덜어줄 수 있는 것이 더 중요해요. 이 결과로 제가 받은 모욕과 아픔은 털어낼 수 있을 것 같아요.

현민 대리의 이야기를 들으니, 그가 왜 활기찼는지 알 것 같다. 역시 현명하다. 남에게 휘둘리지 않고 자신의 주장과 하고자 했던 노력들을 관철시켰다. 그로인해 아픔을 털어낼 수 있었고 사무실 후배들에게 좋은 모범사례가 된 것이다.

고소 건 이후 3개월이 지나, 현민 대리는 회사로 복귀했다. 후일담으로, 이 일로 현민대리는 후배들에게 존경받고 귀감되는 선배로 대우받았다.

예상대로 고소 건으로 시끌벅적한 잡음은 사그라져 버리고 아무도 그 일을 입에 올리지 않았다. 우리 회사 전무는 광조 대의원에게 '한 번만 더 이런 일을 일으키면 자르겠다.'며 구두로 경고했다. 광조 대의원은 집으로 전달된 100만 원 벌금 고지서 때문에 아내에게 한소리 들었다고 한다. 개인적으로 회사에서 징계를 내리지 않아 살짝 아쉽지만 똑똑한 현민 대리의 대응으로 그나마 좋게 마무리가 된 것 같다.

회사 안, 점심시간. 밥 먹으러 식당에 가다 노사협력팀장과 마주쳤다. 나는 아무 행동도 취하지 않은 회사에 살짝 실망해 있었다. 그래서 서양 사람들의 몸짓처럼 양쪽 손바닥을 넓게 펼쳐 보이며 어깨를 들썩거렸다. 아쉬움을 담아 "팀장님~"을 외쳤다. '왜 힘쓰지 않았느냐?'라고 표현하는 행동이었다. 그러자 노사협력팀장은 웃으며 내 어깨를 살짝 쳤다.

- 어이구. 모든 일이 내 마음대로 되질 않습니다. 이번 일도 마찬가지입니다.

팀장의 웃는 얼굴에 나도 웃는 얼굴로 화답했다. "식사 맛있게 하세요."란 말을 하고 헤어졌다.

솔직히 나도 만족하고 있다. 이번 일로 광조 대의원이 반성할지 말지는 의문이다. 그러나 "조심"은 할 것이다. 조심할 수밖에 없을 것이다. 앞으로 다시는 술 먹고 사람을 무시하고 물리적 행사를 하는 일은 없어져야 할 것이다. 나의 답답하고 안타깝던 마음도 말끔히 사라졌다.

나는 후진 아파트에 사는 것이 두렵다

회사에 출근할 때 자전거를 이용한다. 축지법을 쓰는 듯 한 빠른 속도감과 허벅지 운동에 좋아서 일석이조이다. 예전에는 회사가 멀어, 통근버스를 이용했다. 그때는 시간 제약이 많아 불편했다. 지금 가까운 곳에 이사를 와, 자전거로 출퇴근하니 편하다.

회사와 가까운 곳에 위치한 아파트를 샀다. 오직 내 분수에 맞는 가격대에 아파트를 매매한 것이다.

전세가 아닌 매매로 온 이유는 어릴 적, 학생 때의 기억 때문이다. 학생 때, 주말에 TV를 보고 있으면 "전기세가 너무 많이 나간다."라며 TV를 꺼버리던 아버지. 추운 겨울에 뜨거운 물로 샤워를 하면 보일러 기름 값 많이 나간다며 투덜대던 아버지, 주말에 쉬고 있으면 멀쩡한 지붕을 수리하겠다며 같이 하자고 명령하던 아버지. 그런 아버지 때문에 부모님과 따로 떨어져 내 집에서 독립하고 싶었던 것이다. 그리고 주택 2층에 전세로 살 당시, 조금만 뛰면 밑에서 올라오는 집주인 아저씨의 꾸지람에 기가 많이 죽었다. 이런 어릴 적 기억과 함께 사소한 것이라도 소유하고 싶은 마음에, 나의 명의로 된 아파트를 구입하고 싶었다.

결혼 후, 나의 "내 집 마련 꿈"은 더욱더 커졌다. 결혼 초기에는 월세와 전세로 살았다. 알뜰하게 살며 몇 년 동안 돈을 모았다. 돈이 모이자 내 집 마련 꿈을 현실화시키기로 결심했다. 내 눈에 회사 근처, 공장이 밀집해 있는 지역의 도로변 아파트가 눈에 들어왔다. 20년 된 후진 아파트다. 은행에 대출을 많이 하지 않아도 되었고 회사와 거리가 가까웠다. 그래서 일하며 모은 돈과 은행 담보대출을 끌어다 후진 아파트를 샀다. 단점도 많았다. 공장지대에 위치해 창문을 제대로 열 수 없었다. 창틀에 쌓인 시커먼 먼지가 창문을 오랜 시간 열어두면 어찌 될지를 말해주었다. 후진 아파트를 살 때 아내는 결사적으로 반대를 했다. 내가 대기업에 다녀 "신용도가 높다."며 은행에 돈을 더 빌려서, 더 좋은 아파트로 이사를 가자고 했다. 아내의 말도 일리는 있지만 난 그러기가 싫었다. 은행에 돈을 너무 많이 빌리면 왠지 꺼림칙했다. 언젠가는 갚아야 할 빚이고, 매달 나가는 이자와 원금이 신경 쓰였기 때문이다. 그래서 나는 아내를 조심스럽게 설득했다.
- 요새 TV 보니깐 젊은 사람들이 오래된 아파트를 구입해서 인테리어 예쁘게 해서 살더라. 집값이 너무 비싸서, 현실적인 방안을 선택한 것이지. 우리도 그렇게 하자. 그리고 집값이 언제 떨어질지도 몰라. 내가 책에서 읽었는데, 일본은 집값이 확 떨어졌대. 인구는 줄어드는데, 공급에 비해 수요가 없어서 그런 것이지. 은행 빚 많으면 한 달 이자는 어떻고? 아깝잖아. 차라리 은행 대출 비용을 아껴서 우리 맛 나는 거 사 먹고 간혹 제주도나 놀러 가자.
나는 이런 식으로 아내를 설득하기 시작했다. 조금 오래된 아파트에 살면서 질적으로 높은 삶을 영위하는 것이 낫다고 주장했다. 나의 끈질긴 주장과 설득에 결국 아내도 내 말에 동의했다. 그리하여 회사와 가까운 후진 아파트를 2억이 넘는 금액에 매매할 수 있었다. 대신 인테리어는 아내가 하고 싶은 대로 하기로 했다.

집을 사고 인테리어까지 다해서 살고 있는데, 아내가 또 걱정을 했다.

- 우리 아파트가 공장과 너무 가까워 걱정이야. 우리가 좋은 환경에 살아야 우리 아이도 건강하게 자라지.

나는 또 아내의 걱정을 덜어주기 위해 노력했다.

- 내가 어느 책에서 읽었는데, 거주지 지역에 새가 살면 그 지역의 환경오염은 그리 심한 곳은 아니래. 참새나 까치, 까마귀 같은 조류는 환경오염에 대게 민감해. 근데 우리 아파트를 봐. 아침에 매일 참새 떼들이 시끄럽게 지저귀잖아. 여기 환경오염이 심하면 새들이 못살아. 그러니깐 안심해.

나는 말로도 안심을 시키고 행동으로도 실천했다. 공기청정기 2대, 건조기 한 대를 구입했다. 그리고 인테리어를 할 때 외부로 연결되는 모든 방충문을 미세 방충문으로 설치했다. 집 안에 공기정화에 좋다는 관엽식물도 구입을 하거나 지인에게 부탁해서 집에 많이 들여다 놓았다.

시간이 지나 코로나가 터졌다. 그러면서 집값이 내려가기 시작했다. 물론 우리 아파트의 가격도 내려갔다. 나는 아내에게 내가 예측한 대로 되었다며 자랑했다.

- 봐! 내 말 맞지? 지금은 투자보다는 안전하게 가는 것이 최고야. 투자할 때가 아니라고. 집값은 더 내려갈 거야.

나는 의기양양해졌다. 하지만 딱 그때뿐이었다. 코로나가 터지고 6개월이 지나자, 집값이 다시 들썩거리기 시작했다.

정부가 집값을 잡겠다며 여러 규제와 부동산 법을 만들 때, 나는 그것을 곧이곧대로 믿었다. 하지만 부동산은 더 멀리 뛰기 위해 한 걸음 뒤로 빼는 개구리처럼 엄청나게 상승했다. 아내 보기가 민망해졌다.

- 이게 뭐야? 내 말대로 이 후진 아파트 사지 말고 큰 도로 건너 아파트 샀으면 지금 몇 억 벌었을 거 아니야! 지금 큰 도로 건너에 있는 아파트는 3억 가까이 뛰었어. 그놈의 은행 대출이 무서워서 거절하더니. 아이고, 배야.

고개를 들 수 없었다. 나의 상황판단으로 기회를 놓친 것이다. 큰 도로 맞은편 아파트를 구입했다면 3억 넘게 버는 것이었다. 그 당시 나의 신용도라면 은행에 대출해, 구입할 수 있었다. 속이 쓰리고 뒤틀리는 심정이다.

회사에 출근할 맛이 나질 않는다. 공장에서 쇠가 빠지게 용접하고, 그라인더 작업으로 쇳가루를 뒤집어쓰며 일한다. 근로소득이 자본소득을 따라가지 못하는 현실을 자각하자 의욕이 더욱더 생기질 않는다. 그래도 비정규직으로 일할 때를 생각하며 맡은 바, 열심히 일해야 한다.

퇴근을 하려고 보니, 자전거 바퀴에 바람이 빠져있다. 나는 자전거 가게에 들려, 자전거를 고치고 귀가하기로 했다. 아내에게 전화를 걸어 "자전거를 고치고 가겠다."라고 말해주었다.

내가 단골로 가는 자전거 가게는 오래된 자전거 가게로, 할머니가 운영하고 있다. 내가 다니는 회사와 거리가 가까워 이용하게 되었는데, 할머니 사장님이 마음에 들어 단골이 되었다. 할머니 사장이 이런저런 좋은 이야기를 많이 해주었기 때문이다.

- 총각, 부모님 살아계시지?
- 네. 근데 총각은 아닌데요.
- 워낙 동안이라 총각인 줄 알았지. 부모님께 항상 잘해드려. 부모님께 용돈은 드리나?
- 네. 근데 저도 가정을 꾸리며 살아야 하기에 많이는 못 드리고, 명절이나 생신 때만 챙겨드립니다.
- 요 앞, 대기업에 다니지?
- 네.
- 그래. 총각 참 성실하구먼. 나이 들면 돈 많이 들어. 젊었을 때 고생을 많이 해서 병원도 자주 가야 되지. 자식들한테 손 벌리기 싫어서 내색도 못하지. 그러니깐 부모님께 용돈 많이 챙겨드려야 돼. 그게 효도야.

"부모님 용돈 챙겨드리고 효도하라."는 말이 가슴에 와닿았다. 타인에게 이렇게 좋은 이야기를 굳이 할 필요도 없는데, 용기 내서 해주니 참 고마운 것이다. 할머니 사장은 마음이 따뜻한 좋은 사람이 것 같다.

자전거를 새롭게 장만한다면 이 가게에서 자전거를 살 것이다. 내게 좋은 이야기를 들려주는 할머니 사장의 훈훈한 정이 마음에 들었기 때문이다.

- 사장님. 제 자전거가 오래되어서 새 자전거를 하나 살려고 하는데, 어느 것이 좋을까요? 하나 추천해주세요.

- 아직 탈만 하구만. 뭐 하러 쓸데없이 돈을 써. 지금 타고 있는 자전거 부품만 교환하면 돼. 어차피 이 자전거는 출•퇴근용이잖아. 돈 아껴야지.

나의 지갑을 고려해 충고해주는 모습에 감동을 느꼈다. 보통 장사하는 사람이라면 손님들에게 구매를 독려할 것이다. 근데 이 사장님은 본인의 이익은 저 멀리 던져버리고 손님의 알뜰한 소비지출을 권했다. 손님 입장에서 더욱더 신뢰가 깊어졌다.

나는 할머니 사장의 말대로 자전거의 오래된 부품을 교환하기로 했다.

- 사장님, 그럼 사장님이 보시고 오래된 부품을 새 부품으로 교환해주세요.

- 총각, 잘 생각했어.

할머니 사장은 빨간 장갑을 착용하기 시작했다. 자전거를 풀고 조립하는 과정에서 나의 거주지에 대해 물었다.

- 총각, 자전거 타고 다니는 거 보니깐 이 근방에 사나 봐. 집이 어디야?

- 여기 큰 도로 지나서 후진 아파트에 살아요. 공장 몰려 있는 데 있잖아요. 그래서 가격이 저렴한....... 더 이상 물어보지 마세요. 아파트가 오래되어서 자랑할 게 못됩니다.

- 자가야?

- 네.
- 열심히 돈 모아서 더 좋은 데 가면 되지 뭐. 근데 부모님 도움 좀 안 받았어?
- 네. 제 돈으로 구매했습니다.
- 대단하네. 젊은 사람이 부모님한테 손도 안 벌리고.
- 그리해도 자랑할 게 못 됩니다. 옆에 공장이고 오래된 아파트라.......
- 돈 모아서, 나중에 더 좋은 데 가면 되지. 아직 시간이 많잖아.
 역시 할머니 사장은 나의 편이었다. 후진 아파트를 산지 얼마 되지 않아, 아파트 가격이 오른 터라 상심이 컸다. 그런데 지금 할머니 사장이 나의 상처를 다독여 주는 듯하다. 할머니 사장은 뭔가가 생각났다는 듯이 다시 말문을 열었다.
- 요 며칠 전에 어떤 젊은 년이 총각 사는 아파트에 산대. 그런데 그 오래된 아파트를, 4천만 원이 넘는 돈을 들여 인테리어 해서 살고 있다네. 그거 완전 미친년 아니야? 그 돈이면 차라리 빚 더 내어서 다른 아파트로 이사 가면 될 것을. 약간 모자란 년이야.
 할머니 사장 말투가 다소 거칠다. 사회생활하다 보면, 남자든 여자든 경쟁 속에서 부딪히며 살아가다 보니 성격적으로 모가 날 수도 있다. 그렇다 하더라도 돈을 들여 인테리어를 하든, 더 좋은 아파트로 이사를 가든, 그것은 본인의 선택인 것이다. 그것을 가지고 "미친년"이라고 욕을 하다니. 할머니 사장의 의외의 모습에 다소 놀랐다.

- 총각, 다 되었어. 오만 원이야.

나는 할머니 사장을 생각해서 현금으로 계산했다. 깍듯이 인사를 하고 가게 밖으로 나왔다.

부품을 몇 개 바꾸었을 뿐인데, 새 자전거가 된 것 같다. 페달을 밟는데, 앞으로 쭉

쭉 뻗어나갔다. 그 탓에 기분마저 상쾌하다. 집으로 가는 길에 바람을 맞으니, 각 세포들이 깨어나는 듯하다. 그러다 문득 할머니 사장이 말한 “미친년”이 문득 생각났다. 인테리어. 후진 우리 아파트. 미친년.

설마 내 아내의 이야기가 아닐까? 우리는 후진 아파트로 이사 오기 전 거금을 들여, 인테리어를 싹 뜯어고쳤다. 그리고 한 달 전, 아내가 이 근처에 자전거 방이 어디냐고 물었던 것이 생각났다. 아내는 처녀 때 타던 자전거를 아직도 가지고 있었던 것이다. 타이어에 바람이 빠졌기에 고치러 갈 것이라고 했다. 추상적인 의문의 조각들이 맞춰져 하나의 확신이 섰다.

집에 도착하자마자 아내를 찾았다.

- 여보, 며칠 전에 할머니가 사장으로 있는 자전거 방 갔다 왔어?

- 응.

- 자전거 방에서 우리 아파트로 오기 전, 4천만 원 들여 인테리어 한 것을 이야기했어?

- 응. 왜?

화가 치밀어 올랐다. 화를 억누르며 자전거 방 할머니 사장이 말 한 “미친년”이야기를 해주었다. 당연히 아내는 기분 나빠했다.

자전거 방을 찾아가서 따지고 싶었다. “후진 아파트”에 4천만 원 들여 인테리어 하면 미친 사람인지 물어보고 싶다. 아내와 나는 화를 누그러뜨리며 이야기를 나누었다. 가서 따진다고 해도 달라지는 것은 없고 서로 관계만 어색해질 것이다. 단지 “미안하다.”는 말은 들을 수 있을 것이다.

4천만 원 들여 인테리어 한 것이 못마땅한 것은 본인의 생각이다. 본인의 생각을 다소 과격하게 이야기한 것을 가지고 싸우는 것도 우습다. 찾아가서 따지는 것을 포기했다. 나는 아내에게 "다시는 타인에게 우리의 상황을 자세히 이야기하지 말 것"을 당부했다.

- 에휴. 우리가 후진 아파트에 이사 온 게 죄지. 뭐.

아내의 푸념이 귓속에 박히는 듯하다. 여기로 이사 오자고 한 것은 나다. 아내는 은행에 대출을 더 당겨서 더 좋은 아파트를 사자고 했다. 돌이켜보면 나 때문에 아내가 “미친년” 취급을 받은 것이다.

자전거 방 할머니 사장이 미워졌다. 그리고 할머니 사장을 바라보던 나의 시선도 180도 달라졌다. 본인이 뭔데 우리 부모님 용돈을 많이 주라며 감 놔라 배 놔라 참견한단 말인가? 자전거만 고쳐주면 될 것을. 그리고 왜 나의 거주지를 알려고 하고 경제력을 가늠하려는 것인가? 쓸데없는 오지랖이 참 넓다. 나의 자전거는 누가 봐도 오래되었다. 체인과 각 연결된 쇠 부품이 녹슬어, 타기에도 불안해 보였다. 그렇게 오래된 자전거를 바꾸려고 하는데, 부품 몇 개 바꿔서 다시 타라고? 그러다 사고라도 나면 어쩔 것인가? 고객을 생각해주는 척하며 선심 쓰는 듯 하지만 고객의 안전 따위는 고려하지 않는 것 같다.

그 뒤로 우리 집은 그 자전거 방을 가지 않았다. 자전거 바퀴에 달린 부품 몇 개를 새로 바꾼다고 자전거가 크게 달라지지 않는다. 시간이 지나니 다시 페달을 밟아도 뻑뻑한 것이 잘 나가질 않는다. 체인과 각 연결 부분에 기름칠을 하여도, 바퀴를 굴릴 때 마찰음이 심하게 들린다. 인터넷 검색을 통해 호감 가는 자전거 가게를 찾았다. 그곳에서 비싼 가격의 전기자전거를 구매했다. 아내가 나에게 주는 선물이었다. 사실 나 때문에 욕먹은 아내를 위해 선물을 준비해야 하는데, 아내가 나에게 전기자전거를 권유했다. 고마움을 느꼈다.

오래되고 후진 아파트에 산다는 이유만으로 타인에게 욕을 먹는다는 것이 당황스럽고 화가 난다. 하지만 그보다 "아내의 다음 말"을 듣고서는 황당함과 분노보다는 "두려움"을 느꼈다.

- 조금 있으면 우리 아들 초등학교 가는데, 큰일이야. 줌마

렐라(정보공유 사이트) 들어가서 보니깐 초등학생 사이에서 아파트로 그 친구를 평가한다네. 그래서 후진 아파트 사는 애들을 왕따 시키는 일도 더러 있다네.

용두사미

올해는 단체협약이 있는 해이다. 노측과 사측의 단체협약 조정은 2년에 1번 있는데, 올해가 그 해인 것이다. 올해에 단체협약을 수정할 수 있기에, 신임금체계 도입으로, 연•월차 수당을 적게 받게 된 신입사원의 관심이 집중되었다. 그리고 정년연장과 통상임금문제도 포함되어 있다.

상기 지회장은 사측을 상대로 세게 나갔다. 재섭 선배가 지회장으로 있을 때는 "고품질 안전작업"을 하지 않았는데, 상기 지회장은 그것을 실행했다.

정욱 대의원은 예전부터 상기 선배의 말을 잘 따랐기에, 고품질 안전작업 준수에 더욱더 신경을 썼다. 고품질 안전작업 기간, 우리 반에 용득 반장이 일하고 있었다. 그러면 정욱 대의원이 다가왔다.

- 반장님! 급합니까? 지금 고품질 안전작업 기간이잖아요. 노동조합 지침을 잘 따라줘야 이번 단체교섭이 빨리 끝나죠. 서로 지킬 건 지키며 생활하시죠.

정욱 대의원의 단호한 말투에, 용득 반장은 "알았다."라며 용접 건과 용접 맨을 내려놓았다. 내가 쉬는 자리로 담배를 물고 오며 짜증이 섞인 말투로 말했다.

- 어이. 현장조직위원. 앞으로 고품질 안전작업 할 때는 "다 일하지 마라."라고 해라.

나는 아무 권한도 없는데, 왜 나한테 이럴까? 용득 반장은 일을 하고 싶다. 그런데 정욱 대의원 때문에 본인 마음대로 작업을 못하니 짜증이 나는 것이다.

- 정욱, 저 새끼는 일제 강점기 시대 때나 해방 이후에 태어났어야 해. 그럼 엄청 설치고 다녔을 거야. 죽창 들고 여러 사람 찔러 죽였을 놈이야.

용득 반장이 정욱 대의원에 대한 악담을 늘어놓았다.

고품질 안전작업에 대해 현장에서는 크게 우려하지 않았다. 더운 여름날, 용접하기 힘드니 그냥 쉬어가는 것으로 여겼다. 그리고 현장에 잔뼈가 굵은 선배 조합원들은 고품질 안전작업이 길어봤자 2주를 넘기지 못할 것이라는 것을 알고 있었다.

정확히 고품질 안전작업을 시작한 지가 일주일이 되던 날, 노측은 사측의 제시안을 받아들였다. 현장에 나도는 소문에 의하면, 대기업 T의 제품을 원하는 바이어가 방문할 예정 탓에 사측이 빨리 제시안을 내놓은 것이라고 했다. 이번에 방문할 바이어는 큰손으로써, 몇 십억의 수주를 할 수도 있는 손님이라고 했다.

제시안도 놀라웠다. 제시안의 내용을 살펴보면 통상임금 일괄제시, 시니어 제도 도입, 신임금체계 관련 TFT 구성해 향후 변경 계획 등이었다. 여기서 시니어 제도는 정년퇴직 후 1년 더 근무할 수 있는 제도로, 정년연장과 명칭만 달랐다. 정년연장과 조금 다른 점은 신입사원 연봉을 받고 본인이 일하던 공장에서 그대로 근무할 수 있었다. 시니어 제도의 계약기간은 4개월 단위로, 3번 계약할 수 있다.

한편 현장의 젊은 조합원과 신입사원은 실망했다. 또 TFT

를 운운하며 신임금체계 수정을 차일피일 미루는 것이기 때문이다.

어찌 되었든 대다수의 조합원은 환호했다. 사측을 상대로 많은 것들을 받아냈기 때문이다. 상기 지회장을 "영웅"이라고 떠받드는 조합원이 생길 정도였다.

노동조합이 통근버스 정류장에 버스를 다른 곳으로 옮기고, 전체 조합원을 불러들였다. 사측으로부터 받은 제시안을 설명하고, 전체조합원을 대상으로 찬•반 투표를 실시했다.

1시간이 지나자, 결과가 나왔다. "찬성"이 높아, 이번 단체교섭은 한번 만에 타결되었다. 단체교섭이 한 번에 타결 난 경우는 정말 드물었다.

내가 노동조합에 몸 담고 있을 때, 상기 선배가 우리 집행부를 많이 공격하고 방해했기에 잘 안되었으면 하는 바람이 있었다. 근데 이번 단체교섭에 한 번에 타결 나는 것을 보고 많이 놀랐다. 그리고 기존에 가지고 있던, 상기 선배에 대한 고정관념이 많이 바뀌었다. 곽훈 선배의 말처럼 본인의 이득만 생각하지 않았다. 그리고 뚝심 있는 결단력과 추진력으로 사측에게 현장의 다수 조합원들이 만족할 만한 제시안을 받아낸 것은 정말 대단한 것이다.

단체교섭이 타결된 다음날, 상기 지회장은 현장을 돌아다니며 조합원의 손을 잡았다.

- 아이고, 고생 많습니다. 그동안 마음고생 많이 했지요? 이렇게 노동조합을 믿어주신 덕분에 사측으로부터 제시안을 끄

집어내었습니다. 다 만족시켜 드릴 순 없지만 최선을 다했습니다. 지금처럼 노동조합에 많은 관심과 지지 부탁드립니다.
- 아이고, 지회장님. 정말 대단해요. 그 어려운 것을 한 번에 해내시다니. 정말 훌륭해요. 지회장님 덕분에 통상임금도 받고 정말 좋네요. 저는 통상임금 받으면 차를 바꿀 거예요. 요번에 H사에서 신차가 나왔는데, 진짜 멋지더라고요. 그거 사려고요.

조합원은 엄지를 내어 보이며, 지회장을 치켜세웠다. 상기 지회장은 어깨를 쭉 펴고 힘 있게 걸어 다녔다. 충분히 어깨에 힘줄만했다. 어려운 교섭을 한 번에 끝냈으니 말이다.

현장은 거의 축제분위기였다. 쉬는 시간, 휴게실에 앉아있으니 선배 조합원들의 흥분된 목소리가 들렸다. 통상임금 받을 돈으로 차를 살 예정인 사람, 돈 조금 더 보태서 땅을 살 사람, 새롭게 인테리어를 하려는 사람 등의 이야기가 들려왔다.

다들 통상임금 해결로 목돈이 생길 예정이니, 기쁜 것이다. 통상임금은 잔업, 특근을 많이 한 조합원들에게 더 유리하게 작용했다. 멀리 떨어진 공장은 공작기계와 자동화기기를 다루는데, 그곳의 작업자들은 특근과 연장을 많이 한다. 현장의 선배 조합원들의 이야기로는 특근과 연장을 많이 한, 작업자들은 통상임금으로 5천만 원 넘게 받을 수도 있다고 했다. 우리 공장에 일하고 있는 선배 조합원들은 근무기간이 20년을 넘어 30년 가까이 되었다. 평균적으로 2천만 원 넘는 금액을 받을 수 있다고 했다.

단체교섭이 타결되고 난 후, 한 주가 지났다. 노동조합은 전체조합원을 상대로 "사인"을 받기 시작했다. 사인지는 "앞으로 더 이상 통상임금과 관련해서 문제를 제기하지 않고 종료한다."는 내용이고, 이에 동의한다는 내용이었다. 노동조합은 일주일이라는 기간을 주고, 그 기간 안에 사인할 것을 주문했다. 만약에 노동조합과 사측이 합의한 통상임금 처리내용에 불만을 품고 사인하지 않는 조합원이 있다면, 노동조합은 더 이상 책임지지 않는다고 했다. 이 대목에서 의아함이 생겼다. 사람마다 생각이 다 다르다. 생각이 다른 소수를 신경 쓰지 않겠다는 말인데, 납득할 수가 없었다. 생각이 달라도 조합원이기에, 노동조합이라면 당연히 관심을 가지고 책임을 져야 할 것이다. 이해할 수 없었지만, 그리해도 대부분의 조합원들은 노동조합을 신뢰했다. 조합원을 대변하는 단체이기 때문이다.

노동조합이 발행하는 소식지에는 지회장과 사측의 대표이사가 악수를 하며 미소 짓고 있는 모습이 실렸다. 단체교섭 조인식의 모습이었다.

전체 조합원은 다시 일상으로 돌아가, 현장에서 열심히 일했다. 시간이 지나서 상기 지회장의 단체교섭과 관련된 문제들이 터지기 시작했다. 그리고 그 시점은 연말 때쯤이었다.

회사에서는 통상임금 지급에 많은 자금이 필요하다며, 연말에 전체조합원들에게 일괄지급하기로 했다. 연말에 다들 기대하고 있었는데, 예상하며 계산했던 것과 달리 지급받은 금액이 적었다. 원인을 살펴보니, 엄청나게 많은 세금이 부과된 것이다.

20년 넘게 일해온 선배들은 대략 5백만에 가까운 세금이 부과된 것이다. 2천만 원을 예상했던 선배 조합원들은 1천5백만 원이 안 되는 돈을 지급받은 것이다.

1천5백만 원이란 돈이 당연히 큰돈이지만, 10년 넘게 끌고 온 소송기간과 지금까지 기대한 금액으로 따진다면 실망스러운 수준이었다. 그리고 단체교섭 찬반투표 전, 통상임금을 설명하던 사무장의 말과 지금의 결과가 많이 달랐다. 그 당시 사무장은 세금 이야기를 전혀 하지 않았다. 통상임금이 지급되기 며칠 전에는 회사에서 세금을 대신 내어준다며 조합원을 안심시켰다. 그리고 하루가 지나서는 세금을 30만 원 정도만 떼일 것이라고 했다. 또 하루가 지나서는 "세금이 많아봤자 일백만 원 정도"라고 했다. 하지만 막상 뚜껑을 열어보니, 많게는 5백만 원에서 3백만 원 정도가 세금으로 부과된 것이다. 때마침 통상임금이 해결된 타 대기업의 소식들이 들려왔다. 다른 대기업은 통상임금 지급에 부과되는 일부 세금을 회사에서 내주었다는 소문이다.

조합원들은 들끓기 시작했다. 일을 끝내고 샤워장에 가니, 조합원들의 원성이 들렸다.

- 회사에 속고, 이제는 노동조합에 속았네.

- 지회장 수상한데, 왜 찬반투표 전에 통상임금 세금에 대해

이야기하지 않았지. 본인은 몰랐다고 하는데, "몰랐다."라는 게 말이 돼? 노동조합에는 변호사와 회계사도 고용해서 쓰잖아. 내 마음 같아서는 계좌 한번 확인하고 싶어. 회사로부터 뒷돈 받은 거 아니야? 지회장에게 1~2억만 주어도 통상임금이 이렇게 해결되었으니 회사 입장에서는 개이득이지. 전체 조합원, 2천여 명에게 주어야 할 돈을 확 줄여서 지급했으니 말이야.

- 역시 상기는 출발만 좋다니깐, 속 빈 강정이야.

현장에서는 또 "~카더라"라는 소문이 나돌았다. 예전부터 노동조합에서는 통상임금과 관련된 전문 변호사를 고용했는데, 상기 선배가 지회장이 되면서 변호사를 바꿨다는 것이다. 게다가 바뀐 변호사가 상기 지회장의 지인이라고 했다. 그러니 조합원들이 더 수상하게 생각하는 것이다.

조합원의 원성은 노동조합에 그대로 전달되었다. 사람들은 돈에 민감했다. 몇 명의 조합원들은 노동조합에 직접 가서 따지며 물어보기도 했다. 통상임금 세금 사건이 터지자, 상기 지회장은 더 이상 현장을 순회하지 않았다. 그리고 상기 지회장은 지회장 명의로 대자보를 만들어, 각 공장에 붙였다.

대자보에서는 세금을 설명하는 부분에서 조합원들의 착오가 있었다고 해명했다. 사무장이 말한 세금 부분은 여러 세금들 중의 하나인데, 조합원들은 일부의 세금을 전체 세금으로 오해했다는 내용이다.

조합원들은 더 화를 냈다. 공장에서 용접하는 사람치곤 회계나 세금에 관해 전문적 지식을 가진 사람은 드물 것이다. "세금"이라고 하면 일반적으로 모든 세금을 포함해서 일컫는 것이지, 여러 분류가 있다는 것을 알지 못한다.

이번에는 시니어 제도가 화두로 떠올랐다. 정년 퇴직자들을 내년에도 볼 수 있는데, 정년 퇴직자 전원을 다 볼 수 있는 것이 아니었다. 회사는 몸에 이상이 있는 사람, 산재 경험이 있는 사람, 징계위원회에 회부된 사람 등 결격사유가 있는 사람들을 받질 않았다. 시니어로 다시 일할 수 있는 퇴직자들은 55% 정도밖에 되질 않았다.

시니어가 안 된 사람들은 불만을 터뜨리며, 노동조합에 전화를 걸었다. 노동조합은 항의전화로 정신이 없었다. 노동조합의 집행위원들은 단순히 시니어가 안 된 선배들의 이야기를 들어주고 달래줄 말을 할 뿐이었다. 시니어가 되지 못한 정년퇴직자들로써는 화가 났다. 30년 넘게 일한 회사에서 일을 하며 몸이 망가졌고 다쳤다. 그리고 회사생활하며 일어난 사건, 사고인데도 회사는 "나 몰라라."했기 때문이다.

노동조합이 생기기 전에는 현장에 고과점수제도가 있었다. 작업속도가 빨라, 생산을 많이 해내면 높은 고과점수를 받았다. 높은 고과점수를 받은 사람은 조장, 반장으로써의 진급도 빨랐고 급여도 많이 받았었다. 반대로 징계를 받거나 현장에서 말썽을 일으키면 고과점수에 감점을 받았다. 하지만 노동조합이 생긴 이후로 없어져버렸다. 같은 작업자들끼리 경쟁을 유발 시키고 불화를 조장하기 때문이다. 또한 고과점수를 “직장”이 판단하기에 정확하지가 않았다. 직장과 친분이 있거나 밀접한 관계라면 작업량과 상관없이 높은 점수를 받는 경우도 있었기 때문이다. 그런데 이번 시니어 제도 탓에 사무실에는 현장사원들의 고과가 그대로 기록된다는 것을 알게 된 것이다. 다시 말해 고과점수제도가 아직도 존재했다.

많은 조합원들이 상기 지회장의 성과에 실망했다. 그것은 신입사원을 비롯한 젊은 조합원들도 마찬가지였다. 신입금체계 관련 TFT를 만드는가 싶더니, 아무 소식이 없었다. 어느 정도 진전되었고, 사측과 무슨 대화가 오고 갔는지 신입사원들은 몹시 궁금해했다.

노동조합에서 아무 소식이 없자, 노동조합 홈페이지에 신입금체계와 관련된 TFT에 관한 질문과 추측성 글들이 많이 올라왔다. 지회장은 신입금체계와 관련된 글에 댓글을 달았다.

- 신입금체계와 관련하여, 노동조합은 젊은 조합원들의 권리를 보장받고 실현시키기 위해 노력하고 있는 중입니다. 첫술에 배가 부를 수 없습니다. 찬찬히 하나씩 해결해 나갈 것입니다. 그러니 조금만 더 인내심을 가지고 기다려 주시기 바랍니다. 지금 진행되고 있는 사항에 궁금하신 분들은 직접 노동조합에 찾아와 주시기 바랍니다. 저와 정책부 집행위원이 아주 상세히 설명해 드리겠습니다.

신입금체계 도입으로 기성세대와 연•월차 제도가 다른 젊은 조합원들은 지회장의 말대로 노동조합을 찾아가질 않았다. "불만 많은 놈"이라 낙인찍히기 두렵고, 낯설기 때문일 것이다. 신입사원들은 그런 이유로 노동조합에 글을 올리는 것인데, 지회장은 그런 부분을 이해하질 못했다. 오히려 짜증만 냈다.

우리 공장 화장실에 누가 낙서한 것이 보였다. 현장의 젊은 조합원이 낙서를 했는가 보다.

- 신임금체계 약속에 속았다. 우리, 두 번은 속지 말자!!!

시간이 어느 정도는 해결해 주었다. 시간은 지회장의 잘못과 실수도 무마해 주고 노동조합의 행보와 결과에 대한 궁금증도 희석시켜 주었다. 하지만 그 불씨는 여전히 남아, 휴게실에서의 커피타임 때 간혹 대화의 소재로 떠올랐다.

앞에서 언급했듯이 상기 선배의 처음은 성대했으나 끝은 항상 미미했다.

정욱 대의원의 지나친 열정

금요일 오전, 현장조직위원회의에 참석했다. 정욱 대의원이 보이질 않았다. '오늘 연•월차를 사용했는가 보다.'라고 생각했다. 우리 공장에는 2명의 대의원이 있는데, 다른 대의원인 훈태 대의원이 설명해 주었다.

- 정욱 대의원은 다쳐서 밖에 나갔습니다. "공상"으로 한 달 정도 있다가, 다시 복귀할 거예요. 어제 마칠 때쯤 골프카를 타고 오다가, 지게차에 부딪칠 뻔했어요. 정말 재수가 없었다면, 사망 사고로 이어질 수도 있었어요. 골프 차에서 떨어지면서 팔이 다쳤어요. 그것도 그나마 다행입니다.

"사고"라는 것은 예고 없이 갑자기 찾아오기에, 작업장에 있을 때는 항상 조심해야했다. 나에게 일이난 일이 아니라 그런지 무감각하다. 열심히 회사에서 일하며 생활하다보니, 한 달이 금방 지나갔다.

현장조직위원회의에서 다시 정욱 대의원을 만날 수 있었다.

- 팔은 다 나았어? 괜찮아?

나는 걱정스러운 말투로 물었다.

- 예, 괜찮습니다.

정욱 대의원은 무표정으로 간단명료하게 말했다. 상대방의 건조한 표정을 보니, 더 이상 대화를 이어나가기 힘들었다. 마음이 편지 않은 것처럼 보였다.

이번 현장조직위원회의에서는 도비들이 있는 공정지원반에 대한 문제가 화두였다. 대의원들은 목소리를 높이며 말했다.

- 사무실 놈들은 계속 시간끌기만 하고 있어요. 공정지원반

에 일할 사람이 부족한데도 불구하고 아무 노력도 안 하고 있어요. 사무실도 문제지만 우리 현장도 문제점이 많아요. 특히 반장요. 일제 강점기 앞잡이처럼 사무실을 등에 업고, 문제를 더 크게 만들고 있어요. 중량물을 옮길 사람이 없으면 그대로 놔두면 되는데, "반장"이란 사람들이 나서서 물건을 옮겨요. 중량물을 옮길 때에는 항상 2명이 1조가 되어 옮겨야 합니다. 하지만 반장은 두 개의 천장크레인 리모컨을 들고 운용한다니깐요. 물론 일이 바쁘다면 그럴 수도 있어요. 하지만 지금 뭐가 바쁩니까? 납기일에 쫓기는 것도 아니고, 생산한 수량이 월생산계획표를 앞서가고 있는 상황에서 왜 서두릅니까? 생각해 보면 사무실 놈들이 반장 등의 직급 단 사람들을 유도하는 것 같아요. 아주 나쁜 놈들이에요. 그리고 반장들도 다 우리 조합원 아닙니까? 같은 조합원이면 노동조합이나 우리 간부 말에 귀 기울여야죠. 그런 차원에서 물건 옮기지 말라고 이야기했는데도, 그때만 "알았다."라고 말해요. 시간 지나면 또 천장크레인 리모컨 2개 들고 와, 물건을 옮기고 있어요. 정말 환장한다니깐요.

현장조직위원회의에서 이와 같은 문제점에 대해 논의했다. "징계 이야기"도 나왔지만 할 수가 없었다. 같은 조합원이고 열심히 일하려는 것을 가지고 뭐라 할 수 없는 것이다. 대화만 오고 갈 뿐 공정지원반에 대한 문제는 해결되지 않았다. 결국 결론을 내지 못한 채 현장조직위원회의는 끝이 났다.

다음날, 회사에 출근해서 일하다 쉬는 시간이 되었다. 휴게실에서 도현 선배와 자판기 커피를 마시며 대화를 나누고 있었는데, 휴게실 한쪽이 시끄러웠다. 공정지원반의 도비로 있는 "재영"이라는 선배의 목소리가 들렸다. 휴게실에 있는 모든 사람들이 들으라는 것처럼 크게 말하는 듯하다.
- 정욱, 그 새끼 완전 미친놈이야. 거의 20살 차이 나는 선배한테 대들고 말이야. 그리고 같은 고등학교 선배, 후배 사이라지? 그런 선배를, 본인 마음에 안 든다고 멱살을 잡고 흔드는 놈이 어디 있어? 자식도 있는 놈이 위, 아래도 없이. 아주 빌어먹을 놈이야.
- 그 새끼는 인간 새끼도 아니야. 뭐 그런 놈이 이 회사에 들어왔노? 현장을 진흙탕으로 만들어 놓았어. 대의원이 아주 큰 벼슬로 아는 갑네. 그런 놈은 잘라야 해.
휴게실 내, 재영 선배를 비롯해 모든 선배들이 정욱 욕을 했다. 귀 기울여 이야기를 들어보니 정욱 대의원이 아주 큰 사고를 친 듯하다.

우리 공장 내, 중량물을 옮기는 도비들의 인원이 부족함에도 불구하고 사무실에서는 별로 신경 쓰지 않고 있다. 대의원이 도비 인원문제 해결을 촉구하니, 사무실에서는 울며 겨자 먹기 식으로 타 공장에서 아무나 데려와 도비 일을 맡겼다. 타 공장에서 사람을 받을 때, 이 사람의 평판이 괜찮은지, 일을 잘하는지 등을 알아보고 받는데, 이번 같은 경우는 그런 것 없이 받았다. 우리 공장에 온 사람의 평판이 좋지는 않았지만 더운 밥, 찬밥 가릴 형편이 아니었다. 하지만 그 선택은 잘못되었다.

우리 공장에 도비를 지원해서 온 사람은 덜렁거리는 성격이었다. 중량물을 신중하게 다뤄야 된다는 것을 알면서도 신중하지 않았다. 천장크레인에 중량물을 걸고 어느 정도의 위치까지 상승시킨 뒤, 주변도 살피지 않고 방향 버튼을 꾹 눌렀다. 진행방향을 보지도 않고, 방향 버튼만 누르고 뒷짐 진채로 목표지점에 먼저 도착했다. 별안간 "쿵쾅"하는 굉음이 들렸다. 중량물이 지그에 부딪쳐, 바닥으로 떨어진 것이다. 지그도 부서지고, 완성품도 망가졌다. 떨어진 곳에 작업자가 없어, 천만다행이었다.

이 일로 '공정지원반의 도비인원" 문제는 더 부각되었다. 중량물을 떨어뜨린 조합원은 트라우마가 생겨, 더 이상 천장크레인 리모컨을 잡으려 하지 않았다. 우리 공장에 온 지도 얼마 되지 않았는데, 사무실 팀장과 면담하여 다른 공장으로 전출을 가버렸다. 사무실의 안일한 태도에, 대의원들이 화가 단단히 났다. 오래전부터 부족한 도비인원문제를 언급했고 방안마련을 촉구했기 때문이었다.

여러 번의 지적에도, 사무실은 앞에서 "알았다."라는 말만 앵무새처럼 이야기했다. 결국 대의원들이 강경책을 쓰기로 했다. 그것은 실제 도비 인원을 제외하고는 아무도 천장크레인 리모컨을 잡지 말라는 것이었다. 그리고 중량물을 옮기는 도비는 꼭 2명이 같이 작업할 것을 못 박았다.
 그러던 중, 협력업체에서 납품차량이 공장으로 들어왔다. 공정지원반의 반장인 “선우”선배가 납품차량을 운전해 온 협력업체 직원에게 천장 리모컨을 이용, 물건을 내리게 지시한 것이다. 그런데 하필 지나가던 정욱 대의원이 그 광경을 목격한 것이다. 정욱 대의원이 선우반장에게 다가가 따지기 시작했다.
- 반장님, 뭐 합니까?
- 뭐 하긴, 물건 내리는 중이지.
- 사무실에서 전달 안 받았습니까? 천장 크레인 리모컨은 도비들만 잡으라고 했잖아요.
- 에이~. 좀 바빠서 그랬다. 너무 그러지 마라.
- 내가 뭘 했는데, 그러지 말라는 겁니까? 반장님이 이렇게 우리 간부들 말 안 들으니깐, 사무실 놈들이 현장을 우습게 보는 거 아닙니까? 예? 제 말이 틀립니까?
- 정욱아. 너무 빡빡하게 굴지 마라니깐. 물건이 왔는데, 내려야 될 거 아니가? 협력업체 사람들도 본인 일 끝내고 빨리 다른 일 보러 가야 되고. 사람이 융통성 있게 행동 좀 하자.
 선우 반장은 정욱 대의원의 어깨를 다독거렸다. 같은 고등학교 후배이며 나이 차이도 많이 나기에 좋게 타이른 것이다. 하지만 선우반장의 타이르는 행동이 정욱 대의원을 더 화나게 만들었다.
 정욱 대의원은 선우반장의 멱살을 한 손으로 잡고, 흔들며 말했다.

- 뭐? 융통성? 이거 완전 사측 앞잡이네. 왜? 회사에 잘 보이면 다음에 직장이라도 달아준다드나? 너도 예전에 대의원 한번 했잖아? 너 같은 놈들 때문에 사측이 우리 현장간부들을 개좆같이 보는 거다. 내가 나 하나 잘 되자고 사측하고 싸우는 것 같나? 현장에 나는 사고 막으려고 그러는 거잖아. 그런 거 알면 협조해야 될 거 아니야.

정욱 대의원은 본인 할 말을 다 끝내자, 선우 선배를 밀치듯 멱살을 놓았다. 그 힘으로 선우 선배는 공장 바닥에 쓰러졌다. 주위에 많은 작업자들이 이 광경을 지켜보고 있었다.

- 야! 뭐 하는 거야?

- 그만두지 못해!!!

- 머리에 피도 안 마른 것이. 선배한테 이러고도 무사할 줄 알아?

주변의 비판에 정욱 대의원은 정신을 차렸고 "아뿔싸"하며 본인의 행동을 후회했다.

선우 반장은 일어나지 않고 계속 바닥에 누워 "아이고, 아이고"를 외쳤다. 당황한 정욱 대의원은 황급히 자리를 빠져나왔다.

한편 선우 반장은 한동안 그 자리에서 일어나질 못했다. 주변에서 다가와, 일으켜주어서야 일어섰다. 멱살잡이로 인한 육체적 충격이야 가벼웠지만, 정신적 충격이 매우 컸다. 나이도 20살 어린놈에게 멱살잡이를 당하고, 고등학교 한참 후배에게 막말을 들었으니 그 정신적 충격은 어마어마했다. 게다가 주변에 보는 사람도 많은데, 그런 창피를 당했으니 커다란 서러움도 밀려왔다.

선우 반장은 반삽으로 가서 옷을 갈아입었다. 그리고는 바로 조퇴해 버렸다. 남 말하기 좋아라 하는 재영 선배 덕분에 이 소식은 우리 공장을 넘어, 온 공장을 누비고 다녔다.

다음날, 정욱을 욕하는 소리가 더 강해졌다. 이유는 선우 반장의 행동 때문이다. 어제 집으로 돌아간 선우 반장은 식음을 전폐하고 집에 누워만 있다는 것이다. 선우 선배의 아내가 선우 반장의 상태를 다른 반장에게 알려주었다.

나는 정욱과 관련된 이야기를 경청하며 집중하고 있었다. 선우 반장은 회사를 일주일째 나오지 않고 있다. 재영 선배의 말로는 선우 반장이 지금 정신과 치료도 받고 있다고 했다. 그리고 밤에 잠을 제대로 자지도 못하고 정신적 고통으로 밥도 제대로 못 먹고 있다고 했다.

제 3자 입장에서 볼 때, 정욱의 멱살잡이는 참 안타까운 상황이다. 하지만 전직 간부였던 내 입장에서 납득할 수 없는 것이다. 조합원이 뽑아주어서 만들어진 대의원. 대의원은 자기가 속한 공장의 조합원을 위해 봉사할 마음으로 활동해야 한다. 조합원을 섬기는 마음으로 활동해야 하는데, 화난다고 조합원의 멱살을 잡는 행위는 용서받을 수 없는 것이다.

현장에서는 "징계"이야기가 슬슬 나왔다. 몇 달 전 사무실에 근무하는 관리직들이 회식을 가서 심하게 말다툼을 벌인 적이 있다. 그때 징계위원회가 열렸다. 둘 다 처벌을 받았는데, 감봉에 한 명은 다른 부서로 전출을 갔다. 그리고 고과점수에 기록되어 승진에 지장을 받는다고 한다. 이런 사례가 몇 달 전에 있었기에 우리 공장 작업자들은 당연히 정욱은 징계를 받을 것이라고 여긴 것이다.

정욱을 질타하고 비판하는 것은 오프라인뿐만 아니라 온라인에서도 활발했다. 노동조합 홈페이지 게시판에 "정욱"에 대한 글로 도배가 되었다.

- 최근 모 대의원이 조합원에게 갑질한 사건이 발생했습니다. 조합원의, 조합원을 위한, 조합원에 의한 대의원이 그런 짓을 했다는 것은 용서할 수가 없습니다. 당장 대의원 명찰 빼앗으세요.

- 20살 차이가 나는 나이이며, 같은 고등학교 선•후배 사이라면서요? 이야~ 진짜 세상 말세다.

- 모 대의원은 회사 내 해병대 전우회도 탈퇴하지 않았나요? 그리고 조만간 고등학교 동창모임에서도 쫓겨날 예정이라면서요? 사실인가요?

이 글을 적은 사람은 정욱의 모든 상황을 다 알고 있었다. 그런데 천연덕스럽게 몰라서 물어보는 듯 정욱을 욕하는 것이다.

쉬는 시간, 핸드폰으로 노동조합 홈페이지를 둘러보았다.

정욱이가 사면초가에 처한 듯하다. 그때 용득 반장이 지나가며 말을 했다.
- 내가 저번에 한 말 맞는 것 같지? 그 새끼가 그렇다니깐, 일제 식민지 시대나 빨갱이 설치고 다닐 때 태어났으면 여러 사람 죽였을 거야. 딱 그런 놈이야. 대의원이 무슨 벼슬인지 알고, 설치는 놈은 잘라야 돼. 몇 년 전 우리 공장에 "종인"이가 반장 하다가 정욱 때문에 내려왔잖아. 직책보임규정 내세워서 말이야. 그때 정욱이가 여론몰이해서 내쫓았잖아. 종인이가 반장일 때는 완성품이 월생산계획표를 훨씬 앞섰어. 근데 지금은 계속 월생산계획표 보다 한, 두 개가 연기되어서 생산되고 있잖아. 이게 다 누구 때문이겠어? 정욱, 그 새끼는 무조건 잘라야 돼. 그놈을 잘라야 회사가 발전한다니깐!

용득 반장이 정욱에게 안 좋은 감정이 있는 것은 알고 있지만, 이야기가 너무 심한 것 같다. 정욱은 지금 본인의 아내와 두 자녀를 먹여 살리는 가장이다. 지금 회사에서 쫓겨나면, 그 가정은 어떡하란 말인가?

정욱의 사건을 보면서 '이래서 못나게 사회생활 하면 안 되는구나.'라는 것을 깨달았다. 회사에 모든 사람들의 관심이 주목되는 가운데, 정욱은 불안했는가 보다. 친분이 있는 대의원이나 집행위원들을 찾아가, 본인의 사연을 하소연했다. 그리고 도와줄 것을 부탁했다.

정욱이 선우 반장의 멱살을 잡아 내팽개치던 날, 저녁에 선우 반장은 상기 지회장에게 전화를 걸었다. 본인이 당한 일을 이야기하며 "가만 참지 않겠다."라고 했다. 상기 지회장은 선우 반장을 진정시키려 했지만, 마음대로 되질 않았다. 다음 날, 정욱 대의원도 돌아가는 상황이 본인에게 불리하다는 것을 느꼈는지, 상기 지회장을 찾아갔다. 정욱과 선우 반장의 일은 이미 모든 공장에 다 퍼졌고, 노동조합도 당연히 알고 있는 상태였다.

정욱이 노동조합의 현관문을 열고 들어가자, 사무장이 찰진 욕으로 정욱을 맞이했다.

- 야이. 개새끼야! 네가 그러고도 대의원이가? 게다가 나이 차이도 한참 나는 선배 멱살이나 잡고. 미친 새끼야. 네가 사람 새끼 맞나?

사무장의 찰진 욕에 정욱의 얼굴이 울그락불그락해져 갔다. 그런 쌍욕을 들어도, 정욱은 반박할 수가 없었다. 본인의 잘못을 인지하고 있는 상태였고, 본인의 잘못을 덮어줄 수 있는 곳이 노동조합이라고 확신했기 때문이다.

- 죄송합니다.

정욱은 화를 참으며 고개를 숙였다. 그리고는 노동조합 구석에 있는, 지회장실로 걸어갔다. 지회장실에 노크를 하고 들어갔다.

- 들어와.

아직 문을 열지도 않았는데, 상기 지회장은 노크한 사람이 정욱이라는 것을 단번에 알아차렸다. 지회장실 너머로 들려온, 사무장의 찰진 욕 때문일 것이다. 정욱이가 고개를 푹 숙이며 지회장실로 들어갔다.

- 너 사고 쳤다면서? 우선 앉아라.

 상기 지회장이 차분하게 이야기했다. 말투는 차분했지만 내용은 뼈를 때리는 듯하다.

- 야! 너 회사에서 일 잘하고 간부 활동 잘했잖아. 왜 공든 탑을 한 번에 넘어뜨리지? 지금 너에 대한 평판이 최악이야. 너도 알지? 정욱아! 간부 활동하다 화가 나면 제도적으로 해결해야지. 무슨 건달도 아니고, 진짜 왜 그래? 내가 무슨 문제든지 해결이 안 될 것 같으면 노동조합에 찾아오라고 했잖아. 회사와 노동조합 사이에 협약이란 것이 있어. 그런 것으로 따지고 해결해야지. 그리고 반장도 우리 조합원이야. 사무실을 찾아가서 따져야 했어. 그리되면 선우 반장이 사무실에 계고장을 받던지, 무슨 경고를 받았을 거야. 그리되면 네 손 더럽힐 필요도 없잖아. 왜 네가 나서서 선배 멱살을 잡아?

- 죄송합니다.

 정욱 대의원은 "죄송합니다."라는 말밖에 하지 않았다.

- 죄송하다는 말은 선우 반장에게 이야기해야지. 선우 반장한테 사과는 했어?

- 전화를 했는데, 안 받으시더라구요.

- 야! 처음 전화를 하면 당연히 안 받지. 네가 징계 안 받고, 일상으로 돌아가려면 가장 먼저 "사과"부터 받아야 돼. 지금 전화해 봐.

정욱은 주머니에서 다급히 폰을 꺼내, 선우 반장에게 전화를 걸었다. 역시나 전화를 받지 않았다. 상기 지회장은 고개를 숙이며, 두 손으로 머리를 감쌌다.
- 아이고, 머리야. 전화를 안 받으면 찾아가야지. 선우 반장, 집 주소는 수소문해서 찾아가. 혼자 가는 것보다 여럿이 가는 것이 더 힘이 실릴 거야. 조직부장 붙여줄 테니깐, 조직부장하고 같이 선우 반장 집으로 가. 사과의 의미로 과일 바구니 하나 사가고. 빨리 움직여.
- 네. 다시 한번 더 죄송합니다.
정욱 대의원은 상기 지회장에게 고개를 숙여 인사하고 지회장실을 나왔다. 상기 지회장도 정욱을 따라 나왔다. 그리고는 조직부장을 찾았다.
- 조직부장, 오늘은 아무 일도 하지 말고, 여기 있는 정욱 대의원과 함께 선우 반장 찾아가. 가서 화를 달래고 사과받는 거 도와줘.
그 길로 정욱은 조퇴를 하고 조직부장과 함께 선우 반장의 집으로 갔다.
선우 반장은 고층의 아파트에 살고 있었다. 정욱과 조직부장은 선우 반장의 현관문 앞에 서서, 마음을 가다듬었다. 정욱의 한 손에는 과일 바구니가 들려있었다. 정욱이 초인종을 눌렀다. 현관문을 넘어, 스피커를 통해 아주머니의 목소리가 들렸다. 선우 반장의 아내일 것이다.
- 안녕하세요. 저는 선우 반장님과 같은 공장에 근무하는 사

람입니다. 반장님을 뵙고 싶은데, 안에 계신가요?
- 왜요? 무슨 일로 그러시는데요?
 선우 반장 부인의 말에 차가움이 느껴졌다.
- 저는 정욱이라고 합니다. 제가 반장님께 큰 실수를 했습니다. 지금 크게 뉘우치고 반성하고 있습니다. 직접 찾아뵙고 사과드리려고 왔습니다.
 정욱은 말을 하고는 고개를 숙였다. 현관문에 달린 보안 카메라를 통해, 고개 숙인 정욱의 모습이 보일 것이다. 그럼에도 불구하고 부인의 목소리는 달라진 것이 없었다.
- 됐어요. 그냥 가세요. 사과할 필요 없어요. 상처 주고 사과하면 뭐해요? 그런다고 상처가 없어지나요? 필요 없으니 가세요.
- 저, 정말 반성하고 있습니다. 사과할 기회를 주십시오.
 정욱이 "사모님"을 연신 불렀지만 더 이상 대답이 들리지 않았다. 뒤에 있던 조직부장이 정욱의 어깨에 손을 얹혔다. 정욱이 뒤를 돌아보았고, 조직부장은 고개를 여러 번 저었다. 결국 선우 반장에게 사과를 받질 못했다.

 조직부장은 이 사실을 상기 지회장에게 보고했다. 상기 지회장은 선우 반장에게 여러 번 전화를 했다. 선우 반장은 지회장에게 걸려온 전화가 정욱 때문이며 관계회복 및 화해를 위한 것임을 감지했다. 전화를 안 받으려 했지만, 명색이 노동조합 지회장의 전화를 여러 번 거절할 수 없었다.
- 선우 반장, 몸은 좀 어때요? 지금 심기가 많이 불편하시죠? 네. 잘 알고 있습니다. 저라도 화가 엄청 날 겁니다. 분명히 정욱이가 잘못했어요. 그건 사실이에요. 제가 정말 많이 혼냈습니다. 노동조합에 와서, 저 뿐만 아니라 다른 선배들에게도 야단 많이 맞았습니다. 다시는 이런 일 없을 겁니다. 제가 책임지고 말씀드리는 겁니다. 앞으로 이런 일이 또 발생한다면 조합원 탈퇴 등의 강력한 조치를 취할 겁니다. 그런데 선우 반장! 이거 하나만 명심해 주세요. 사람이 살다보면 누구나 실수를 합니다. 정욱이 입장에서는 잘해보려고 했는데, 본인 마음대로 안 되니 젊은 치기로 절제를 못한 겁니다. 정욱이는 지금 한 가정의 가장입니다. 그리고 우리와 같은 조합원이며, 미래가 창창한 젊은 사람입니다. 어떤 사건, 사고든지 초범은 형량이 낮잖아요? 그게 다 우발적, 잘 몰라서 발생하는 것이라 여기기 때문이에요. 그러니 선우 반장은 넓은 아량으로 화를 좀 푸세요. 한 번 더 기회를 줄 수 있잖아요? 선배 된 입장에서 용서해 주는 모습이 다른 사람들 눈에도 멋지게 보일 겁니다. 같은 공장에서 일하고 동창 선배로써, 정욱이를 그만 용서해 주세요. 제가 이렇게 부탁드립니다.

상기 지회장의 입김이 셌다. 선우 반장은 정욱을 용서할 생각이 없었지만, 지회장의 끈질긴 설득으로 용서해 주기로 했다. 하지만 그 “용서”라는 것이 표면상의 용서였다.

선우 반장은 다시 회사에 출근했다. 선우 반장이 출근했다는 이야기를 들었는지, 정욱이가 선우 반장을 찾아왔다.
- 좀 전에 일은 제가 정말 잘못했습니다. 죄송합니다. 앞으로는 절대.......
선우 반장이 귀찮은 듯 정욱의 말을 잘랐다.
- 어. 그래. 알았다. 바쁠 텐데, 어서 가봐라.
선우 반장의 냉담한 반응에, 정욱은 고개를 숙이고 제자리로 돌아갔다. 이번 일로 선우 반장과 정욱은 둘 다 후폭풍을 맞았다. 선우 반장은 아직도 정신적 충격이 남았는지, 한 달에 2~3번은 정신과 상담을 받기 위해 조퇴를 했다. 그런 모습이 주변사람들의 대화소재로 활용되어 온 공장에 소문이 퍼졌다.
그 여파가 정욱에게 영향을 끼쳤다. 동창회 모임회장으로부터 전화가 온 것이다.
- 너, 우리 모임 회칙 봤지? 거기에 보면 "우리 동창회 모임의 명예를 훼손한 자 또는 방해한 자는 징계를 내린다."라고 명시되어 있어. 동창회 모임 임원진이 모여, 회의를 했어. 회의 결과, 너를 제명하기로 했어. 그러니깐 그리 알고 있어라. 넌 더 이상 우리 동창회 식구가 아니다. 앞으로 어딜 가던지 우리 동창회 이야기는 입 밖에 내지도 마라.
정욱은 너무 가혹한 처사라며 반박했다. 하지만 동창회 모임 회장은 딱 잘라 이야기했다. 정욱은 본인이 동창회 모임에서 잘릴 것이라는 소문을 듣기는 했지만 현실이 되리라고는 상상도 하지 않았다.
선우 반장과 다툼, 동창회 모임 퇴출 등의 이야기가 여러 사람들의 입에 오르락내리락했다. 그리고 그런 일련의 과정을 지켜볼 수밖에 없는 정욱의 입장에서는 스트레스가 쌓일 수밖에 없었다. 또한 노동조합 홈페이지에서도 정욱에 대한 안 좋은 이야기들이 올라왔다. 정욱은 노동조합 홈페이지에 적힌 악담을 안 보려고 했다. 하지만 주변의 사람들이 찾아와, 걱정해 주는 척하며 이야기를 대신 전해주었다.
그로 인한 스트레스와 정신적 충격이 컸는지, 정욱은 악몽을 꾸기 시작했다. 꿈속에 정욱이 알고 있는 주변의 사람들이 나타나, 삿대질을 하고 욕을 하면서 정욱을 비난했다. 정욱이 처음에는 '죄송합니다.'라는 말만 반복하며 가만있었다. 하지만 비난의 수위가 도를 넘자, 정욱도 같이 흥분하며 쌍욕을 했다. 잠꼬대로 쌍욕을 하는 정욱을, 정욱의 아내가 흔들어 깨웠다. 정욱은 잠꼬대로 쌍욕을 일주일 넘게 했다고 한다.

정욱이 사고를 치고 난 후, 아무 이야기도 들리지 않았다. 시간이 지나도 징계위원회는 열리지 않았고 정욱도 대의원 명찰을 떼지 않았다. 현장에서 일하고 있던 나는 궁금해졌다. 이대로 지나가는 건가? 나는 궁금증을 참지 못하고 노사협력팀에 근무하는 동생에게 전화를 걸었다. 첫인사로 안부를 묻고 정욱에 대해 물어봤다.

- 정욱이 조합원 멱살잡이 한 것은 어찌 되었어? 징계한다는 소식을 못 들어서 말이야.

- 아~. 그거 일단락되었어요. 저는 강력하게 징계를 주장했지만 윗선에서 안 움직이려고 하더라구요. 정욱의 멱살잡이 일이 터지고 나서, 지회장이 움직였어요. 공장장을 만나서 이야기했는가 보더라구요. 아무 변화가 없는 것을 보니, 정욱 건은 무마되었어요.

얼마 후에 또 단체교섭이 진행될 것이다. 단체교섭이 잘 마무리되려면 사측에서도 지회장과의 사이가 좋아야 될 것이다. 나빠져서 좋을 것이 없는 것이다. 사측의 윗선에서 정욱을 징계하지 않은 것은 노동조합과의 좋은 관계유지와 상기 지회장의 입김 때문이다.

이번 사건으로 정욱도 상처를 받았지만, 가장 큰 피해자는 선우 반장이다. 선우 반장은 아직도 정신과 상담을 받으러 다니곤 했다. 정욱을 도와준 상기 지회장은 또 전체 조합원들에게 욕을 먹었다.

- 지회장, 아주 잘하셨소. 후배 간을 아주 잘 키워놨소. 후배 간이 배 밖으로 튀어나오겠소.

- 이번 일이 이렇게 무마되었으니, 다음에 또 이런 일이 생기지 않을 거란 법 있소? 그때도 이런 식으로 할 거요? 가해자보다 피해자 위주로 행동해야 되는 거 아니오?

현장의 선배들은 상기 지회장이 정치인에 가깝다고 했다.

우리가 흔히 알고 있는 정치인의 이미지는 낯이 두껍다. 그리고 말만 번지르르하게 했고 행동은 내뱉은 말에 비해 실속이 없다. 상기 지회장이 딱 그런 이미지인 것이다.

실제로 조합원의 비난에도 상기 지회장은 잘 견뎌내었으며, 오히려 비난하는 상대방을 설득하려고 노력했다.

내가 제 삼자 입장에서 지켜본 결과, 정욱은 대의원으로서 역할을 잘해나가고 있었다. 하지만 잘 해볼려는 열정이 넘치다보니 그런 실수가 일어난 것 같다. 백번 잘하다가 한번 큰 실수를 한 셈이다. 옆에서 지켜보니 참 안타깝다.

철면피

상기 지회장의 독재적인 행보에 몇 명의 대의원이 사퇴를 하고 현장으로 내려갔다. 대의원의 자리가 공석이 되었고, 그 자리에 또 다른 대의원을 세우기 위해 보궐선거가 실시되었다. 최근 들어 신입사원들이 계속 입사를 하여 20, 30대의 젊은 조합원들이 운영위원으로 일하고 있었다. 보궐 선거를 위해 각 공장의 운영위원들이 노동조합 소회의실에 모여 보궐선거 일정 및 투표계획을 논의했다.

대의원 지역구를 예전처럼 정해서 보궐선거를 치를 예정이었다. 근데 노동조합의 사무장이 운영위원들을 설득하여 지역구 조정을 강행했다. 고집 있는 소수의 운영위원들이 거부를 하며 항의했다.

- 보궐선거는 우리 운영위원들의 권한이며 일입니다. 왜 사무장님이 나서는 겁니까? 끼어들지 마세요.

- 우리도 일정이란 게 있어. 노동조합이 잘 굴러가려면 그 일정대로 착착 진행돼야 하는데, 예전처럼 대의원 지역구를 정해서 하면 할 일이 많아. 그리고 지금 정년퇴직으로 조합원 수도 많이 줄어들었잖아. 그렇기 때문에 지역구 수정 및 축소가 불가피해. 내 말대로 하지 않으면 너희들 할 말이 많아져. 그리고 대의원들도 늦게 당선될 거라고. 그럼 노동조합 일정도 연기되고, 서로 안 좋잖아.

- 조금 늦어지면 뭐 어때요? 우리는 우리 방식대로 하겠습니다.

노동조합의 사무장은 차근차근 설득하려 했지만, 소수의 젊은 대의원들이 요지부동이었다. 그 모습에 사무장이 이성을 잃어버렸다.

- 대가리에 피도 안 마른 것들이. 선배가 좋은 취지로 이야기하면 알아 처먹어야지! 바득바득 우기고 지랄이야.

- 사무장님, 막말하지 마세요. 존대하세요.

젊은 운영위원들도 덩달아 화를 냈다. 사무장은 더욱더 막 나갔다.

- 야이. 씨발 새끼들아. 너는 어미, 아비도 없냐? 시건방진 놈들아.

- 당신, 방금 뭐라고 했어?

- 뭐? 당신? 이것들이 미쳤나?

사무장은 솟구치는 화를 참지 못하고 노동조합에 비치되어 있던 쓰레기통을 발로 차, 부숴버렸다. 그래도 화가 풀리지 않는지, 본인의 책상으로 갔다. 본인의 자리에서 골프채를 들고 와, 말대꾸한 운영위원들을 위협했다. 함께 있던 집행위원들이 사무장의 팔을 잡았다. 순간 노동조합이 아수라장이 되었다.

조금의 시간이 지나, 가열된 분위기가 가라앉았다. 운영위원들은 뿔뿔이 흩어졌고, 사무장도 진정이 되었는지 얌전해졌다. 잠시 후 노동조합 홈페이지에 글이 올라오기 시작했다. 사무장이 젊은 운영위원들에게 욕을 하며 골프채로 위협한 내용이 그대로 적혔다. 이번 일은 온라인에서 먼저 퍼지고, 나중에 오프라인으로 소문이 퍼졌다.

소식을 접한 현장의 조합원들은 분개했다. 골프채로 젊은 조합원을 위협한 사무장의 이름은 "영도"였다.

- 영도, 그 새끼, 예전부터 다혈질이었어. 그런 놈이 간부라니. 참.

- 통상임금 체결 당시, 세금 없다고 설명했던 놈 아니야? 사기꾼 새끼가 성질도 더러운가보네.

온라인과 오프라인으로 사무장을 비난하는 말들이 쇄도했다. 조합원이 당했으니 대의원들이 가만있을 리 없다. 대의원들이 사무장을 비난하며 사퇴할 것을 강력히 주장했다. 여러 사람의 비난에도 영도 사무장은 꿈쩍하지 않았다.

안, 밖으로 여러 말이 많이 나오자, 영도 사무장은 노동조합 홈페이지에 사과문을 적었다.

- 최근 대의원 보궐선거와 관련하여 불미스러운 일이 발생했습니다. 대의원 보궐선거에 대해 서로 의견을 주고받는 과정에서 서로의 주장을 펼치다 보니, 이런 사태가 발생한 것 같습니다. 사건의 당사자로서, 저를 믿고 의지하신 조합원 동지께 사과의 말씀을 드립니다. 그와 함께 노동조합 홈페이지 게시판에 불분명하고 억측에 가까운 주장 글이 올라와, 심적으로 힘이 듭니다. 노동조합 게시판에 글을 올릴 때에는 본인이 정확히 목격한 사실만을 올려주시기 바랍니다. 또한 억측 글이나 허위글로 상처를 받을 수 있는 사람들의 입장을 곰곰이 생각해 보시기 바랍니다.

영도 사무장의 사과는 대자보도 아닌 노동조합 홈페이지 게시판에 올라온 짧은 글이 다였다. 그 후로 영도 사무장은 더 이상 골프채를 휘두른 것에 대해 언급하지 않았다. 영도 사무장의 뻔뻔함에 화가 난 대의원들이 "명찰 땔 것"을 주문했다. 그 말에 사무장이 오히려 더 화를 내고 언성을 높였다. 그로 인해 노동조합에서 사무장과 대의원들이 심하게 말다툼을 벌이기도 했다.

정욱 때와는 달리. 상기 지회장은 좀처럼 관여하지 않았다. 소문에는 상기 지회장이 영도 사무장과 그다지 친하지 않다는 소문이 들렸다. 그렇다 하더라도 지회장은 최종 책임자로서, 여러 조합원들의 시선을 받았다. 상기 지회장은 눈치가 보였는지 영도 사무장과 마찬가지로 노동조합 홈페이지에 짤막한 글을 올렸다.

- 현장에 땀 흘리시며 생산에 매진하고 계신 조합원 동지 여러분, 더운 날 참으로 고생이 많습니다. 최근, 주변에 여러 말들이 나와, 이렇게 글을 올립니다. 대의원 보궐선거 관련해서 일어난 논쟁은 잘 마무리되었습니다. 사무장은 화를 낸 운영위원들에게 사과를 했습니다. 그리고 운영위원도 사과를 받아들이고 사과했습니다. 그리하여 예전의 원만한 사이로, 관계가 회복되었습니다. 다시 말해 잘 마무리되었습니다. 그럼에도 불구하고 여기저기서 사실이 아닌 말들이 쏟아지고, "~카더라" 통신도 활성화되고 있습니다. 다들 신빙성 없는 말들이니, 신경 쓰지 말아주시기 바랍니다. 노동조합은 항상 조합원을 바라보며, 힘차게 전진할 것입니다. 일 하실 때 항

상 안전에 신경 쓰시고 작업하십시오. 감사합니다.

상기 지회장이 올린 글의 요지는 이렇다. 더 이상 영도 사무장 관련 이야기는 왈가불가하지 말라는 것이다. 상기 지회장이 뻔뻔한 뚝심으로, 여러 대의원들의 공격을 잘 막아내었다.

사무장이 처음에 밀어붙이고 원했던 보궐선거 지역구 조정도 그대로 진행되었다. 결국 이런 상태로 시간이 지났다. 자연스럽게 사건, 사고에 대한 관심은 희미해져갔다.

엮이지 말아야 될 사람들

회사에 출근하다 쉬는 시간이 되었다. 도현 선배와 함께 휴게실에서 자판기 커피를 마시며 잡담을 나누고 있었다. 옆 테이블에 어떤 선배가 삶은 계란을 들고 와, 나눠 먹고 있었다. 도현 선배가 그쪽으로 가, 내 몫의 계란까지 챙겨왔다.

- 형님, 이게 뭐예요? 먹어도 돼요?

- 같은 작업자끼리 뭐 어때? 삶은 계란도 많던데.

나는 계란을 나눠준 선배에게 머리를 숙여, 감사를 표했다.

쉬는 시간에 도현 선배와 함께 자판기 커피를 마시러 갈 때마다 계란을 나눠 준 선배와 자주 마주쳤다. 그 선배는 우리 옆 반의 조장이다. 주변의 선배들은 그 사람을 "조 조장"이라고 불렀다. 성이 "조 씨"인가 보다.

나는 계란을 얻어먹은 것이 생각 나, 자판기 커피를 뽑아 드리려고 했다.

- 괜찮아. 나 동전 많아. 동전이 무거워서 소비 좀 해야겠어. 근데 요즘 신입사원이나 젊은 사람들은 자판기 커피를 안 마셔. 같이 일하는 선배들하고 대화도 나눌 겸 같이 휴게실에 오면 좋으련만. 굳이 자판기 커피가 아니어도 괜찮아. 캔 음료라도 사줄 수 있는데 말이야.

뜨거운 자판기 커피가 2백 원이면 캔 음료는 6백 원이다. 3배의 가격인데도 충분히, 여러 번 사줄 수 있는 것처럼 들렸다. 후배를 위해서 캔 음료를 대접할 수 있다는 이야기를 듣고, 조 조장은 참 괜찮은 사람인 듯하다.

우연한 기회로 도현 선배와 나, 조조장과 함께 합석해서 자판기 커피를 마셨다. 조 조장은 대기업 T에서 오랜 시간 근무했다고 한다. 조 조장이 대기업 T의 초창기 모습을 이야기해 주었다. 또한 내가 과거 시절 때의 모습에 대해 물어보면 상세히 설명해 주었다.

아침조회시간에 반장이 우리 반 모든 작업자들에게 공지사항을 알려주었다.

- 지금 옆 반에 일거리가 없습니다. 그래서 옆 반의 조 조장이 우리 반에 지원을 올 겁니다. 대략 한 달 정도 있을 예정입니다. 바쁜 공정에 투입시킬 예정입니다. 이상입니다.

아침조회를 마치고 반삽을 나가려는데, 용득 반장의 투덜거리는 소리가 들렸다.

- 용접도 못하는 사람이 와서 뭐하노? 아무 쓸모도 없는데. 에잇. 차라리 신입사원을 보내주지.

용득 반장의 이야기를 들으니, 조 조장은 용접을 못하는 것 같다.

실제로 우리 반에 와서 그라인더 작업만 했다. 용접 건을 잡는 모습을 한 번도 보지 못했다.

쉬는 시간, 도현 선배와 나, 조 조장은 휴게실로 가서 자판기 커피를 마셨다. 잡담을 나누다가 도현 선배가 갑자기 신세한탄을 했다.

- 날도 더운데 용접 안 하고 싶다. 처음부터 전기를 배우는 건데. 다른 곳에 가지도 못하고, 여기서 계속 용접이나 해야

하는 것이 내 팔자인가 보다.
 같은 작업자끼리 쉬는 시간에 나누는 소소한 대화인데, 느닷없이 조조장이 짜증과 함께 화를 내었다.
- 야! 넌 왜 자긍심이 없냐? 그런 정신상태로 이 공장에서 정년퇴직 하겠냐? 난 지금까지 다른 데 옮긴 적이 없고, 옮길 생각도 안 했다. 나는 입사해서 줄곧 이 공장, 이 반에서 일했다.
 직장동료가 신세한탄을 한 것 가지고 심각하게 받아들이고 핀잔하는 조 조장의 모습에 도현 선배와 나는 할 말을 잃었다. 게다가 도현 선배는 대기업 T에서 30년 가까이 근무하고 있다.
 조 조장은 핀잔과 함께 본인의 생각을 말하기 시작했다.
- 그리고 우리 노동조합에서 상근하는 간부들 중에 정신 똑바로 박힌 놈들 하나도 없다. 다들 본인 욕심 챙기려고 노동조합에서 상근하는 거야. 내가 지금까지 회사생활하면서 지회장을 비롯해 남을 위해 일하는 사람을 본 적이 없다.
 본인의 말이 다 정답인 것처럼 단언하는 모습에도 할 말을 잃어버렸다. 그럼 본인이 직접 노동조합 일을 해서 모범을 보여주던지. 지금까지 노동조합활동을 한 적도 없으면서, 본인의 마음에 안 든다고 부정적으로 단언하는 것에 납득할 수가 없었다. 조 조장이 다른 행성의 사람처럼 느껴질 뿐이다.
 그 뒤로 도현 선배와 나는 입을 다물었고 대화가 없어졌다.

쉬는 시간이 끝나는 것을 알리는 종이 울렸다. 나는 내 지그에 가서 일하려는데, 도현 선배가 따라왔다.

- 아까 조 조장 너무 어이없지 않냐? 별것도 아닌 걸 가지고, 잡아먹을 듯 이빨을 드러내며 화를 내고 말이야.

- 그러게요. 일상적인 대화를 가지고 꼬투리를 잡고. 사람 민망하게 만드네요. 앞으로도 대화가 계속 이런 식이라면, 이제는 날씨 이야기만 해야겠어요. 아참, 조 조장은 그라인더 작업만 하더라구요. 용접 못하죠?

- 응. 지금까지 줄곧 장비만 맡아서 일했어. 우리 회사에 온 것도, 초창기 시절 때 친척 덕에 들어온 거야.

- 이 용접공장에서 30년 넘게 근무했으면 용접 기술을 배우지. 왜 안 배웠을까요?

- 그러게 말이야.

용접공장에서 30년 넘게 근무하면서 용접도 못하는 주제에, 한 곳에 오래 일하는 것에 자긍심을 가지고 있는 것이 무슨 자랑이란 말인가? 용접공장에서 근무하며 30년이란 세월 동안 용접을 못하고 있다는 것이 부끄러운 일이 아닌가? 조 조장은 참 이해되지 않는 사람이다.

내 눈에는 한 곳에 오래 있다는 것은 어떤 일에 도전하지 않은 것이고 변화를 두려워하는 소극적인 모습으로 밖에 보이질 않았다. 그런데 본인은 한 곳에 오래 일한 것이 부지런함을 대변해 주고 끈질김과 책임감이 남들보다 우월하다는 것을 증명하는 것이라고 착각하는 듯하다. 세상엔 다양한 사람들이 있고, 이해되지 않는 사람들도 있다. 그중에 조 조장이 있다.

한가위가 다가왔다. 한가위를 맞이하는 전날에는 반 다과를 열었다. 긴 연휴기간 못 보는 작업자들끼리 수육이나 통닭 등을 먹으며 화합을 도모하는 것이다. 반 다과를 하는 날이면 관리직 측에서는 '마치기 30분 전에 하는 다과'를 눈감아 주었다.

반 다과회가 열리면 지회장을 비롯한 노동조합 간부들이나 팀장을 비롯한 사무직 사람들이 내려와, "추석 잘 다녀오세요."라며 인사를 하고 악수를 건넸다.

관례로 반 다과회를 하기 전, 우리 반에 지원 와서 일하는 작업자를 초대하기도 했다. 반을 위해 힘써준 것에 대한 고마움을 표하기 위한 것이다. 하지만 반 친목회 회장이었던 도현 선배가 조 조장을 초대하는 것을 잊어버렸다.

추석연휴를 잘 보내고 회사에 출근했다. 다들 반갑게 인사를 주고받았다. 일하다 쉬는 시간이 되자, 나는 도현 선배와 함께 휴게실로 갔다. 자판기 커피를 마시며 "주식"에 관련해서 이야기를 나누었다. 그때 조 조장이 무서운 얼굴표정을 하고서는 도현 선배에게 다가왔다. 그리고 다짜고짜 따지기 시작했다.

- 야! 반 다과회 하면 너희 반을 위해, 지원 간 사람을 초대하는 것이 예의 아니가?

- 아. 형님, 제가 그날 바빠서 깜박했습니다. 그래도 각 반에

다 다과회 했잖아요. 아무튼 죄송합니다.
- 깜빡? 깜박할게 따로 있지! 너하고 나하고 일도 같이하고 커피도 자주 마셨잖아. 네가 그만큼 나를 생각안하는 거야.
조 조장은 사람이 많은 휴게실에서 도현 선배에게 큰 소리로 무안을 주고는 나가버렸다. 도현 선배는 당연히 얼굴표정이 좋지 않았다.
다음날에도 전날과 다름없이 쉬는 시간에 도현 선배와 휴게실로 갔다. 그리고 자판기 커피를 마시며 시시콜콜한 이야기를 나누었다. 조 조장이 삶은 달걀을 한가득 들고 휴게실로 들어왔다.
조 조장은 그 삶은 달걀을 친한 사람이 앉아있는 테이블에 내려놓았다. 그러자 테이블에 앉아있던 사람들이 하나씩 달걀을 집었다. 양이 많아서인지, 달걀이 옆 테이블에 앉아있던 우리들에게도 전달되었다.
- 잘 먹을게요.
도현 선배와 나는 조 조장에게 인사를 하고 달걀껍질을 까는데, 조조장이 다가왔다. 이번에도 무서운 얼굴표정을 짓더니 무안을 주기 시작했다.
- 야! 너희들은 인사할 줄도 모르나? 내 달걀 먹으면 고맙다는 인사정도는 해야 되는 거 아니가? 나는 땅 팔아서 달걀 삶는 줄 아나?
도현 선배와 나는 황당해 아무 말도 하지 않았다.
그 일이 있은 후부터 도현 선배와 나는 휴게실에서 커피를 마시다가도, 조 조장이 달걀을 들고 휴게실로 들어오면 바로 일어나 버렸다. 커피를 다 마시지 않아도 벌떡 일어나 각자의 작업장으로 가버렸다. 조 조장과 마주치기 싫은 것이다. 공장 내 중앙통로에 마주쳐도 고개만 숙였다.

사회생활과 공장생활을 하며 깨달은 것이 하나 있다. 상식적으로 이해가 되질 않고 기본적인 것을 벗어난 사람이라고 판단된다면 그 사람과 절대 엮이지 않는 것이 올바른 방법이라는 것이다. 조 조장이 딱 그런 경우였다. 같은 공장의 선배이므로 인사만 했지, 말도 엮이지 않으려 했다.

작업장에 간혹 가다 품질검사원들(Q.C)을 볼 수 있다. 이들도 나처럼 대기업 T의 정규직 사원이다. 같은 회사 소속이기에 나보다 나이가 많으면 보통 선배라는 호칭을 불렀다. 하지만 그것도 안면이 있고 친분이 있어야 "선배님"이라고 부르며 인사를 했다. 모르는 사이나 인연이 없고 나이가 비슷하면 군대처럼 아저씨라는 호칭을 사용했다. 완전 남인 것이다.

내가 있는 작업장에 흰머리에 파마를 한 Q.C가 간혹 보였다. 그 Q.C가 나에게 아는 척을 했다. 나보다 나이도 훨씬 많은데, 먼저 아는 척을 하며 말을 건넸다. 나이 많은 선배가 후배에게 말을 거는 것이 좋아 보였고 괜찮은 사람이라고 느껴졌다. 그래서 나도 그 Q.C를 만날 때마다 고개 숙여 인사를 했다. 그리고 일을 끝내고 샤워실에서 자주 보기도 했다. 나에게 관심을 보여주기에, 나도 어느 정도 마음을 열었다. 쉬는 시간에 휴게실에서 같이 커피를 마시기도 했다.

어느 날, 작업을 끝내고 목욕탕에서 샤워를 하려고 옷을 벗었다. 그때 흰머리 Q.C가 다가왔다.

- 이야. 가슴에 근육 많이 붙었는데.

나는 어릴 적부터 몸이 야위었다. 그래서 부모님이 어린 나를 격투기 체육관에 보내주셨다. 그때 관장이 나를 보며 "넌 몸이 많이 야위니, 특히 팔 굽혀 펴기를 많이 해야 한다. 그래야 어깨가 넓어지고 남자다워진다."라고 말했다. 그 말이 내 머리에 각인되어 팔 굽혀 펴기를 자주 했다. 꾸준히 하고 있기에 가슴근육이 예전이나 지금이나 똑같다.

- 예전부터 팔 굽혀 펴기를 했습니다. 그래서 예전과 다를 바가 없습니다.

일상의 대화이며 별 뜻 없는 대답이었다. 근데 흰머리 Q.C의 얼굴이 일그러졌다.

- 이. 씨발. 가슴에 근육이 붙었다니깐. 그러면 그런 것이지. 씨발. 왜 말대꾸를 하고 지랄이야.

헉~. 순간 화가 엄청난 속도로 치밀어 올랐다. 화를 간신히 참으며 그 순간을 모면했다. 그 이후부터 흰머리 Q.C와 엮이지 않으려 했다. 내 눈에 보여도 못 본척하며 지나갔고, 말을 붙여도 못 들은 척하며 지나갔다.

나에게 욕을 한 순간에 무엇 때문에 화가 났는지 모른다.

이유가 어찌 되었든 후배에게 그런 막말을 하는 사람은 보나마나이다.

공장에 엮이지 말아야 할 사람이 한, 두 명은 있는 듯하다.

홈페이지 업그레이드

올해 초에 코로나가 덮쳤다. 코로나는 내가 사는 지방도시까지 영향을 끼쳤다.

5인 이상 모임금지! IMF때나 코로나처럼 다들 힘든 시기에, 누군가는 혜택을 보는 사람들이 종종 있다. 예를 들면 이번 코로나로 배달 업체의 매출이 급상승하고 사람과의 비대면을 위한 무인기와 관련된 사업이 발달했다. 그리고 내가 있는 대기업 T의 노동조합도 작년에 비해 활동이 적어졌다. 예전의 상황이라면 고용불안을 겪고 있는 사업체를 도와, 집회에 참석을 하기도 하고 길거리 행진도 했을 것이다. 코로나 때문에 그런 활동을 일절 하지 못했다.

상부단체의 지침이 최소화되어, 노동조합에 상근하는 집행위원들의 업무가 줄어들었다. 그에 비해 현장의 생산은 예전과 다를 바가 없다. 여전히 잘 돌아갔다. 현장에서의 가장 큰 아쉬움은 회식을 못한다는 것이다. 코로나가 오기 전에는 3달에 한 번씩 회식을 하며 단합을 도모했는데, 지금은 회식을 못하니 즐거운 낙이 하나 줄어든 것이다.

친목회 회비는 계속 쌓여갔다. 그래서일까? 추석이 되었을 때, 반 친목회에서는 추석선물로 상품권 15만 어치가 나왔다. 향우회는 20만 원 상당의 선물세트를 나눠주었다.

단체교섭이 다가왔다. 작년 단체교섭에서 상기 지회장은 현장의 조합원들에게 많은 욕을 먹었다. 겉만 번지르르했지, 속은 텅 빈 강정이었기 때문이다. 세금 많은 통상임금 지급, 반쪽짜리 시니어 제도, 말뿐인 신임금체계 개선. 현장에서 이번에는 쉽지 않을 것이라는 말들이 나돌았다. 이번에는 단체 교섭이 한 번에 타결되지 않을 것이라 예상했다.

초여름, 노동조합은 그들이 원하는 요구안을 사측에 건네주고, 전체간부 수련회를 떠났다. 다녀와서 몇 달간 사측과 교섭을 진행했고, 사측은 요구안을 내놓았다. 이번 년도 단체교섭은 임금 부분만 다루었기에 큰 타이틀은 없었다.

올해, 상기 지회장이 이끄는 노동조합은 협력업체 처우개선에 많은 신경을 쓰는 모양이었다. 노동조합 소식지나 대자보에 '회사 내, 일하는 협력업체 노동자의 처우개선에 관심 가지고 힘쓰라.'며 사측에 압박을 가하는 내용이 적혔다. 하지만 현장의 일부 조합원들은 이런 불만을 제기하기도 했다.

- 노동조합은 조합비로 굴러가고 있고, 그 조합비는 매달 조합원 월급에서 빠져나간다. 그럼 노동조합은 조합원을 중점으로 힘을 써야지, 협력업체 챙길 때냐? 또한 다른 타 기업의 경우, 협력업체의 비정규직 노동조합이 설립되어, 본인들의 권리를 본인이 지키고 있다. 우리도 그런 식으로 협력업체 노동자들이 비정규직 노동조합을 만들 수 있도록 도와주어야지, 왜 우리 노동조합이 비정규직 노동자들을 대변해 주냐?

코로나로 인해 점심시간에 식사하는 시간이 정해졌다. 현장의 정규직 사원은 12시, 사무직들은 12시 20분, 협력업체

직원들은 12시 30분이었다. 하지만 점심시간, 12시에 밥 먹으러 가면 협력업체 노동자들이 앞줄에 줄 서서 기다리고 있다. 회사와 노동조합이 정한 지침을 따라줄 것을 요청했지만, 협력업체 직원들은 따라주질 않았다. 이런 행동에 조합원들은 화가 나 있는 상태였다. 그런데 상기 지회장이 협력업체 처우개선을 계속 주장하니 일부에서 나오던 불만이 여기저기서 튀어나왔다.

- 코로나로 인한 점심시간 지침도 따라주지 않는데, 왜 자꾸 협력업체 처우개선을 외치는 것이냐? 협력업체 신경 그만 쓰고, 우리 조합원들에게나 신경 써라!

상기 지회장은 지회장 후보시절, 공약 중 하나로 다시 2천 조합원이란 구호를 내걸었다. 대략 20년 전, 2000년도에 현장직 조합원이 2천여 명이었다. 하지만 시간이 지남에 따라 자연감소로 인해 지금은 1천여 명이 조금 넘었다. 나머지 1천여 명의 일자리는 협력업체 노동자들의 몫이 된 지 오래다. 이렇듯 시간이 지남에 따라 대기업 T의 노동 생태계가 자연스럽게 형성된 것이다. 여기서 나는 의문점이 하나 생겼다. 다시 조합원이 2천 명이 되려면 올해 신입사원이 9백 명 정도 들어와야 된다. 물론 실현 불가능하다. 그런데 왜 상기 지회장은 택도 없는 공약을 내민 것일까? 그리고 9백 명은 아니더라도 많은 수의 신입사원들을 채용하면, 협력업체 노동자들의 일자리는 줄어들거나 없어질 것이다. 협력업체 노동자들이 진정으로 바라는 것은 처우개선보다 고용안정일 것이다. 이런 상황인데, 상기 지회장은 신입사원 대거채용과 협력업체 처우개선을 사측에게 강하게 요구하고 있는 것이다. 상기 지회장의 행보는 참으로 이해할 수가 없다.

추석이 지나, 노동조합은 사측의 제시안을 받아들였다. 작년에 비하면 조촐한 성과였다. 내가 노동조합에 있을 때, 나오던 멘트가 여전히 나왔다. "모든 조합원의 눈높이에 맞출 수는 없겠지만 최선을 다했습니다."

노동조합은 코로나의 여파로 경제가 악화되고, 그것이 우리 회사에도 큰 영향을 끼쳤다고 한다. 회사 여건도 고려해야 된다며, 최선을 다했다는 말뿐이다.

1차 찬반투표에 들어갔다. 역시나 반대표가 월등히 많아, 부결되었다. 현장에서는 최악의 경우 상기 집행부가 내려올 수도 있다는 말도 나돌았다. 상기 지회장은 대자보를 통해, '죄송하다며 다시 심기일전하여 최고의 성과를 내겠노라.'고 했다.

정확히 일주일 후, 제2차 단체교섭 찬반투표가 진행되었다. 진행과정이 너무 성의가 없었다. 보통 찬반투표를 하기 전, 소식지를 통해 1차와 변경된 내용들을 전하고 최선을 다했겠다는 호소문을 올렸다. 그리고 투표하기 바로 직전에, 사무장이나 지회장이 전체조합원들 앞에서 간단한 인사말 및 설명과 함께 호소를 했다. 하지만 이번에는 그런 것이 아예 없었다. 몇 명의 조합원이 무성의한 찬반투표 진행을 지적했지만 노동조합은 "코로나 탓"이라고 했다. 코로나로 모이지는 못하지만 소식지를 통한 정보공유는 가능하다. 그에 대해서도 무응답으로 일관했다.

2차 찬반투표는 1차에 비해 휴가 하루와 상품권 5만 원이 추가되었다. 그리고 코로나 탓에 15분 단위로 공장별 투표가 진행되었다. 나는 노동조합의 무성의에 화가 나, 반대를 찍었다. 2차 찬반투표를 하는 과정에, 나처럼 불만을 가진 사람을 여럿 볼 수 있었다. 보나 마나 부결될 것이라고 확신했다.

점심시간이 지나, 2차 찬반투표 소식을 들었다. "가결되었다."는 소문이 나돌았다. 노동조합 홈페이지에 들어가니, 정말로 가결공고가 떴다. 찬성 55%로, 정말 아슬아슬하게 가결된 것이다. 믿을 수가 없었다.

나는 작업을 끝내고 쇳가루와 먼지를 씻기 위해 공장 내 샤워장으로 갔다. 현장의 선배들은 만나, 이야기를 나누었다. 다들 의아해했다. 그중 소식통이 빠른 선배가 이유를 알려주었다.

- 상기 놈이 운이 정말 좋아. 코로나 탓에 경기가 악화되었잖아. 그리고 모든 기업이 다 그 영향을 받았고. 그래서 조합원 다수가 "더 이상 용을 써도 사측에 더 받을 수 없을 것이다. 마른 수건을 짜는 것과 다를 바가 없다."라고 생각했나 봐. 그래서 찬성을 찍었고. 또한 상기가 정년 퇴직자를 잘 공략했어. 이번 시니어 제도는 100%로, 정년 퇴직자들이 1년 연장할 수 있도록 해준다고 했잖아. 그 공약으로 올해 퇴

직할 사람, 내년에 퇴직할 사람들이 상기 손을 들어주었어.

샤워장에 나도는 이야기를 들어보니, 상기 지회장은 젊은 층보다는 인원이 많은 기성세대들, 선배에게 신경을 썼다고 했다. 그리고 그것이 주요했다.

젊은 조합원과 신입사원의 신임금체계는 당장 해결되는 것이 아니니, 차츰 개선해 나갈 것이라고 했다. 그리고 조금이나마 소급 적용받을 수 있도록 힘써보겠다는 것이 전부였다.

2차 찬반투표를 분석해 보니, 젊은 층들은 반대를 많이 했고 기성세대들은 찬성을 많이 했다. 아무튼 이번에도 상기 지회장은 노동조합의 가장 큰 과제인 단체교섭을 잘 마무리 지었다.

단체교섭 조인식도 끝났고 노동조합은 예전의 일상으로 돌아갔다. 하지만 젊은 조합원 및 신입사원들의 온라인 불만, 불평은 심화되었다. 하루가 멀다 하고 노동조합 홈페이지 게시판에 상기 지회장과 사무장을 비난하는 글이 올라왔다. 특히 젊은 조합원과 신입사원들이 신임금체계에 대해 꼬치꼬치 묻는 글을 남겼다.

- 신임금체계를 소급적용 해준다고 했는데, 어떻게 계산하는 거죠?

- 사측처럼 시간만 끌다, 임기 끝내고 내려오려는 거죠? 지

회장님, 대답해 보세요?
- 사무장님, 자리에 골프채는 치웠나요? 아직 그대로인가요?
- 사무장님, 아직도 골프 치세요? 다음에 저랑 검도 겨루기 해요. 사무장님은 골프채로, 나는 죽도로 할게요. 자신 있어요.

조롱하는 문장들이 상기 지회장의 심기를 불편하게 만들었다.

얼마 지나지 않아, 노동조합은 홈페이지를 약간 수정한다고 했다. 예전에 노동조합 홈페이지가 해킹을 당한 적이 있다는 사실을 언급했다. 그리고 노동조합에 홈페이지에 글을 달 때, 로그인 제도를 도입해 우리 조합원만 글을 적을 수 있도록 만들겠다고 했다. 이에 대의원들은 반발했다.
- 혹시 글 적은 사람이 누구인지 알려고 그러는 거 아니야? 그리되면 소통을 목적으로 만들어 놓은 홈페이지 게시판을 누가 사용하려고 하겠냐?

상기 지회장은 외부의 사람들도 노동조합 홈페이지에 접속해서 조합원인 척 글을 적는 경우가 있다며, 이를 '미연에 방지하는 것'이라고 대의원들을 다독였다. 그리고 노동조합 홈페이지에 글을 적어도 누군지 절대로 알 수 없게 할 것이라며 대의원들의 동의를 구했다. 결국 대의원들은 상기 지회장의 끈질긴 설득으로 노동조합 홈페이지 업그레이드에 동의해 주었다.

일주일 동안 노동조합 홈페이지는 작동을 하지 않았다. 업그레이드 때문이라고 했다. 일주일이 지나, 노동조합 홈페이지가 새롭게 만들어졌다. 하지만 업그레이드를 했는지? 의문이 들 정도로 변화된 것이 없었다. 크게 바뀐 것이 있다면, 노동조합이 알려준 4자리 비밀번호를 입력하고 로그인해야만 홈페이지 게시판에 글을 적을 수 있다는 것이다.

홈페이지에 로그인하기 위해서는 사번을 입력하고, 어느 부서 누구인지를 확인시켜주어야 했다. 그리해야만 닉네임을 만들 수 있고, 게시판에도 글을 적을 수 있었다. 노동조합은 대의원이나 운영위원들에게 홈페이지 비밀번호 4자리를 전달했고, 운영위원이 각 반의 조합원들과 4자리 비밀번호를 공유했다.

노동조합 홈페이지가 업그레이드된 후, 홈페이지 게시판에 올라오는 글이 대폭 줄었다. 예전에는 하루가 멀다하고 3~4개의 글이 올라왔는데, 지금은 2주일에 하나 올라올까 말까 할 정도이다. 로그인을 하는 과정에 사번과 부서, 이름을 확인해야 하기에, 껄끄러운 것이다. 또한 혹시 익명성이 보장되지 않아, 노동조합 홈페이지 관리자는 실명을 볼 수 있지 않을까? 하는 의혹도 있기 때문이다.

그럼에도 불구하고 홈페이지 게시판에 글을 다는 조합원이 있었다. "단결"이란 아이디로, 계속 신임금체계 개선을 언급했다.
- 같은 공장에 일하는 노동자끼리 차별이 존재한다면 근로의욕이 생기겠습니까? 일은 서툴지만 후배들도 현장의 선배님들을 따라, 열심히 일하고 있습니다. 우리도 우리의 역할을 충분히 해내고 있습니다. 노동조합에서 나 몰라라 한다면 이는 노•노 갈등으로 이어질 수도 있습니다. 그리고 단체교섭 이후 신임금체계 관련하여 소급적용을 해준다고 했는데, 계산이 맞는지 확신이 가질 않습니다. 계산법을 알려주세요.
 상기 지회장이 이 글에 답변을 달았다.
- 계산법은 공적인 공간에서 설명할 수 없습니다. 사측과 협의된 부분도 있어 민감하기 때문입니다. 그러니 궁금하시면 노동조합을 방문해 주세요. 자세히 설명해 드리겠습니다.
 "단결"이란 아이디가 또다시 글을 올렸다.
- 내가 현장에서 놉니까? 시간이 남아돕니까? 시간적, 장소적 제한 때문에 사이버 공간에서 물어보는 거잖아요?
 짜증 섞인 댓글에 상기 지회장은 더 이상 답변을 하지 않았다.
 우리 반에 입사한 지 1년도 안 되는 신입사원이 내게 말을 걸어왔다. 내가 예전에 노동조합에서 간부 활동 한 것을 알기에, 이것저것 많은 것을 물어보았다. 나는 내가 아는 만큼 성실히 대답해 주었다. 그러다 상기 지회장 이야기가 나왔다.
- 이틀 전에 노동조합에 갔었어요. 저뿐만이 아니라 우리 입

사동기 전체가 모였어요. 상기 지회장이 신임금체계와 관련하여 이야기를 하더라구요. 우리는 너희들을 위해 최선을 다하고 있고, 조금이라도 더 받아내기 위해 사측과 싸우고 있다고 말이죠. 그러면서 요새 노동조합 홈페이지 때문에 스트레스가 장난이 아니래요. 궁금한 점이 있다면 직접 찾아오던지, 전화상으로 물어보래요. 노동조합 홈페이지에 글을 남기면 여러 사람이 보고, 의혹 등의 이상한 말들이 계속 발생한대요. 그러니 될 수 있으면 게시판에 글을 적지 말라고 했어요.

우리 반 신입사원의 이야기를 들어보니, 노동조합 홈페이지 게시판의 글 때문에 상기 지회장이 굉장한 스트레스를 받는 듯하다. 그렇다고 하더라도 지회장이 노동조합 홈페이지 글을 적지 말라는 것은 잘못된 것이다.

홈페이지 게시판은 노동조합 집행위원들과 현장의 조합원들의 효율적인 의사소통 수단이며, 창구이다. 현장의 조합원과 노동조합의 집행위원들은 각자 맡은 역할이 있고, 서로 시간적 제약이 있다. 그렇기에 조합원들이 홈페이지에 질문이나 이의제기 등의 하고 싶은 말을 남기면, 그와 관련된 부서의 집행위원들이 확인 후 답변을 하면 된다. 그럼 서로 시간과 에너지를 아끼는, 효율적인 방법이 되는 것이다.

이런 온라인상의 의사소통은 집단지성으로도 발전할 수 있다. 한 사람이 해결방안을 생각하는 것보다 다수의 사람이 생각하는 것이 훨씬 더 효율적이다. 또한 집단지성으로, 해결방안 뿐만 아니라 다채로운 생각과 시도가 쏟아져 나올 수도 있다. 그렇지 않아도 자본가의 힘과 권위가 세지고 있는 상황이다. 반면에 우리같이 사장이나 자본가 밑에서 일하는 직원, 노동자들의 입지는 좁아지고 있는 실정이다. 게다가 코로나로 인해 무인화가 발전하고, 비대면으로 노동의 가치가 대폭 하락하고 있다. 이런 어려운 상황에 머리를 맞대어 집단지성으로 해결책을 강구해도 될까 말까 한 상황인데, 상기 지회장은 그 연결고리를 막으려는 것이다.

내가 노동조합에 몸 담고 있을 때, 재섭 선배는 홈페이지에 글이 올라올 때마다 성심성의껏, 빨리 답변해 줄 것을 집행위원들에게 주문했다. 하지만 상기 지회장은 그리하지 않았다. 재섭 선배는 우유 분단하여 여러 조합원들의 말을 경청했지만 결단력이 부족했다. 반면에 상기 선배는 결단력이 높지만 독불장군이다. 상기 지회장의 행보를 생각하니, 재섭 선배가 잠시 떠올랐다.

나는 종종 노동조합 홈페이지를 서핑한다. 예전에 노동조합 간부로 있을 때의 습관이 몸에 밴 것이다. 신입사원들의 글로 추정되는 글들이 간헐적으로 반복되어 올라왔다.

쉬는 시간, 폰으로 인터넷 서핑을 하고 있었다. 자주 연락도 없었던, 상기 지회장으로부터 전화가 걸려왔다. 나한테 전화할 이유가 없는데.......

- 지회장님, 잘 계십니까?
- 그래. 너 혹시 노동조합 홈페이지에 글 올리냐?

- 네?

지금까지 노동조합 홈페이지에 몇 번 글을 올린 적이 있다. 하지만 홈페이지 업그레이드 이후에는 글을 올린 적이 없었다. 사번을 기재하고 부서와 성명을 확인해야 하는 절차가 못마땅하고, 익명성이 보장되지 않을 것이라는 생각 때문이었다.

- 누가 계속 노동조합 홈페이지에 신임금체계 관련해서 글을 올리는데, 아주 짜증나서 죽겠다. 반복해서 올리는 거 보니깐 골탕 먹이려는 것 같기도 하고 말이야. 근데 글에도 사람의 말처럼 다 개성이 있잖아. 글을 올린 사람이 왠지 너일 것 같은 느낌이 들어서 말이야.

당황스럽다. 화가 났지만, 상냥한 말투로 대답했다.

- 지회장님 오해하셨네요. 저 아니에요. 홈페이지 담당하는 업체에 문의하셔서, 누군지 알아보세요. 제가 아니라는 것을 알 수 있을 거예요.

- 그게 쉽지 않아. 홈페이지 업그레이드 했잖아. 심각한 문제의 소지가 있을 때, 대의원들 동의하에 업체에 문의할 수 있는 거야. 노동조합에서 함부로 글 적은 사람 알아낼 수 없어.

- 아무튼, 저는 아닙니다. 그리고 저는 입사한 지 10년이 넘어서 신임금체계의 영향도 받고 있지 않습니다. 저와 상관도 없는데, 제가 왜 그런 글을 올리겠어요?

- 그래. 확실히 너 아니지?

- 네.
- 그럼 부탁 하나만 하자. 주변에 신입사원들 보면 노동조합 홈페이지 게시판에 글 좀 적지 말라고 해. 너무 피곤해. 너도 알잖아. 지금 노동조합이 신입사원들한테 얼마나 신경 쓰고 있는지 말이야. 그것 때문에 사측과도 자주 싸우고, 한 푼이라도 더 받아서 소급적용 시키려고 한단 말이야. 그러니 노동조합을 믿고 차분히 기다리라고, 네가 말 좀 해라.
- 아. 네. 알겠습니다.
- 그래. 일할 때 항상 안전에 주의하고.

상기 지회장과의 통화가 종료되었다. 다시 안전보호구를 착용하고 용접을 하는데, 부아가 치밀어 오른다. 도둑질도 안 했는데, 도둑놈 취급받은 것 같다.

다음날, 아침조회를 마치고 대의원들에게 찾아갔다. 정욱 대의원도 보였다. 상기 선배의 "따가리"라, 말하는 것이 불편했다. 그래서 조심스럽게, 신중하게 단어를 선택해 말했다.
- 어제 상기 지회장한테서 전화가 왔어. 근데 다짜고짜 노동조합 홈페이지 게시판에 글 올린 사람이 너 아니냐? 라며 물어보더라. 당연히 내가 한 것이 아니기에 아니라고 했지. 어찌 보면 별것도 아니지만. 기분이 상하더라고. 현장에서 열심히 일하고 있는 사람을 몰아세우고, "딱 너 아니냐?"라며 이야기를 하니깐. 하소연할 사람도 없고. 그냥 우리 공장의 대의원들이 생각나서, 이렇게 와서 이야기하는 거야. 내가 무슨 잘못을 한 것도 없는데, 범죄인 취급받는 것 같기도 하고.

에휴~.
정욱 대의원이 의외의 반응을 보였다.
- 씨발, 지회장이 그러면 안 되지. 확실히 알아보고 말해야지. 추측으로 사람을 단정 지으면 안 되지.
나는 정욱 대의원 반응에 "신중함"이 사라졌다.
- 게다가 신입사원들 보면 게시판에 글 적지 말라고 전하래. 조합원과 소통하려고 만들어 놓은 창구인데, 하지 말라니. 이게 말이 돼?
정욱 대의원이 더욱 화를 냈다.
- 미친, 완전 돌아이들이네. 다음 대의원회의 때 이야기 꺼내서 주의를 주어야겠어요.
나는 다시 조심스럽게 물어봤다.
- 근데 정욱 의원. 왜 이리 화를 내? 욕까지 할 건 없잖아. 집행부하고 꽤 친하지 않았어?
- 아닙니다. 솔직히 예전에 재섭 선배가 지회장 할 때, 그때 집행부 욕 했어요. 못한다고. 근데 지금은 더 합니다. 완전 지 꼴리는 대로 하고 있어요. 그리고 선우 반장 때문에 노동조합에 찾아갔을 때도 사무장이 개욕을 하지 않나? 지금, 노동조합은 완전 개판이에요.
놀라웠다. 정욱은 상기 지회장 덕분에 징계를 받지 않고, 지금까지 대의원 명찰을 붙이고 있다. 그럼 은인인데, 왜 저러지? 아무튼 나는 할 말을 다하고 내 작업장으로 갔다.
우리 공장 대의원들이 홈페이지에 글을 적지 말라는 것과 관련해서 노동조합에 항의를 했다. 상기 지회장을 비롯한 임원들은 "알았다."라는 말만 할 뿐 더 이상의 행동은 보이질 않았다고 한다.

나는 정욱의 행동에 몹시 궁금했다. 화장실을 가다, 우리 공장 운영위원과 마주쳤다. 잠시 이야기를 나누었고 그 과정에서 정욱이 상기 지회장을 비롯한 집행부를 미워하는 이유를 알게 되었다. 선우 반장과의 사건으로, 정욱은 사무장에게는 쌍욕을 듣고 지회장에게는 많은 핀잔을 들었다. 그리고 단체교섭 전부터 우리 공장 신입사원들은 정욱 대의원에게 신임금체계 개선을 부탁했다. 정욱 대의원은 상기 지회장을 믿었고, 반드시 신임금체계를 개선하겠다고 호언장담했다. 하지만 결과는 또 "차후 TFT 구성 후 논의"였다. 정욱 대의원은 신입사원들, 후배들 보기가 민망해졌다. 그리고 후배들의 싸늘한 반응에 그 분위기를 감지했다. 선우 반장 사건 후의 반응과 후배들의 믿음을 저버린 것이 더해져, 지회장에 대한 신뢰가 증오로 변한 것이다.

회사에 출근해, 여느 때와 다름없이 일을 했다. 쉬는 시간에 휴게실에서 도현 선배와 자판기 커피를 마셨다. 근데 도현 선배가 느닷없이 화를 내기 시작했다.

- 아무리 생각해도 열 받네. 어떻게 "사무장"이란 직급을 단 놈이, 조합원에게 골프채를 들고 위협할 수가 있지? 그리고

지금 아무 처벌도 안 받고 잘 지내고 있잖아. 어휴, 열 받아.
- 형님, 하고 싶은 말이 있으면 직접 하셔야죠. 저한테 말해봤자 아무 소용없어요.
- 내가 오죽 답답하면 이러겠냐?
- 형님, 그럼 노동조합 홈페이지 게시판에 글로써 말하세요.
- 내가 컴퓨터만 잘하면 할 텐데. 내가 컴맹이야.
- 핸드폰으로도 할 수가 있어요.
- 그럼 네가 내 대신해라.
- 진짜요? 그럼 형님 사번 알려주세요. 내가 대신 홈페이지에 들어가서, 사무장한테 이야기할게요.
- 그래. 해라. 꼭.

도현 선배는 본인의 사번번호를 알려주었다. 나는 도현 선배가 알려준 사번번호를, 마시고 있던 종이컵에 받아 적었다. 그리고 핸드폰을 꺼내, 사번이 적힌 종이컵을 촬영했다.

점심시간, 밥을 먹고 내 작업장에서 쉬고 있었다. 도현 선배가 알려준 사번이 생각났다. 홈페이지에 글을 적을 때 꺼림칙했었다. 홈페이지 관리자는 글 적은 사람의 정체를 알 수 있다는 소문도 들렸다. 로그인하려면 사번, 신분확인을 해야 하는 불편함과 소문 때문에, 홈페이지에 글을 잘못 적으면 상기 지회장한테서 전화가 올 것 같다. 그래서 홈페이지에 글 올리는 것을 하지 않았는데, 도현 선배의 사번을 얻으니 용기가 났다.

노동조합 홈페이지에 들어가, 사번을 기재하고 신분을 확인시켰다. 그런 식으로 도현 선배 아이디와 내 아이디를 만들었다. 센말은 도현 선배 아이디로 적고, 내 아이디로는 그 말에 “좋아요.”를 붙인다거나 동의하는 글을 적을 것이다.

도현 선배의 아이디는 “공장제과”이고 내 아이디는 “강철용접”이다. 노동조합 홈페이지 게시판에, “공장제과”란 아이디로 글을 남겼다.

- 노동조합에서 사무장이 골프채로 조합원을 위협했다. 여러 사람이 보고 있어, 그 정도로 그친 것이다. 만약에 사람이 없었다면....... 상상만 해도 끔찍하다. 사무장은 잠재적 살인마다.

- 사무장이 조합원에게 갑질한 것은 이렇게 끝나는 건가요? 아무런 징계나 처벌도 없이.

내가 글을 올리자 다른 댓글이 달렸다. 나와 같이 사무장의 갑질을 비난하고 사퇴하라는 내용들이었다. 내 글을 보고 타인이 동조해 주니 흥이 올랐다.

- 사무장님, 코로나 끝나면 필드에 한번 나갈 예정입니다. 필드에서 치기 좋은 골프채 좀 추천해 주세요. 현장에서 골프채 잘 휘두르신다고 소문이 돌아, 여쭈어 보는 겁니다. 그리고 발로 차도 부서지지 않는 쓰레기통도 추천 바랍니다.

사무장을 조롱하니, 지회장도 놀리고 싶었다. 또한 며칠 전, 홈페이지에 글을 올리지도 않았는데, “너 아니냐?”라며 단언한 것에 대한 앙갚음도 하고 싶었다.

- 지회장님, 지회장님이 홈페이지에 올린 글 중 “년말”이란

단어가 있던데, 그건 북한식 표현이에요. 우리나라에서는 “연말”이 맞아요. 드라마 “사랑의 불시착” 재방송으로 다시 보나요? 앞으로 신중한 단어선택 바랍니다.

- 지회장님하고 사무장님이 골프 치면 누가 이겨요?

이 외에도 조롱하는 글을 자주 달았다.

며칠 뒤 내가 적은 글들이 삭제되었다. 노동조합 홈페이지 관리자가 삭제했을 것이다.

더 이상 홈페이지에 조롱하는 글을 적지 않기로 했다. 내 마음에 들지는 않아도, 조합원을 위해 일하는 노동조합이기에 존중해 줄 필요가 있다는 생각이 들었다. 마지막 질문만 하나 하고 더 이상 홈페이지에 글을 올리지 않았다.

- 사무장의 골프채 사건은 일단락되었나요?

익명의 조합원이 추가해서 질문을 했다. 하지만 노동조합에서는 아무 답변을 하지 않았다.

회사에 출근해서 보니, 도현 선배가 출근하지 않았다. 집안 제사라 출근하지 않은 것이다. 쉬는 시간, 쉬고 있는데 정욱 대의원이 찾아왔다.

- 도현 선배, 어디 있어요?

- 왜? 무슨 일 있어?

- 같이 노동조합 가서 따지려고요. 노동조합 홈페이지가 해킹 당했대요. 근데 노동조합 홈페이지 게시판에 글을 적은 닉네임이 다 본인이름으로 잠시 바뀌었대요. 그걸 누가 캡처했고, 주변에 친한 사람들하고 공유했나 봐요. 게시판에 글

적은 사람의 이름 중에 도현 선배가 나오더라구요. 노동조합에서는 홈페이지 업그레이드하면서 익명성을 보장한다고 했잖아요. 글 적은 사람 신분이 노출되었으니, 당연히 책임을 물어야죠.

- 어이고, 이를 어째. 도현 형님은 제사 때문에 오늘 출근 안 했어. 내가 내일 아침에 이야기할게. 그리고 노동조합에 가서 따질 건지도 물어보고, 연락 줄게.

- 네. 형님. 그리 해주세요.

다행이다. "공장제과"란 아이디로 상기 지회장의 집행부를 엄청 조롱했었는데, 나인 것이 탄로 났다면 지회장실로 불려갔을 것이다. 그리고 엄청 혼났을 것이다.

다음날 회사에 출근해, 도현 선배에게 어제 있었던 일을 이야기해 주었다.

- 뭐야? 난 컴퓨터 할 줄도 모르는데, 누구 짓이야?

- 핸드폰으로 올린 것 같은데요.

- 난 폰으로 사진 찍고, 메시지 보내고 통화하는 거밖에 몰라. 나중에 따지러 가자.

나는 도현 선배가 나를 지목하지 않을까 생각했다. 오래되지도 않은, 며칠 전 도현 선배가 나에게 사번을 알려주었고 홈페이지에 대신 글을 올리라고 했기 때문이다. 근데 그때의 기억은 완전 잊어버린 듯, "어느 놈이야?"며 화를 내고 있다.

아무도 없을 때, 조용히 말하려다 기다리기로 했다. 화를 내는 모습이 너무 웃겨, 재미 삼아 시간을 끌기로 한 것이다.
 나는 도현 선배가 한 이야기를, 그대로 정욱에게 전했다.
 점심 먹고 일하다, 다시 쉬는 시간이 되었다. 도현 선배와 이야기를 나누고 있는데, 노동조합의 집행위원 2명이 다가왔다. 조직부장과 교육선전부장인 승호 선배였다. 다들 안면이 있기에 인사를 나누었다. 그런데 나를 찾아온 것이 아니었다. 나보다 어린 조직부장이 도현 선배에게 말을 걸었다.
- 선배님, 이야기 전해 들었습니다. 우리 노동조합 홈페이지 게시판에 글을 올리지 않았다면서요? 사실입니까?
- 그래. 황당해 죽겠어. 누군지 제발 찾아내. 얼굴 한번 보고 싶다. 나는 컴퓨터 할 줄도 모르고 글 올리는 것도 모른다고.
- 선배님, 진정하시고요. 혹시 의심 가는 분, 있습니까?
- 당연히 모르지. 그리고 의심 가지고 사람을 판단하면 되나? 확신을 가지고 다가가야지. 경찰서에 신고하면 되나?
- 아닙니다. 이런 것은 온라인이기에 사이버 수사대에 맡기면 됩니다. 선배님, 그럼 이것 좀 사인해 주세요. 우리가 선배님 대신 수사할 수 있도록, 위임하는 겁니다.
 조직부장은 내가 잘 볼 수 있는 위치에서, 도현 선배에게 사인을 받았다.
- 와~. 내가 지금 "삼재"라서 그런 갑다. 하는 일마다 와 이렇노?

- 이런 일, 다시는 발생하지 않도록 꼭 잡겠습니다.

노동조합 집행위원들이 돌아갔다. 남의 사번으로 글 적은 것이 무슨 큰 범죄라고 "잡는다."라는 표현을 한단 말인가? 타인의 사번으로 명예를 실추시킨 것도 아니고 사기를 친 것도 아닌데 말이다. 별 생각 없이 지켜보기로 했다.

다음날, 출근해서 일하다 쉬는 시간이 되었다. 휴게실에서 도현 선배와 자판기 커피를 마셨다.

- 나 어제 지회장 만났어. 지회장이 홈페이지와 관련해서 이야기 나누고 싶다며, 노동조합에 오라고 하더라고. 가서 물어봤어. 혹시나 나와 동명이인이 있는지 말이야. 지회장이 벌써 알아봤는데, 우리 회사에 나의 성과 이름이 똑같은 사람은 없다고 했어. 지회장이 너한테 이야기하지 말라고 했어. 그러니 너도 다른 데 가서 이야기하면 안 돼.

- 다른 데 가서 이야기 안 해요.

- 지회장이 널 의심하는 것 같아. 네가 옛날에 홈페이지에 이상한 사진도 많이 올린 것을 알고 있더라고. 너인 것 같은데, 물증이 없으니 아무 말 못하는 것 같더라. 노동조합에서는 닉네임 "공장제과" 때문에 엄청난 스트레스를 받는다고 했어.

당혹스러움과 쾌감이 동시에 느껴졌다. 저번에 집행위원 두 명이 찾아와, 내 앞에서 도현 선배에게 대리인 사인을 받은 이유를 알 것 같다. 나를 의심하는 것에 당황스러웠지만, 나 때문에 스트레스를 받았다고 하니 속이 시원하다.

내가 "공장제과"인 것을 입증하지 못할 것이다. 홈페이지에 글을 올릴 때, 와이파이가 아닌 데이터를 사용해 글을 올렸다. 노동조합 집행위원 시절 때, 노안부장 광희 선배를 도우면서 데이터를 사용하고 핸드폰으로 글을 올리면 글쓴이를 찾기 힘들다는 것을 알게 된 것이다. 당혹스러움보다 쾌감이 더 증가하는 것 같다.

며칠 뒤, 노동조합에서는 "사이버 범죄, 단호히 대응하겠습니다."라는 제목으로 대자보가 나왔다. 우리 노동조합이 어이없이 해킹을 당했고, 조합원 명의도용까지 발생했다는 것이다. 일련의 과정을 설명하며 사이버 수사대에 의뢰할 계획이라고 했다.

분위기가 심상치 않다. "사이버 수사대"란 단어를 보니, 가슴이 쿵쾅거리기 시작했다. 그리고 걱정이 되었다.

대자보가 나온 지 얼마 되지 않아, 노동조합 소식지도 발행되었다. 여기서도 사이버 범죄에 대한 언급이 나왔다.

- "~카더라" 소문에 노동조합이 홈페이지 내, 글을 올린 사람들의 실명을 확인할 수 있고, 집행위원들까지 공유한다는 소문이 있습니다. 이는 절대 사실이 아닙니다. 어느 누구도 글에 대한 실명을 확인할 수 없으며, 문제의 소지가 있을 때에만 가능합니다. 이도 홈페이지 관련된 집행위원, 운영위원, 감사위원이 논의하여 열람할 것인지를 결정합니다. 그러니 ~카더라 소문에 귀 기울이지 마시고 궁금한 점은 담당 집행위원들에게 물어보시길 바랍니다. 노동조합에서 나오는 이야기

들만이 입증된 사실입니다.
- 이번 노동조합 홈페이지 해킹과 명의도용 문제를 단호하게 대처할 것입니다. 대의원들과 논의하여 문제해결 및 차별수위를 정할 것입니다. 하지만 우리 조합원일수도 있고 실수나 잘못된 판단착오로 발생한 일 일수도 있다는 판단에, 일주일의 자수시간을 주기로 했습니다. 혹시 우리 조합원들 중에 해킹을 했거나 조합원 명의를 도용하여 글을 올린 조합원이 있다면 자수하시기 바랍니다. 그리하면 징계나 처벌을 내리지 않는 방향으로 대의원들과 논의하도록 하겠습니다.

쓰나미급 걱정과 불안감이 밀려왔다. 자수를 해야 되나? 말아야 되나? 만약 노동조합에서 사이버 수사대에 의뢰하고, 내가 사이버 수사대에 의해 잡힌다면 엄청나게 창피스러울 것이다. 게다가 노동조합에서는 징계를 언급했다.

데이터를 사용하고 핸드폰을 이용하여 글을 올리면 분명히 못 잡을 것이다. 하지만 과학기술이 나날이 발전하고 있다. 잡힐 가능성도 있는 것이다.

자수해도 문제다. 상기 지회장에게 엄청 혼날 것이다. 정욱 대의원처럼 사무장에게는 쌍욕을 들을 수도 있다. 사무장이 나에게 쌍욕하는 모습이 상상되었다. 그리고 상기 지회장은 정치적으로 이용, 일부러 소문을 더 퍼뜨릴 것이다. 내가 전 집행부 집행위원이었기에, 남을 내리깔고 본인을 과시하기 위해 딱 좋은 소재인 것이다.

여러 가지 생각이 들었지만, 나 혼자 판단하는 것이 무리인 듯싶다. 그래서 전 지회장이었던 재섭 선배에게 전화를 걸었다.

- 재섭 형님, 그동안 잘 지내셨습니까?

- 그래. 너도 잘 지냈어? 근데 어쩐 일이야?

- 네. 잘 지내고 있는데, 갑자기 큰 고민이 생겨서요. 마땅히 하소연할 데도 없고, 형님 밖에 생각이 안 나더라구요. 한번 뵙고 싶은데 가능한가요?

- 어허. 무슨 고민일까? 당연히 시간이 되지. 그럼 점심시간에 밥 먹고, 12시 40분쯤에 우리 공장으로 와. 그때 보자.

- 그럼 그때 뵐게요.

재섭 선배가 알려준 대로 밥 먹고, 12시 40분쯤에 재섭 선배를 찾아갔다. 공장 입구에서 재섭 선배를 만났다.

- 커피 한잔 마시며 이야기하러, 휴게실 가자.

- 저....... 형님, 사람 없는 곳에서 이야기 나누고 싶은데요.

- 그래? 그럼 휴게실에 사람 있으면 커피만 빼들고 다른 곳 가자.

다행히 재섭 선배가 일하는 공장 내 휴게실에 사람이 없었다. 커피를 빼, 테이블을 사이에 두고 앉았다.

- 그래. 말해봐.

나는 노동조합 홈페이지에 도현 선배의 사번을 이용해 글을 올린 것을 이야기했다.

- 나도 우리 공장 운영위원한테 해킹하고 명의도용 이야기는 들었어. 연락 없던 네가 갑자기 전화하기래, 무슨 큰 잘못을 했나? 해킹을 했나? 걱정했었어. 근데 해킹은 네가 아니란 거지?
- 네. 해킹할 정도의 컴퓨터를 잘 다루지는 못합니다. 제가 데이터를 사용해, 폰으로 글을 올렸는데 못 잡겠죠? 만약 잡힌다면 징계의 수위는 어느 정도일까요?
- 글쎄. 근데 네가 잡혀도 큰 처벌은 안 받을 거야. 만약 상기가 작심해서 너에게 큰 징계를 받게 한다면, 조합원들한테 엄청나게 욕 먹을 거야. 조합원을 위한 노동조합이고, 너는 조합원이잖아.
 재섭 선배의 말에 조금 안심이 되었다.
- 그런데 왜 그런 글을 올렸어?
- 여러 요인이 작용했습니다. 특히 조합원을 위해 일해야 할 집행위원이 골프채로 조합원을 위협한다는 것이 말이 됩니까? 그 부분에 너무 화가 났습니다. 그리고 저는 떳떳합니다. 조롱하는 말투로 글을 적었지만, 있는 말만 했습니다. 제가 생각했을 때, 저의 가장 심한 말은 “잠재적 살인”이라는 단어입니다. 그리해도 큰 잘못은 아니라 생각합니다. 근데 노동조합에서 명의도용, 사이버 범죄, 사이버 수사를 언급하니, 피가 마르더라고요. 어찌하는 게 좋을 것 같습니까? 형님이 보시기에.
- 저 놈들 웃긴 놈들이야. 완전 내로남불이야. 전 노안부장

광희가 사이버 수사대에 의뢰한다고 할 때는, 어떻게 조합원을 수사하고 고소할 수 있냐? 며 온갖 방해를 하더니. 이제는 조합원을 수사하고 징계한다고?

재섭 선배는 옛 기억을 떠올리며 화난 표정을 지었다. 다시 침착한 표정을 짓더니 말을 이어갔다.

- 뭐 하러 노동조합 홈페이지에 글을 올렸어? 그리고 노동조합 일도 앞으로 하지 마.

황당했다. 본인이 지회장이 되었을 때, 나를 찾아와 교육선전부장 자리를 부탁하더니. 이제는 노동조합 일은 하지 말란다. 지회장을 역임하면서 많은 스트레스를 받은 듯 해, 이해가 되기는 했다.

- 내가 생각했을 때는 자수하는 게 나을 것 같다. 하지만 네가 네 발로 노동조합을 찾아가면, 다들 알게 될 거야. 그러니 상기 지회장한테 전화를 해. “지회장님, 긴히 드릴 말씀이 있습니다. 현장으로 한번 내려와 주시기 바랍니다.” 네가 있는 곳으로, 지회장이 오게 해. 만나서 사무장의 행동에 격분해 글을 남겼고, 내 사번으로 하려니 꺼림칙해서 친한 선배의 사번을 이용했다고 해. 그리하고 용서를 빌어. 그게 가장 깔끔한 방법이야.

재섭 선배의 이야기를 듣고 실망했다. 그리 쉬운 방법을 몰라서, 내가 찾아왔겠냐? 지회장에게 강력하게 의견을 내세울 사람은 “대의원 대표” 밖에 없다. 그리고 노동조합에서 사이버 수사대에 의뢰하여 조합원을 수사하려면 대의원들의 동의를 구해야 한다. 나는 재섭 선배가 대의원 대표를 만나, 조합원을 상대로 하는 사이버 수사를 막아주기를 바랐다.

재섭 선배에게 다시 부탁하려니 망설여졌다. 재섭 선배의 태도가 너무 미온적이고 전 지회장이 나서기에는 모양새가 빠질 것 같다. 그리고 괜히 잘못 엮였다가 재섭 선배까지 욕을 먹을 수 있을 것 같다. 그래서 부탁을 단념했다.

순간 '내가 지금 너무 서두르는 것이 아닌가?'라는 생각이 들었다. 아직 일주일이란 시간이 남았다. 찬찬히 머리를 굴려도 될 것이다.

- 형님, 아무튼 좋은 말씀, 감사합니다. 시간이 남았으니 조금 더 신중하게 생각해 보겠습니다.

- 그래. 결정은 네 몫이야. 잘 생각해 봐.

- 커피 잘 마셨습니다.

재섭 선배에게 작별인사를 건네고, 내가 일하는 공장으로 돌아왔다.

다시 작업시작 종이 올렸다. 마스크와 모자, 용접 장갑, 발토시 등의 안전보호구를 착용하고 지그로 올라갔다. 용접 건을 잡고 MIG용접을 하는데, 몸과 정신이 따로 논다. 육체는 기계적으로 일을 하는데, 정신은 노동조합 홈페이지, 명의도용, 징계를 떠올리고 있다. 해결을 강구할 때 상대방이나 적의 입장에서 생각하여 심리를 꿰뚫는 것이 좋은 방법일 것이다.

노동조합과 사이버 수사대가 떠올랐다. 그래. 내가 노동조합 홈페이지 관리자인척하며 사이버 수사대에 문의하면 될 것이다. 그리하여 수사가 가능한지, 처벌수위는 어떻게 되고 수사진행과정까지 알아낼 수 있을 것이다. 문의하고 알아본 후 자수해도 늦지 않을 것이다.

머릿속에 먹구름이 개이고, 밝아지는 느낌이다. 이제야 작업이 눈에 들어왔다. 짧은 용접구간인데, 길게 용접을 해버렸다.

문의할 질문과 내 죄를 정리했다. 나의 큰 죄는 명의도용이고, 노동조합 사무장을 비난한 것이다. 비난을 하여도 없는 말 지어낸 것은 아니다. 하지만 "잠재적 살인마"라는 단어가 마음에 걸렸다. 질문으로, 타인의 사번을 이용한 것이 명의도용으로 처벌가능한지, 데이터를 이용하여 핸드폰으로 글을 올린 사람을 잡을 수 있는지, 처벌수위는 어떨지 등을 생각했다.

노동조합에서 말한 명의도용이 가장 큰 걸림돌인 것 같다. 혹시나 하는 마음에, 포털 사이트에 명의도용을 검색했다. 개인 정보 보호법 위반에 해당된다. '5년 이하의 징역 또는 5천만 원 이하의 벌금에 처해진다.'고 나와 있다. 다시 눈앞이 캄캄해졌다.

점심시간에 밥 먹으러 가는데, 투쟁조끼를 입은 간부들이 보였다. 투쟁조끼 뒷면에는 투쟁구호가 적힌 문구와 하늘을 향해 뻗어있는 주먹이 보였다. 나도 예전에 투쟁조끼를 입고 다녔으며, 전직 간부였다. 근데 지금은 그들이 괜스레 꺼림칙했다. 나의 행동이 부자연스럽다. 이래서 사람이 죄를 지으면 안 되는구나!

밥을 먹으며 생각했는데, 나는 명의도용도 아니다. 도현 선배가 사번을 불러주었고, 대신 글을 올리라고 했다. 그리고 실제로 나는 그랬다. 그럼 명의를 훔친 것이 아니다. 하지만 지금 이야기해 본들 아무 소용없다. 내가 노동조합에 가서 이야기한들, 왜 진작 이야기하지 않았냐며 혼나고 창피를 당할 것이다. 신중해 지기로 했다.

재섭 선배의 말을 듣지 않길 잘했다. 시간이 지나니, 조급하고 혼란스러웠던 마음이 자연스럽게 진정되었다. 침착해지니 새로운 생각들이 나오고 용기가 생겼다.

회사에 출근해 일을 했다. 보통 때보다 빠른 속도로 작업을 해나갔다. 여유시간을 늘리기 위해서다. 작업을 많이 해놓고, 작업장을 빠져나왔다.

조용한 곳을 찾았다. 화장실 앞, 공터가 좋을 듯싶다. 지나다니는 사람도 별로 없었다. 지금 한창 일할 시간이라 그런가 보다.

알아놓은 사이버 수사대 전화번호로 전화를 걸었다. 상담원과 빨리 연결되기를 바랐지만 쉽지 않다. 대기자수가 30여명이 넘었다. 요새 온라인 범죄가 급격히 증가했다는 소식을 뉴스에서 들은 것이 생각났다. 어떡하지? 인터넷의 발달로 전화 말고도 인터넷 상담이 가능했다. 문의할 작성자가 글을 남기면 사이버 수사대 담당자나 관련된 자가 답변을 남기는 형식이다. 보통 3~4일이 걸릴 수도 있다고 한다.
 다시 호흡을 가다듬고 사이버 수사대 홈페이지에 접속했다. 카테고리를 따라 차례로 들어가, 문의사항을 남겼다.
- 반갑습니다. 연일 수고가 많으십니다. 저는 노동조합이란 단체에서 홈페이지를 관리, 담당하는 사람입니다. 우리 노동조합 홈페이지가 오래되어 업그레이드를 했는데도 불구하고, 해킹이 되었습니다. 해킹이 되는 과정에, 게시판의 글을 적은 사람들의 실명이 노출되었습니다. 그리고 그 과정에서 타인의 사번을 도용한 사실도 알게 되었습니다.
우리 노동조합 홈페이지에서는 본인의 사번을 입력해야 글을 적을 수 있습니다. 개인정보인 사번을 도용해, 글을 올린 사람을 처벌할 수 있는지요? 처벌한다면 징계의 수위도 궁금합니다. 또한 홈페이지에 글을 올린 사람은 데이터를 이용, 폰으로 글을 작성한 듯합니다. 잡을 수 있을런지요? 참고로 글의 내용으로 정신적 피해를 토로하는 사람은 없습니다.

 하루가 지나자, 사이버 수사대로부터 수신이 왔다는 알림이 핸드폰을 통해 전해졌다. 긴장되는 마음으로, 이번에도 빠른 속도로 작업을 진행했다. 땀을 흘리며 일을 해놓고서는 화장실을 가는 척하며, 폰을 들고 작업장을 빠져나왔다. 사이버 수사대 홈페이지 접속해, 답변을 확인했다.
- 최근 사이버상의 사건•사고가 늘어나고 있습니다. 미연에

방지하는 것이 최고의 방법입니다. 홈페이지 안전을 위해 포털 사이트에서 제공하는 백신 프로그램을 설치하는 것도 좋은 방법입니다. 귀찮으시더라도 비밀번호를 자주 변경해 주십시오. 그리고 각 개인의 정보는 개인이 철저히 지키고, 타인에게 노출되지 않도록 심혈을 기울여야 할 것입니다.

참 성의가 없다. 내가 궁금해하는 부분에 대한 답변이 하나도 없다. 분명히 나의 문의사항을 다 읽었을 텐데 말이다. 혹시 나의 문의가 너무 터무니없거나 "범죄"라기에는 너무 가벼워서 그런 것이 아닐까? 불현듯 전 노안부장이었던 광희 선배가 생각났다. 그 당시 광희 선배는 본인에게 정신적 피해를 준 악성루머 작성자를 찾기 위해, 정신 상담과 치료를 받은 증거를 첨부하여 사이버 수사대에 보냈다. 그 후 사이버 수사대와 광희 선배는 여러 번 접촉했다. 상기 따까리들 덕분에 무산되기는 했지만, 그 당시 사이버 수사대의 적극적인 움직임이 생각났다. 하지만 내가 보낸 문의에는 적극성 따위는 찾아볼 수가 없다.

"피해 규모"란 단어가 생각났다. 광희 선배는 정신적 충격으로 몸에 이상이 올 정도로 심각했지만, 이번 사건은 그렇지가 않다. 크게 피해 본 사람이 없다. 해킹을 당해 사이트가 훼손되거나 마비된 것도 아니다. 명의도용으로 도현 선배가 정신과 상담 및 치료를 받을 정도의 충격을 받은 것도 아니다. 사무장이나 지회장이 홈페이지 댓글 때문에 스트레스를 받기는 했지만 밤에 잠을 못 잘 정도는 아니다. 두 명의 성인이 주먹다짐을 해, 경찰서에 갔다. 근데 얼굴에 상처가 없고 아픈 데가 없는 등 피해가 없다면 경찰에서는 앞으로 싸우지 말라며 훈방 조치할 것이다. 이번에 내가 문의한 상황도 이 정도로 가벼운 것이다.

입 꼬리가 저절로 올라갔다. 이제 해방된 느낌이다. 더 이상 노동조합 간부들을 봐도 어색하거나 불안해하지 않을 것이다. 노동조합이 사이버 수사대에 의뢰해도, 이 정도로 수사대가 움직이지 않을 것이다. "피해"가 없기 때문이다.

용득 반장의 자진사퇴

나는 불안감에서 벗어나, 일상으로 돌아왔다. 노동조합이 말한 일주일의 기간이 지났다. 한 달이 지났을 때, 공장 중앙통로에서 정욱 대의원을 만났다.

- 노동조합 홈페이지 사건은 어떻게 되었어? 해킹하고 아이디 도용한 사람, 찾았어?

- 조합에서 아무 말 없던데요.

- 뭐야? 찾아내야지! 그래야 다시는 이런 일이 반복되지 않지. 그리고 저번 대자보나 소식지에서는 심각한 사이버 범죄로, 단호하게 대응•처벌한다고 했잖아. 또 말뿐인 거야? 우리 정욱 의원이 다시 언급해서 찾을 수 있도록 힘 좀 써봐.

- 에이~ 안 돼요. 이미 지나간 것 같아요. 지금 아무도 신경 안 쓰는 것 같던데요. 그리고 이제 임기도 얼마 안 남았어요. "레임덕"이라는 소리도 들려요.

"레임덕"이란 지도자의 임기가 끝날 때쯤, 떨어지는 지도력을 말한다. 그러고 보니 상기 지회장의 임기도 얼마 남지 않았다. 나의 예상대로 모든 것이 종료된 듯하다.

- 노동조합 임기가 얼마 안 남았으면, 우리 대의원 임기도 얼마 안 남은 거네. 내년에도 잘 부탁해.

정욱 대의원은 고개를 가로저었다.

- 아니요. 내년에는 안 할 겁니다.

정욱 대의원이 단호하게 말하고는, 가버렸다. 선우 반장과의 사건으로 정신적 피해가 큰 듯하다. 하지만 '내년에는 안 할 겁니다.'라고 하는 것을 보니, 정신적으로 추슬러지면 또 대의원을 하려는가보다. 그게 언제일지는 예상이 되질 않는다.

아침, 저녁으로 제법 쌀쌀해졌다. 어느덧 밤이 낮보다 길어졌다. 회사 출근해서 버는 소득이 가장 큰 소득이며 유일하기에, 오늘도 출근했다.

반상에서 아침 조회를 기다리고 있었다. 느닷없이 용득 반장이 폭탄선언을 했다.

- 반원, 여러분. 제가 부득이하게 반장 직을 그만두기로 했습니다. 몸도 아프고 해서 더 이상 반장을 하기 힘들다고 판단했습니다. 저를 도와주신 여러분께 진심으로 감사드립니다. 오늘도 안전에 주의하시고 수고하십시오.

모두들 화들짝 놀랐다.

놀란 상태로 제각각 본인의 작업장으로 흩어졌다. 나는 너무 놀라, 도현 선배를 찾아갔다.

- 형님, 뭐 들으신 거 있어요? 용득 반장 어디가 아픈데요?

- 아프긴 뭐가 아파. 생생하구먼. 반장 때려치우려고 변명하는 거지. 척 보면 몰라.

용득 반장이 반장 직을 내려놓은 것에는 여러 가지 이유가 있다. 그 중에 자기 말을 잘 따라주지 않는 반원들이 가장 큰 문제로 다가왔을 것이다. 반장은 작업보다 "작업자들과의 관계"가 더 중요하다는 것을, 용득 반장은 깨닫지 못했다. 본인은 열심히 하는데 자기만큼 따라와 주지 않는 그 모습에만 실망한 것이다. 주변 상황과 본인의 모습은 돌아보지 못했다.

용득 반장은 '내가 반장 때려치우고 공장 잘 돌아가는가 보자.'라는 심정으로 내질렀지만 현장과 공장은 아무 일 없었다는 듯이 잘 돌아갔다. 용득 반장과 동갑인 구환 선배가 반장이 되어 반을 잘 이끌어나갔다. 근데 희한하게 구환 반장은 용득 반장과 정반대였다. 일절 작업자의 지그에 들어가지 않았다. 뒷짐 지고 장갑 한번 착용하지 않았다. 말로만 작업지시 및 작업독려를 했다. 어느 지그의 작업자가 출근하지 않아 바쁘면 보통 반장이 대신 들어가 일을 했다. 하지만 구환 반장은 그것도 하지 않았다. 아침에 출근해서 사무실에서 내려오는 공지 사항만 아침조회시간에 말해주고, 작업시간에 뒷짐 지고 작업자들이 일 잘하고 있는지 둘러보는 것이 다였다. 이런 사람, 저런 사람이 반장이 되어도 생산현장은 잘 돌아갔다. 각 지그의 작업자들이 맡은 바 열심히 일하기 때문이었다. 나도 현장에 융화되어 톱니바퀴처럼, 그들과 함께 열심히 작업한다.

현장에 각 공장마다 작업마다 노동강도가 다르다. 그런 것을 알기에, 거기서 오는 박탈감에 조금 짜증이 난다. 그럴때마다 20대 비정규직을 생각한다. 나보다 좋지 않은 환경에서 묵묵히 일하는 사람들도 많다. 그래. 이런 대기업에 정규직으로 일하는 것만으로도 늘 감사하게 생각해야한다. 그리고 기회가 된다면 사회적 약자도 돌아봐야 할 것이다.

맺음말

여느 때와 다름없이 회사에 출근한다. 출근 해 작업복으로 갈아입고 일을 시작한다. 나는 중공업에서 용접사로 일하고 있다. 용접사라고 해서 용접만 하는 것이 아니다. 설계도면을 보고 단품을 붙이는 취부도 하고, 그라인더 작업도 한다.

용접할 때는 고온의 순간적 열로 인해 불빛이 발생하고, 쇠를 녹일 때 나오는 "흄"이라는 연기도 나온다. 그라인더 작업을 할 때면 쇳가루가 공중으로 흩어지며, 그 냄새는 매캐한 것이 고약하다. 공장 안에 용접 불빛, 용접 흄, 밝은 날에 햇살이 비치면 허공에 떠다니는 쇳가루 그리고 달팽이관을 크게 자극하는 망치질 소리가 가득하다. 이런 환경 속에서 일하는 것이 내겐 일상이다.

나의 일상인지라, 더럽거나 꺼림칙하지 않다. 마스크와 용접 장갑, 용접 재킷 등의 보호 장비를 착용하면 되는 것이고, 용접할 때 나오는 가스 조금 마시고, 쇳가루 조금 입에 들어간다고 해서 바로 죽거나 큰 병 생기는 것도 아니다.

사회초년생이었을 때는 지금의 생각과 많이 달랐다. 그때는 왜 그리 기겁을 했을까? 용접이란 작업을 왜 그리 혐오했을까?

군대 제대 후, 전문대를 졸업했다. 사회로 나오니 망망대해에 나 혼자 돛단배를 타고 있는 기분이었다. 어디로 가야 할지, 어떻게 먹고 살아야 할지, 가만히 있으면 뜨거운 햇볕에 말라죽을 것 같아 어디로든 노를 저어가야 할 것 같다.

뭘 해서 먹고 살지 막막할 때, 현장직을 고려하지 않았다. 지금 생각하면 그 원인을 내부적 요인과 외부적 요인으로 나눌 수 있을 것 같다.

내부적으로는, 전문대를 나왔고 학점도 높았기에, 단순노무나 힘든 작업은 하지 말아야 되겠다고 생각했다. 하지만 막상 사회를 나오니, 고졸이나 전문대 졸이나 별반 차이가 없었다. 그리고 전문대 전공분야 쪽으로 일을 하기도 힘들었다. 전공분야 쪽으로 일하려면 더 진학해야 했다. 인문계 고등학교를 졸업했고 4년제를 다니는 친구들이 많은 탓에 나의 눈높이가 높아져버린 것도 작용했다.

외부적으로는 남의 시선이다. 직장이 명함인데, 친구들이나 지인을 만날 때 좀 더 나은 사무직에서 일하는 모습을 보여주고 싶었다.

이런 내부적, 외부적 요인으로 전문대 졸업 후 현장 일에 제대로 적응을 하지 못했다. 하지만 6개월이 지나가자, 스스로 자각이 되었다. 그나마 6개월 정도로 자각한 것도 부모님의 질타와 잔소리로 빨리 단축된 것이다.

대부분의 사회 초년생들은 어딜 가나 비정규직으로 일을 한다. 현장직 비정규직이라고 하면 바라보는 시선이 좋지만은 않다. 친형의 친구가 자동차 정비업체 사장이다. 간혹 가다 부모님의 차 엔진오일을 갈기 위해, 그곳에 방문했다. 그럴 때마다 "형"이랍시고 충고나 인생살이 이야기를 하는데, 사람을 아주 비참하게 만든다.

- 넌 올바른 여자하고 결혼하기 힘들 거다. 요새 젊은 여자들 눈이 높아서 너 같은 남자는 거들떠보지도 않는다. 노래주점이나 다방 쪽에서 종사하는 아가씨들을 알아봐라. 잘하

면 결혼할 수도 있다. 내가 아는 다방에 일하는 아가씨가 있는데, 괜찮다. 네가 원하면 소개해주겠다.
큰소리치며 대들고 싶지만 친구 동생을 생각해서 나온 말이라 여기고 참았다. 단순히 "그러려니"하며 넘어갔다. 관심이 없으면 아무 말도 해주지 않았을 것이다. 무관심보다는 차라리 이런 관심이 더 나을 것이라, 아주 긍정적으로 해석했다.
내가 하고 있는 "용접"에 대해 비하하는 발언을 들은 경험도 있다. 용접사를 땜쟁이라고 하질 않나, 용접을 많이 하면 결혼해서 아이를 못 가진다는 이야기도 들었다. 그리고 우리나라에서 용접을 하면 대우를 못 받기에, 호주에 갈 것을 추천하는 지인도 있었다.

현재, 대기업 내 현장에서 용접을 한다. 용접을 하고 난 후, 용접비드(용접 후 굳은 자국)를 보면 뿌듯하다. 용접이 잘 되어, 만든 제품이 튼튼할 것이다. 그리고 우리나라에서 용접과 관련된 역사나 사업을 살펴보면 자랑스럽기까지 하다.

우리나라는 한국전쟁 이후 먹고살기가 힘들었다. 시간이 흘러, 경공업에서 중공업으로 바뀌면서 경제가 크게 부흥했다. 수출이 급격이 늘어나고 국민소득이 높아졌다. 그 중심에 중공업의 역할이 컸고, 미시적으로는 용접사의 역할이 중요했다.
지금도 용접은 건설, 제조 등의 다양한 분야에 쓰이고 있으며, 큰 비중을 차지하고 있다.
사회 초년생 느꼈던, 현장직에 대한 부끄러움은 더 이상 없다. 오히려 자랑스럽고 만족하고 있다. 남에게 피해나 상처

주지 않고, 공장에서 묵묵히 땀 흘리며 돈을 번다. 용접으로 인한 화상이나 흄은 보호 장비를 착용함으로써 피해를 최소화한다. 그라인더 작업으로 얼굴과 작업복에 달라붙은 쇳가루, 분진은 털어내고 씻으면 그만이다.

뉴스에, 자본소득으로 근로소득보다 더 많은 수익을 낸다고 한다. 그런 것을 보면 힘이 빠지기는 하지만, 먹고사는데 지장 없고 주말에 놀러 갈 수 있으니 축복인 것이다.

앞에서 이야기했듯이 비정규직의 비율이 월등이 높다. 비정규직 이야기는 했으니 이제 대기업 내 노동조합이 있는 정규직 이야기를 해보고 싶었다. 협력업체 비정규직, 대기업 정규직을 다 경험해보니, 사람들의 잘나고 못난 것의 큰 차이는 없다. 물론 예외도 있었지만 행운의 크기 정도의 차이다. 부모나 주변 지인의 지도편달과 운으로 대기업 직영이 되는 경우를 많이 봤기에. 내가 그리 생각하는가보다.

언론에서는 대기업 내 노동조합이 있는 곳의 작업자들(직영)을 소위 귀족노조라고 부른다. 노동조합에 "귀족"을 붙이는 것 자체가 맞지 않다. 노동조합을 중심으로 펼쳐지는 이야기를 한번쯤은 해보고 싶었다. 독자들이 읽고 간접경험이라도 해봤으면 하는 바람이다.